Les liens de la passion

Rêves brûlants

AMY J. FETZER

Les liens de la passion

éditions Harlequin

Titre original : THE RE-ENLISTED GROOM

Traduction française de FRANCINE SIRVEN

Photos de couverture
Père & fille : © GRACE / ZEFA / CORBIS
Paysage : © SCOTT MONTGOMERY / GETTY IMAGES
Paysage : © D. SIM / GETTY IMAGES

83/85 boulevard Vincent-Auriol 75646 PARIS CEDEX 13.
Service Lectrices — Tél. : 01 45 82 47 47

ISBN 978-2-2800-8498-7 — ISSN 1950-2761

Prologue

Camp Pendleton, Californie

Cinq jours. Cinq petits jours encore, puis ils seraient mari et femme… Un jour de plus, et il partirait pour l'Irak.

L'idée qu'il pourrait la perdre, elle, sa vie, son cœur, s'abattit sur le sergent Kyle Hayden avec la violence d'une rafale de kalachnikov. Il resserra les bras autour de la femme qu'il aimait, impuissant. Il ne pouvait rien contre la cruauté de cette nouvelle à laquelle, par ailleurs, il s'attendait.

— C'est si injuste, gémit-elle, ses larmes traversant maintenant la toile épaisse de son T-shirt kaki.

— Je sais, ma chérie, je sais, tenta-t-il de la réconforter en couvrant de baisers ses cheveux, ses joues, en s'imprégnant de son parfum. Les ordres sont les ordres…

Il embrassa son visage, but ses larmes avec émotion.

Jamais personne n'avait pleuré pour lui ainsi. Jamais personne n'avait ainsi tenu à lui.

Elle leva lentement la tête et plongea ses beaux yeux verts désespérés dans les siens.

— Oh, Kyle ! Ce n'est pas un jeu, cette fois. Il ne s'agit pas de conduire une voiture à toute vitesse ou de faire du VTT dans des endroits impossibles, dit-elle, ses ongles lacérant ses bras nus. La guerre… Il y aura des vraies balles, de vrais ennemis…

Il la fit taire par un long et tendre baiser. Oui. La guerre. Mais voilà cinq années qu'on le formait dans ce but. Le besoin de se confronter au danger se confondit subitement dans son esprit à des scènes d'horreur. Il n'en interrompit pas pour autant son baiser et laissa ses mains courir sur son corps tremblant. Repoussant ces images de champ de bataille pour se concentrer sur l'instant, la vérité… cette femme, entre ses bras.

— Il ne m'arrivera rien, chuchota-t-il, son souffle mêlé au sien, le désir de faire l'amour avec elle surgissant, impérieux. Je te le promets, je ferai attention à moi.

— Je te conseille de me revenir entier…

Il la regarda et lui sourit, espiègle.

— Y a-t-il une partie de moi dont tu te préoccupes plus particulièrement ? demanda-t-il alors, l'air innocent.

Elle s'arracha vivement de ses bras et s'écria en essuyant ses larmes :

— Tu ne penses donc qu'à rire de tout ! Ciel, Kyle. Sais-tu que tu risques de te faire tuer ?

— Je t'en prie, ma chérie. Ne commence pas, la

supplia-t-il en cherchant à l'attirer une nouvelle fois contre lui.

Elle recula d'un bond.

— Oh, Kyle, je te connais. Toutes ces folies… As-tu oublié la fois où tu t'es brisé le dos en faisant du saut à l'élastique ? Et le jour où tu as pris une balle, simplement parce que tu voulais voir ce que ça faisait ?

Maxie avait conscience de hurler de façon presque hystérique. Mais elle était si triste, si désemparée en pensant à lui, à eux.

Quel caractère, décidément ! se dit-il en la regardant arpenter la salle, ses yeux s'arrêtant sur sa petite jupe rouge et ses jambes fuselées. Ah, la douceur de ses jambes…

— Tu exagères, dit-il, réprimant son trouble. Tu étais auprès de moi dans ces aventures. Et je croyais que tu aimais mon côté trompe-la-mort…

Maxie se souvint de leur première rencontre. Kyle participait à une course de stock-cars, à Long Beach. Et était sorti miraculeusement indemne d'une collision spectaculaire.

— Au début, oui, cela m'intriguait…, avoua-t-elle en le fixant du regard. Mais chez mon mari, c'est autre chose…

Au durcissement de ses traits, elle comprit que, cette fois au moins, il l'écoutait. Elle se rapprocha de lui.

— J'aimerais que le futur père de mes enfants vive suffisamment pour…

— Allons, Max, la coupa-t-il en passant la main

sur ses cheveux ras. Je ne veux pas penser à ça, pas encore.

La seule pensée d'avoir des enfants le terrifiait.

— Je trouve que c'est prématuré, reprit-il. Pourquoi reparler de cela, maintenant… ?

« Parce que nous avons dû avancer notre mariage de trois mois à cause de la guerre… Parce que j'en rêve… Parce que j'ai peur… »

— Parce que tu me parais plus impatient d'aller en Irak que de m'aimer, préféra-t-elle répondre.

La fraction d'hésitation qu'il marqua lui glaça le sang.

— C'est faux, protesta-t-il. Je t'aime… Mais les ordres sont les ordres.

— Je le sais bien, répliqua-t-elle, agacée. Mais cette satanée guerre a déjà des conséquences sur notre couple, Kyle. Et je voudrais que tu y réfléchisses…

Pourquoi fallait-il que ce fût toujours elle qui tienne le rôle de l'adulte responsable et équilibré dans leur relation ? Il croisa les bras puis déclara :

— Cela a des conséquences sur toi, pas sur moi.

— Et cela ne te suffit pas ? dit-elle, éplorée.

Kyle avait conscience de son égoïsme. Mais il pouvait être absent plusieurs mois, voire une année. Et aussi bien être tué et ne plus jamais la revoir. Non, il ne voulait pas entendre parler d'enfants ni de foyer. Lui et son frère aîné, Mitch, vivaient livrés à eux-mêmes depuis qu'on les avait abandonnés, quand il avait douze ans. L'image que Maxie sc faisait d'une famille lui était étrangère. Il l'aimait, oui, mais parce qu'il appartenait aux marines et qu'ils étaient en guerre, il ne pouvait lui donner ce qu'elle voulait.

De nouveau, il tressaillit à l'idée de la perdre. L'idée le terrifiait, plus que ne le terrifiait l'éventualité de perdre la vie dans les sables d'Irak. Cherchant son regard, il chuchota :

— Je t'aime, Maxie. Voilà la seule vérité.

Il tendit la main. Elle fixa ses yeux pleins d'espoir puis se précipita entre ses bras. Il l'étreignit et pressa ses lèvres contre les siennes. Baiser avide, sauvage. Elle se blottit contre lui, toute à lui, voulant tout de lui.

Kyle l'embrassa avec une ferveur accrue. Difficile à croire, mais d'ici quelques jours, il devrait dire adieu à sa femme. Au lieu de son sourire sous l'éclat d'une lune de miel, il serait confronté au feu de l'ennemi. Oh, il ne voulait penser qu'à elle. Maxie Parrish. Si douce, si sexy. Sa Maxie. Ses mains s'insinuèrent sous son chemisier. Oh, Maxie… Et lorsqu'elle se plaqua contre lui, souleva son T-shirt, ses doigts lacérant son dos, il sut qu'un désir tout-puissant la consumait. Fébrile, il dégrafa son soutien-gorge et caressa ses seins.

Maxie gémit de plaisir, l'aidant à déboutonner son chemisier, ses seins durs et brûlants sous ses doigts. Quelle bouche sensuelle il avait ! pensa-t-elle alors qu'il prenait entre ses lèvres le bout d'un de ses seins puis de l'autre, sa langue traçant des cercles chauds et humides sur son buste.

— Kyle, oh, Kyle, soupira-t-elle, aspirée par des sensations voluptueuses.

Personne ne pouvait dire combien de temps il serait parti. Une fois séparés, tous deux changeraient. C'était inévitable. La question était : jusqu'où cette séparation affecterait-elle leur tout jeune couple ?

— Et si…, haleta-t-elle, Kyle mordillant son sein. Et si nous repoussions les noces… jusqu'à ton retour… ?

Subitement, il se redressa et prit son visage entre ses mains, ses yeux noirs brillant l'espace d'une seconde d'une peur intense.

— Il n'en est pas question. J'ai besoin de toi… Je t'aime, Max, chuchota-t-il, la couvrant de nouveau de baisers. Et j'ai besoin de savoir que tu es ma femme.

Maxie ressentit toute la profondeur de son angoisse et s'empressa de répondre tout en lui ôtant son T-shirt :

— Oh, Kyle, je t'aime aussi. Mais nous devons être réalistes…

Il l'amena contre lui, ses seins contre son visage.

— La seule réalité que je conçois, c'est toi, c'est nous, ici et maintenant…, dit-il dans un souffle en gobant goulûment son sein et puis l'autre.

Maxie rejeta la tête en arrière, ses cheveux auburn effleurant ses reins nus. Il refusait de l'entendre, pensa-t-elle, comme il l'avait refusé chaque fois qu'elle avait évoqué la possibilité d'attendre. Puis ses caresses, sa sensualité vinrent à bout de sa conscience et, submergée par le désir, elle noua ses jambes autour de sa taille tandis qu'il l'emportait vers le lit. Là, il s'assit et la maintint sur ses genoux, ses mains s'affairant sous sa jupe à l'assaut de son slip.

A bout de souffle, Maxie soutint son regard enfiévré quand il écarta ses cuisses et plongea ses doigts en elle. Les yeux clos, elle se mit à aller et venir contre sa main.

— Tu es toujours si chaude, si humide, soupira-t-il. Oh, je te sens palpiter sous mes doigts… pour moi.

Et il enfonça ses doigts plus profondément en elle, regardant son désir monter alors qu'elle arrachait presque les boutons de son pantalon de camouflage, sa main disparaissant pour se refermer autour de lui. Il gémit à son contact.

— Oh, Maxie…

— Et ceci… Est-ce suffisamment réel pour toi ? chuchota-t-elle à ses lèvres. Dis-moi, Kyle, je t'en prie…

Il posa ses lèvres sur les siennes. Il voulait réduire sa peur au silence. Ne voulait pas admettre qu'il serait seul, dans le désert, complètement seul. Tout ce qu'il voulait, c'était elle, ici, qui l'attendrait. Qui n'en pourrait plus de désir pour lui.

Comme lui en ce moment.

— Déshabille-toi, lui dit-il en la faisant descendre de ses genoux.

Il se pencha pour retirer ses bottes, ses yeux se promenant sur elle, à quelques centimètres de lui, se débarrassant de ce qui restait de ses vêtements avant de rouler sur le lit. Puis elle le regarda venir vers elle, fascinée par tant de puissance, tant de sensualité. Elle comprit alors qu'elle ne pourrait jamais lui résister. Il était sa plus grande faiblesse. Et les doutes qui l'assaillaient aujourd'hui, doutes sur ses sentiments, sur leur avenir, se dissipèrent comme par miracle, devant lui, devant cet homme qui, elle le savait, resterait à jamais l'homme de sa vie.

Il arracha le drap dont elle s'était couverte, ses yeux se promenant sans pudeur sur son corps, son visage se tendant sous l'effet d'un désir qu'il ne cherchait pas à dissimuler. Provocante, à son tour elle l'observa dans toute sa nudité de mâle. Puis elle ferma les yeux, vaincue. Il allait partir, pensa-t-elle une fois encore. Il rêvait tant de se battre pour sa patrie ! Et jamais il ne serait venu à l'idée de Maxie de l'en empêcher. Des cicatrices encore roses, vestiges de ses innombrables chutes, étaient là pour lui rappeler qu'elle ne devait même pas rêver de l'écarter un jour du parfum enivrant de l'adrénaline. Il ne vivait que pour le frisson et le danger.

— Viens ici, ordonna Kyle en s'agenouillant sur le lit.

Elle le défia du regard, comme elle savait le faire pour le pousser à bout. Fronçant les sourcils, il la regarda longuement, braquant finalement ses yeux sur sa toison bouclée. Elle gémit sous l'intensité de ce rcgard et il rit.

— C'est pathétique, cette emprise que tu as sur moi, soupira-t-elle, n'en pouvant plus en même temps de l'attendre, d'attendre ses mains, son corps.

— Sur ton corps, peut-être, chuchota-t-il en agrippant ses chevilles. Mais sur toi… ?

Ils s'observèrent puis elle sourit, sourire sexy et mutin. Troublé, Kyle n'osa même plus respirer. « Elle est si belle », pensa-t-il en rampant sur elle, ses mains glissant sur son ventre rond avant de se refermer sur ses seins. Elle laissa échapper une plainte, couvrant ses mains des siennes et plongeant ses yeux dans les siens. Elle battit des cils et il crut apercevoir l'ombre du désespoir traverser son regard.

Soudain, elle se redressa et se blottit contre lui, les bras noués autour de son cou. Kyle comprit qu'elle pleurait. Il ferma les yeux et la berça un long moment, le cœur brisé par ses sanglots. Puis il enfouit ses mains dans ses cheveux et la força à montrer son visage. Un visage si doux. Elle allait lui manquer, terriblement. Lui manquerait-il autant ?

— Fais-moi l'amour, Kyle. Une dernière fois…

— La nuit est à nous. Et d'ici quelques jours, c'est toute la vie que nous aurons devant nous.

Elle essuya furtivement ses yeux et agrippa ses épaules puis elle cria presque :

— Non, justement. Tu ne comprends donc pas ? Tu vas partir. Et nous ne savons pas quand tu reviendras ! Oh, peut-être ferions-nous mieux d'attendre et…

En un instant, il la força à se rallonger et se coucha sur elle.

— Non, non et non, dit-il. J'ai trop besoin de toi…

Et il la prit, l'aima avec une rage et une envie qui peu à peu effacèrent les doutes et les peurs de Maxie. Elle s'abandonna, se donna de toutes ses forces à cette étreinte, à cette formidable passion qu'ils partageaient maintenant depuis plus d'un an.

Tout était là, dans leur corps à corps. Elle était sa seule réalité, son unique vérité. Seul comptait aujourd'hui, pas demain. Néanmoins, c'était comme si elle s'éloignait déjà de lui. Et lui, le casse-cou qui n'avait peur de rien, tremblait à l'idée que Maxie pût être lasse de lui. Et le quitter. Ou l'oublier lorsqu'il serait parti… Il avait tant besoin d'elle à ses côtés. Non, non, il ne voulait pas la perdre. Il refusait de croire que tout risquait de changer.

Il l'aima, et lorsqu'elle jouit, il l'aima de nouveau, cédant à son tour au plaisir, se perdant dans ses chuchotements et ses cris et tentant d'oublier le mauvais pressentiment suscité par ses paroles.

Maxie s'assit sur le bord du lit, dans la pénombre de cette chambre d'hôtel bon marché, les mains jointes sur les genoux. Elle joua un long moment avec sa bague de fiançailles jusqu'à ce que son doigt fût rougi puis, subitement, elle la retira et la jeta dans son sac à main. De lourdes larmes s'écoulèrent sur ses joues, qu'elle ne prit pas la peine d'essuyer. Pleurer lui faisait du bien.

Elle leva les yeux et observa l'horloge. La grosse aiguille peinait à dépasser l'heure de son mariage. Puis son regard se tourna vers la robe de satin blanc délicatement brodée qui gisait dans le fauteuil en vieux cuir. Une fois aujourd'hui, elle l'avait passée, oh, une minute seulement ! et elle avait bien failli changer d'avis. Cette robe représentait en effet tout ce dont elle rêvait : un mari, un foyer, des enfants. Tout ce dont elle rêvait. Kyle, lui, avait d'autres rêves. Des envies.

Le mariage était-il réellement une sage décision pour eux ? Quelques heures avant son départ pour l'Irak ? N'était-ce pas l'angoisse qui les avait poussés à avancer les noces, à unir leurs vies ? Qu'aimait-elle au fond ? N'était-ce pas plus l'idée du mariage et d'une famille que Kyle lui-même ?

Elle détourna les yeux de sa robe. Depuis une bonne heure maintenant, elle n'avait cessé de se poser les mêmes questions encore et encore, torturée par l'envie de courir jusqu'à l'église et d'épouser Kyle.

L'émotion et la peur l'en avaient empêchée, la maintenant rivée à ce lit de solitude dans cette chambre sans joie. Comment pouvait-elle faire cela à l'homme qu'elle aimait ? Elle connaissait la réponse. Des semaines de pensées confuses et contradictoires, les préparatifs du mariage mêlés à ceux du départ de son fiancé pour la guerre l'avaient irrémédiablement conduite à ce moment tragique. Fermant les yeux, elle plongea son visage entre ses mains.

Le même désarroi intense l'avait hantée quand il était parti faire ses classes, six semaines plus tôt. Cette première séparation lui avait ouvert les yeux, la laissant effrayée et déconcertée. Car, mise à part la passion physique qu'ils partageaient, ils étaient comme deux êtres sur le même chemin mais avançant dans des directions opposées. Elle l'aimait profondément, mais ils n'avaient pas les mêmes buts dans la vie. Un temps, elle avait cru pouvoir le faire changer. Elle s'était dit qu'il finirait par rêver des mêmes choses qu'elle. Mais, pour Kyle, il n'y avait qu'elle et l'armée dans sa vie. Elle avait envie de bébés grassouillets, d'une jolie maison… et de stabilité. La seule chose que tous deux voulaient avec la même force, c'était l'autre. Mais Maxie estimait que le désir ne suffisait pas.

Voilà pourquoi elle se terrait dans cette chambre d'hôtel minable.

Devant lui, elle aurait été incapable de faire ce qu'elle devait pourtant faire. Car, d'un regard, il obtenait ce qu'il voulait d'elle, d'un baiser il savait la réconforter. Leur passion avait toujours été si forte ! Au point que, jusqu'à aujourd'hui, elle avait été incapable de voir au-delà.

Tous deux étaient apeurés et essayaient tant bien que mal de contrôler une situation qui leur échappait. Il partait et craignait évidemment que le temps n'ait raison de leur amour. Surtout de celui de Maxie.

Mais le mariage ne pourrait rien contre l'éloignement, l'angoisse, l'attente ou le désespoir. Ce mariage était une erreur.

Maxie regarda de nouveau l'horloge et soupira avant de s'allonger sur le lit, les yeux au plafond, en s'efforçant de ne pas penser à son fiancé, à ce qu'il devait se dire en cet instant, au chagrin qu'il devait ressentir. Si seulement il l'avait écoutée… Si seulement ils avaient eu un peu plus de temps… Si seulement il n'y avait pas eu cette guerre…

Revêtu de son uniforme bleu, Kyle Hayden, au garde-à-vous, regardait droit devant lui, les yeux braqués sur la porte de l'église. « Elle va arriver », se répétait-il. D'une minute à l'autre, oui, elle serait là. Autour de lui, amis et invités chuchotaient. Ses témoins se tenaient près de lui, son frère Mitch évoquant en riant la légendaire ponctualité des femmes. Et si elle avait eu un accident ? Paniqué, il avait expédié deux de ses copains à sa recherche. Si tout allait bien, elle aurait dû se manifester… Forcément, non ? Car jamais Maxie ne lui ferait un coup pareil.

Maxie l'aimait.

Il en était convaincu. Et il continua donc d'attendre.

D'attendre encore l'heure de la cérémonie passée.

D'attendre même lorsque les premiers invités commencèrent à prendre congé. Dissimulant son humiliation derrière ce visage de marbre qu'il excellait à présenter au monde depuis tant d'années. Les yeux toujours rivés sur la porte, Kyle sentit la rage et le désespoir enfler en lui. Son cœur s'arrêta pourtant de battre quand une ombre se faufila dans l'église et il se maudit pour sa faiblesse. Il était prêt à lui pardonner. Bien sûr. Puis il aperçut la mère de Maxie, son regard. Et la gentillesse et la compassion qu'il lut dans les yeux de Lacy Parrish l'anéantirent.

Il laissa tomber le bouquet flétri de Maxie et aussitôt ses camarades l'encadrèrent pour le guider vers la sortie au pas cadencé. Il quitta l'église la tête haute, tel un vrai marine partant à la guerre. Ce qui était le cas. Marié ou pas, la guerre l'attendait.

Moins de vingt-quatre heures plus tard, alourdis par tout leur barda de futurs guerriers du désert, Kyle et ses hommes étaient sur le départ. Ses hommes qui, bien sûr, savaient…

Surtout, éviter de penser à Maxie, à ce qu'elle pouvait faire en ce moment même… Les pleurs d'une femme lui parvinrent et il tourna la tête vers le marine à côté de lui. Son camarade berçait tendrement sa femme éplorée. La gorge de Kyle se serra, il respira avec difficulté. « Cela aurait dû se passer ainsi, pour moi aussi », se dit-il en regardant devant lui la foule des épouses et des enfants, des parents et des amis venus pour les adieux. Il attendit d'apercevoir la longue et soyeuse chevelure auburn, il espéra longtemps la voir courir vers lui, implorant son pardon, l'assurant de son amour.

« Elle va arriver, se répéta-t-il. Elle ne me laissera pas embarquer dans cet avion sans me dire au revoir. » Il en était convaincu. Et il continua donc d'attendre. Traînant le pas quand sa section se dirigea vers l'appareil. Fouillant la foule du regard. « Elle va venir. » Peut-être préférait-elle repousser leur mariage ? Mais elle l'aimait. Et…

Un ordre claqua et l'arracha brutalement à ses pensées.

— Dépêche-toi donc, marine ! La guerre n'attend pas !

Kyle fixa sans comprendre son supérieur puis lentement il hocha la tête. Il pressa le pas et rejoignit sa place. Mais jusqu'au bout, jusqu'à ce que les portes de l'avion se referment et lui ôtent tout espoir, il crut qu'il allait l'apercevoir. Puis, dans l'obscurité de la cabine, Kyle dut se résoudre et regarder la vérité en face.

- 1 -

Grand Canyon, Arizona
Sept ans plus tard

Pelle suspendue au-dessus de la brouette, Maxie leva la tête et suivit l'hélicoptère des yeux. Le vacarme des pales fit trembler les murs de l'écurie, semant la panique parmi les bêtes quand l'appareil se posa.

— Du calme, Elvis, dit-elle au cheval devant l'écurie. Il faudra t'y habituer.

Elle vida sa pelle en remuant la tête. Les pilotes appelés régulièrement à la rescousse par le parc avaient parfois tendance à se rejouer *Top Gun*. Et celui-ci ne dérogeait apparemment pas à la règle. Cela promettait. Pendant une semaine ou deux, Tom Cruise allait prendre pension chez elle.

Certaine d'avoir affaire à l'un des pilotes qu'elle avait hébergés par le passé, elle ne se précipita pas pour le saluer, sachant qu'il lui faudrait plusieurs minutes avant de parcourir les trois cents mètres qui séparaient la piste de l'hélico de l'écurie. S'il prenait la peine de venir lui dire bonjour. De toute façon, elle n'avait pas envie de compagnie. Généralement, les pilotes étaient cantonnés au Bed & Breakfast de Mme Tippin, mais avec la moitié des équipages touchée par la grippe et l'afflux de touristes, une bonne partie des troupes logeait chez elle. Un marché qu'elle avait conclu avec le parc, depuis trois ans maintenant. Même si ce va-et-vient de jeunes casse-cou bruyants l'agaçait, au fond. Elle espérait en tout cas que ce pilote ne viendrait pas jouer les jolis cœurs et la laisserait travailler en paix.

Après avoir poussé la lourde brouette entre les bâtiments jusqu'au camion garé devant le portail du fond, elle versa dans la benne les quelque cinquante kilos d'immondices. Puis Maxie refit le chemin en sens inverse et se remit à manœuvrer la pelle avec courage quand, soudain, un mouvement aux abords de l'écurie attira son attention.

Elle se figea. Blêmit. Ses doigts se refermèrent instinctivement autour du manche de sa pelle.

« Aidez-moi. Que quelqu'un vienne à mon secours. »

Maxie Parrish sut que son appel resterait sans réponse. Rien ne la sauverait. Son pire cauchemar avançait vers elle, d'un pas déterminé.

Elle l'aurait reconnu entre mille, n'importe où. Oui, malgré le col de son blouson de cuir relevé contre le vent et un large Stetson sur la tête, elle sut que c'était lui. A sa démarche, au maintien de ses épaules… à cette allure, si sexy… Sept longues années de culpabilité et de honte déferlèrent sur elle d'un coup, d'un seul, menaçant de l'engloutir. Elle dut se faire violence pour ne pas prendre ses jambes à son cou et fuir aussi loin qu'elle le pouvait.

Au lieu de cela, elle se tint là, résignée, prête à affronter son destin. Attendant le moment où il la reconnaîtrait. Un sac jeté sur l'épaule, il marchait les yeux fixés au sol, là où il mettait les pieds, plus que devant lui.

— J'suis bien au ranch Wind Dancer, m'dame ?

— Oui, Kyle. C'est bien ici.

Il stoppa. Levant brusquement la tête, il la dévisagea, l'œil noir et perçant.

Il ne dit pas un mot, se contentant de la regarder, impassible. Il tira sur la bandoulière de son sac, et son expression se durcit. Puis il fit un pas vers elle et Maxie sentit le sol meuble se dérober sous ses pieds. Sans vergogne, il la déshabilla du regard, la faisant rougir. Elle ne pouvait le croire. Son regard n'avait rien perdu de son intensité. Cet éclat… Elle tressaillit, puis étouffa soudain dans la fraîcheur du matin.

Et Kyle… Après tout ce temps, il semblait qu'il voyait en elle.

Pour son malheur, il était aussi séduisant qu'autrefois, lorsqu'il appartenait aux marines. Oh, il avait vieilli, paraissait plus mature et, même si quelques rides marquaient aujourd'hui le coin de ses yeux et qu'il y avait un certain cynisme dans son sourire qu'elle ne lui avait pas connu auparavant, il n'avait pas changé. Beau, bronzé, des yeux noirs empreints de malice… Même si… Car, apparemment, il ne considérait pas lui non plus cette rencontre comme une bénédiction.

Kyle chancela. Soudain, il fut transporté sept années en arrière. A l'époque, il était un marine sur le point d'embarquer dans l'avion qui l'emporterait en Irak, et il l'attendait, elle, espérant qu'elle allait se précipiter dans ses bras. Oui, il avait espéré jusqu'au bout, à en crever. Tous ces souvenirs… ce cauchemar. Pourquoi avait-il fallu qu'il atterrisse précisément chez elle ? Bah ! elle appartenait au passé, se dit-il. Bon sang…

Si elle avait réellement appartenu au passé, pourquoi cette douleur, en lui ? Jamais son cœur n'avait cessé de saigner, blessure ouverte, jamais cicatrisée et, visiblement, toujours aussi douloureuse. Et masochiste comme il l'était, il ne pouvait s'empêcher de regarder ce visage, si doux, et ce corps si sensuel sous la jupe grossière et la chemise en toile épaisse. Elle avait coupé ses cheveux, nota-t-il niaisement. Coupe au carré qui mettait en valeur ses pommettes et ses yeux en amande. Oui, toujours follement désirable et…

Il méritait de savoir. Il avait suffisamment souffert.

Lentement, il plongea ses yeux dans les siens.

— Hello, Max, dit-il enfin.

L'écho de sa voix, aussi profond que les abysses,

l'enveloppa, faisant déferler sur elle un flot de souvenirs, de chagrin et de culpabilité longtemps refoulés. Oh, ciel, cette culpabilité, se lamenta-t-elle. Jamais elle ne l'avait quittée et, face à son regard maintenant, elle semblait décuplée. La dernière fois qu'elle l'avait vu, il fourrait ses affaires dans son grand sac kaki, impatient de l'épouser, avant son départ pour la guerre. Elle baissa les yeux. Instinct de préservation. « Pas de panique, s'enjoignit-elle. Il ne sait rien des sept années écoulées. »

— Que fais-tu ici ? demanda-t-elle enfin en essayant de cacher son émotion.

Il fronça les sourcils, chercha son regard.

— C'est tout ce que tu trouves à me dire, Max ? Je m'attendais à : « Tu t'en es donc sorti ? » ou « Combien de blessures après tout ce temps passé en Irak ? »...

Elle fit la grimace. Oui, se rappela-t-elle, elle ignorait totalement ce qu'il avait pu faire après la guerre. Jamais il n'avait cherché à la revoir. Oh, elle ne pouvait le lui reprocher. Mais elle n'allait pas surenchérir sur son ton narquois. Elle soutint son regard puis dit avec calme, les mains jointes sur le manche de sa pelle :

— Hello, Kyle. Tu parais en forme. Tu t'en es donc sorti ? Pas de blessures ?

Il haussa les épaules et sourit avec froideur.

— Bien, voilà qui est fait... Alors, que fais-tu ici ? reprit-elle.

— Le parc nous a embauchés, moi et mon hélico.

Maxie blêmit.

— Un hélico, bien sûr, bien sûr, marmonna-t-elle en se remettant subitement à manier la pelle avec fébrilité. J'aurais dû savoir que tu faisais forcément un travail dangereux. Suis-je bête…

Kyle laissa libre cours à son ressentiment. Elle n'imaginait même pas qu'il ait pu changer ! Et, pire encore, elle ne paraissait en aucun cas affectée par leur rencontre. Après tant d'années, alors que lui tenait à peine debout.

— Assurément moins dangereux que de faire des vols de reconnaissance dans les faubourgs de Bagdad, remarqua-t-il avec ironie. Récupérer des touristes amateurs de sensations fortes procure bien moins d'adrénaline que le feu de l'ennemi…

Son sarcasme ne l'impressionna pas et, du tac au tac, elle répliqua :

— Voler par tous les temps en hélico, au-dessus du Grand Canyon, ce n'est donc pas dangereux pour toi ?

— Bah, laisse tomber l'hélico, lâcha-t-il en faisant glisser la fermeture Eclair de son blouson et en repoussant son Stetson. Que fais-tu ici ? demanda-t-il en regardant autour de lui.

Elle leva les yeux au ciel et planta fermement sa pelle dans le tas de purin.

— Figure-toi que j'adore le parfum du fumier ! lâcha-t-elle avec un air de défi.

Kyle retint un sourire.

— Bah, je t'en prie, Max, indique-moi le bureau du patron, qu'on en finisse.

— C'est moi le patron.

— Quoi ?

Son expression avait quelque chose de comique. Et si elle n'avait dû recourir à toute son énergie pour ne pas s'effondrer, elle aurait éclaté de rire. Mais elle demeura imperturbable et cala sa pelle contre le mur avant de lui faire face, écartant ses cheveux d'un revers de la main.

— Ce ranch est à moi, Kyle.

Il jeta un coup d'œil circulaire aux bâtiments proches puis la regarda, elle. Ils se fixèrent ainsi un long moment, le vent glacial hurlant autour d'cux.

— Ainsi… tu étais ici ? dit-il d'une voix morne en désignant la rangée de box. Tout ce temps ?

— Non, pas tout ce temps, répondit-elle avec froideur en se baissant pour pousser la brouette vers l'écurie. De toute manière, quelle importance ?

Tout en parlant, elle sortit un cutter de sa poche arrière et ouvrit une botte de foin. Tendant la main, Kyle, stupéfait par le surréalisme de cette rencontre, ébranlé par l'indifférence de Maxie, tapota l'encolure du cheval.

— Aucune, en effet, répondit-il avec un haussement d'épaules.

— Bien, dit-elle en saisissant une fourche et en étalant le foin sur le sol du box. Nous sommes d'accord.

Il remonta son sac sur l'épaule, bougea, mal à l'aise, d'un pied sur l'autre.

— Pas totalement, peut-être…

Elle le foudroya du regard et hocha lentement la tête, l'air menaçant. Il ne devait pas se faire d'idées quant à eux…

— Ne t'avise pas de jouer à cela, Kyle. Si j'avais voulu de toi dans ma vie, je serais allée à l'église.

Voilà qui avait le mérite d'être clair, se dit-elle, redoutant ce qui allait s'ensuivre. Car tel qu'elle le connaissait… Mais c'était il y avait si longtemps, le connaissait-elle encore ?

Il se renfrogna, promena avec aplomb son regard sur elle, la faisant se sentir à nu. Elle voulut détourner les yeux, en vain. Et, malgré elle, elle ne put s'empêcher d'être séduite par sa dégaine, par la noirceur de ses cheveux, par la profondeur de son regard. Et zut ! Elle ferait bien mieux de s'en tenir à l'hostilité qui brillait dans ces mêmes yeux.

— Toujours aussi insensible, hein, Max ?

— Va-t'en au diable, Kyle ! répondit-elle en le toisant.

Il la dévisagea, esquissa un sourire mauvais.

— Toi seule feras le voyage…

Elle baissa les yeux sur ses mains agrippées au manche de la bêche. Zut et zut ! Pourquoi réapparaissait-il dans sa vie ? A venir lui rappeler qu'on n'échappait pas si facilement à ses erreurs ? Elle avait tellement honte de la façon dont elle l'avait traité…

Mais elle ne pouvait s'offrir le luxe aujourd'hui de regretter le passé. Elle savait mieux que personne ce que sa décision lui avait coûté. Et elle avait payé plus qu'il ne saurait jamais l'imaginer. Mais elle n'allait certainement pas lui faire le plaisir d'énumérer toutes les souffrances endurées.

— Sept ans ont passé, Kyle. Si tu crois me connaître encore, tu te trompes, dit-elle en retirant ses gants pour les enfouir dans sa poche arrière tout en avançant vers le cheval.

Kyle laissa doucement tomber son sac à ses pieds. Maxie nota son nom inscrit au gros feutre sur le tissu et les souvenirs brusquement l'assaillirent. Ce sac… Il avait le même, la dernière fois qu'ils s'étaient vus. Elle croisa son regard et quelque choses dans ses yeux scintilla. L'air autour d'eux se réchauffa. Elle rougit. Et, durant quelques secondes, ils furent seuls, face à face, dans sa chambre austère, avides l'un de l'autre, impatients du corps de l'autre au point de ne pas prendre la peine de retirer leurs vêtements.

Le cœur de Kyle tressauta devant l'étincelle familière qui soudain embrasa ses yeux verts. Au même moment, incongru, le désir le saisit. Bon sang. Il la détestait autant qu'il avait envie d'elle. Cela ne collait pas. Ce dont il avait envie, c'était de crier, d'exiger des réponses. Pourquoi l'avait-elle abandonné ainsi ? Pourquoi ? Pourquoi ? Et ce, au moment où il avait le plus besoin d'elle ?

Maxie Parrish avait été sa plus vive douleur. Et sa plus cinglante humiliation.

Mais il en avait fini avec elle, aujourd'hui. Si ça n'avait pas été le cas, il aurait cherché à la revoir depuis longtemps. Il promena son regard sur elle, sur ce corps qui continuait de hanter ses rêves. Cette chemise western laissait deviner ses seins mieux que n'importe quel chemisier de soie, ce jean moulait à la perfection ses longues jambes, mieux que n'importe quel bas Nylon. Dans ses bottes, toutes crottées de boue et de fumier, elle restait formidablement sexy… plus peut-être que la Maxie d'autrefois, toujours pimpante et maquillée. Rien à voir avec la jeune femme qui lui faisait face aujourd'hui, ses joues rosies par le grand air, ses ongles courts, les genoux terreux…

Oh, mais c'était pourtant la même ! Celle qui l'avait abandonné sans une explication, pensa-t-il alors qu'elle tendait la main pour défaire la longe du cheval. En un instant, sa main fut sur la sienne et leurs yeux se croisèrent.

— Tu fais erreur, Max. Je te connais mieux que n'importe quel homme.

Elle se libéra de sa prise et répliqua :

— Tu rêves. Comme toujours…

Il la poussa alors vivement devant lui, la maintenant entre son corps et le mur, glissant sa main sous sa chemise. L'air froid la pétrifia, comme la pétrifia le contact de ses doigts brûlants sur sa peau nue.

Ciel. Sa peau… Aussi douce que dans ses souvenirs.

— Kyle… Non.

Elle voulut se libérer mais il tint bon, malgré sa raison qui lui enjoignait de la laisser aller. Il se faisait du mal. Il n'était pas prêt à la retrouver. A recommencer… Pas après ce qu'elle lui avait fait. Mais malgré lui, contre lui, ses doigts caressèrent sa taille, le bas de son dos.

— Oh, Maxie, soupira-t-il.

Il vit ses yeux s'adoucir, son corps suivre le mouvement de sa main. Et il se souvint. De la saveur de sa peau, de ses odeurs. Il se retrouva projeté en elle, la possédant. Instantanément en proie au désir, il se plaqua contre elle, pressa ses hanches contre les siennes. Son visage si près du sien, ses lèvres à un soupir des siennes. Collé à elle, il fit remonter sa main sur sa poitrine, enserrant l'un de ses seins, son pouce caressant son téton dur. Puis il laissa échapper un gémissement, une plainte de libération. De terreur aussi. Car la passion, le désir étaient les mêmes. Et il n'y pouvait rien.

Il se sentit alors terriblement désemparé. D'une incroyable vulnérabilité.

Maxie bougea contre lui, sans grande conviction d'abord. Puis submergée d'un plaisir inattendu. Trahie par son corps, sous ces caresses dont elle avait rêvé, oui, mais espérant en même temps qu'elles ne lui feraient plus rien, ou si peu. Oui, que sa peau aurait tout oublié des frissons, du plaisir qu'il savait lui donner. Au lieu de cela, le trouble reprenait ses droits, l'assaillant de toutes parts.

Elle se mordit la lèvre, voulut un instant crier, appeler à l'aide, qu'on vînt à sa rescousse pour l'arracher aux caresses de cet homme. Elle n'avait jamais ressenti rien de tel avec aucun autre. Kyle Hayden savait si bien la toucher, là où elle l'espérait, et ailleurs. Et les années n'y avaient rien changé. En réalité, c'était comme si son désir avait été en sommeil, attendant d'être ravivé par le seul, l'unique… Croyant s'évanouir, elle agrippa les pans de son blouson.

— Toujours aussi brûlante, hein, chérie ?

Son ton moqueur la stupéfia, la ranima et elle comprit en un instant qu'il lui jetait leur passé à la figure. Elle plongea ses yeux dans les siens, mais n'y trouva qu'une froide indifférence. Elle vit un homme brutal, totalement insensible à ce qu'elle avait pu vivre au cours des sept années passées. Elle s'écarta d'un bond et le fusilla du regard, furieuse contre elle-même, contre lui.

— Et qu'espérais-tu d'autre, Kyle ? répliqua-t-elle. C'était bien tout ce qui nous liait, non ? continua-t-elle en défroissant sa chemise d'un geste vif. Le sexe. Rien d'autre. Heureusement, j'ai été suffisamment lucide en comprenant que la passion ne durerait qu'un temps.

Elle l'obligea à s'écarter et s'éloigna d'un pas, mais il saisit de nouveau son poignet et la plaqua encore une fois contre le mur. Sa bouche s'écrasant sur la sienne, sa langue s'enroulant à la sienne, ses mains s'invitant de nouveau sur sa peau et emprisonnant ses seins.

Elle soupira contre ses lèvres. « C'est si bon », pensa-t-elle. Il força ses jambes et glissa son genou entre ses cuisses. A quoi elle répondit en agrippant sa tignasse, tout en se cabrant, implorant ses caresses. Et soudain il s'écarta et la regarda. Il respirait bruyamment.

— Tu en veux encore ? dit-il entre ses dents, une lueur machiavélique dans les yeux.

Elle comprit. Il réclamait son dû. Elle devait payer. Pour l'humiliation infligée. Alors elle se reprit, puis sans un regard s'éloigna, sentant dans sa chair ses yeux, hostiles et malveillants.

Dents serrées, Kyle ne fit pas un geste et la suivit du regard tandis qu'elle se faufilait entre les bottes de foin. Il se maudit. Se méprisa pour ce qu'il venait de faire. Que diable lui avait-il pris ? Il n'avait jamais su garder la tête froide en présence de Maxie. Sitôt qu'il l'avait reconnue, tout à l'heure, il aurait dû remonter dans son hélico et partir. Loin, très loin.

Il fixa le sol à ses pieds, se massa longuement la nuque.

Quel gâchis ! se dit-il. Mais c'était elle qui avait choisi de mettre un terme à leur relation, pas lui. Elle avait agi avec une telle lâcheté. Sans lui donner d'explication, sans avoir la politesse de lui permettre de dire son mot. L'humiliation et le supplice de ce jour maudit entre tous le prirent à la gorge. Serrant les poings, il regretta d'avoir un jour croisé son regard. Il n'avait aucune confiance en elle. Et il ne devait pas plus avoir confiance en lui. Car il la désirait encore. Et tout autant qu'autrefois.

Que faire ? Fuir, loin d'ici, loin d'elle. Pas question de rester dans les parages pour les deux semaines à venir. S'il le fallait, tant pis pour le contrat. Mais peut-être le parc pourrait-il lui offrir de loger ailleurs… ?

Attrapant son sac, il se dirigea vers le portail mais s'arrêta subitement en voyant Maxie traverser la cour en direction d'un van accroché à une Range Rover noire. Elle avait remis sa chemise en place, nota-t-il comme elle ouvrait le van, disparaissant à l'intérieur avant de resurgir, tenant une jument par la bride. Ses gestes étaient doux et sûrs tandis qu'elle menait l'animal dans un enclos hors de sa vue.

Kyle s'interdit d'essayer de l'apercevoir encore et il pressa le pas vers l'hélicoptère. Comment cela se pouvait-il ? Avoir envie d'elle et maudire en même temps ce désir ?

Maxie bondit dans la Range Rover que fouettait le vent glacial et mit le contact. Puis, fermant les yeux, elle posa le front contre le volant et s'ordonna de retenir ses larmes.

Le pire s'était donc produit. Le pire absolu. Ce baiser… non, la brutalité avec laquelle il s'était comporté la convainquit, s'il en était besoin, de rester à distance de Kyle. Elle gémit, furieuse contre lui, contre son aisance à la séduire, et pesta contre elle, si prompte à craquer pour lui, telle une collégienne. Aucun homme n'avait su la troubler ainsi depuis… sept ans.

Oh, mais pourquoi resurgissait-il aujourd'hui ? Il lui avait fallu des années pour se reconstruire, et maintenant qu'elle commençait à entrevoir le bout du tunnel, il débarquait, menaçant de tout détruire. Elle ne le laisserait pas faire. Il ne réduirait pas son fragile bonheur à néant. Que Kyle appartînt à l'équipe de secours du parc pour la saison n'allait pas bouleverser sa vie. Car il en était sorti.

Elle se répéta ces mots encore et encore, s'obligeant à se rappeler son regard après qu'il l'eut embrassée… comme s'il avait éprouvé du dégoût en découvrant que le désir entre eux demeurait plus fort que jamais. Il était manifestement amer, habité par la colère. Et le voir ainsi ne faisait que raviver sa culpabilité.

Elle soupira et embraya.

Peut-être le parc n'aurait-il pas besoin de ses services, finalement. Peut-être l'équipe en place suffirait-elle ? Peut-être la tempête annoncée n'aurait-elle pas lieu ? Alors il repartirait comme il était venu.

Maxie conduisit, essuyant rageusement les larmes qu'elle refusait de verser pour lui.

« Va-t'en », supplia-t-elle comme l'hélicoptère filait au-dessus de sa tête. Parce que le pire était à venir.

Non seulement la femme qu'il détestait l'avait abandonné au pied de l'autel, mais elle lui avait caché en plus l'existence d'une adorable petite fille. Une toute petite fille de six ans.

- 2 -

Dans le poste de secours, Kyle dévisagea d'un œil suspicieux les hommes et les femmes qui se détendaient autour d'une tasse de café.

— Très bien. Qu'est-ce que vous me cachez ? demanda-t-il enfin après qu'un autre membre de l'équipe eut refusé d'échanger avec lui sa chambre.

Car il était prêt à dormir n'importe où, du moment qu'on lui épargnait de se trouver en présence de Maxie. Malheureusement, son offre ne semblait intéresser personne.

— Parrish est piètre cuisinière, admit timidement un confrère en s'enfonçant dans son vieux fauteuil en cuir.

— A ce point ?

L'idée que la moitié de ces hommes ait goûté à la cuisine de Maxie l'agaça. Il y eut un échange de regards furtifs.

— Moi, je ne m'y frotterais pas…

— Allons, vous exagérez ! lança en riant le chef d'équipe, Jackson Temple.

Kyle soupira bruyamment.

— Je peux agrémenter ma proposition, suggéra-t-il en fouillant dans sa poche arrière à la recherche de son portefeuille.

Des huées et des sifflets fusèrent. Kyle ne s'en formalisa pas. L'idée de voir Maxie chaque matin au réveil lui était insupportable.

— Allons, les amis. Un peu de compréhension ! dit quelqu'un.

Un homme aux cheveux hirsutes l'apostropha :

— Combien, Hayden ?

— Cent ? proposa Kyle, un billet à la main.

Bon sang, il était pitoyable.

— La nourriture compte donc tant que ça, pour toi ? s'étonna un autre membre de l'équipe.

— Pas du tout, répliqua-t-il. Mais, bon, euh…

A cette seconde, Jackson Temple toussota avec un discret signe de tête en direction de la porte. Aussitôt, le silence se fit. Kyle, intrigué, regarda par-dessus son épaule. De grands et beaux yeux verts le fixaient d'une façon qui ne lui laissa aucun doute sur ce qu'elle pensait. Elle avait tout entendu.

Maxie traversa la pièce et, passant devant lui, elle lâcha :

— Je suis certaine que les sièges de l'hélico sont confortables.

Kyle ferma un bref instant les yeux. Bravo, se félicita-t-il, honteux. Pour qui se prenait-il ? Il passait vraiment pour un crétin devant ces gens, des inconnus pour lui, mais des amis pour Maxie.

Il enfouit le billet dans sa poche et la suivit des yeux tandis qu'elle entrait avec Jackson dans le bureau, refermant la porte derrière elle. A travers la porte vitrée, impassible, elle croisa son regard. Difficile d'imaginer que c'était là la même femme qui deux heures plus tôt gémissait entre ses bras... Le souvenir de sa peau, de ses lèvres sur les siennes, le fit tressaillir. Puis Maxie abaissa le store d'un geste rageur.

Il se détourna et se traîna jusqu'au distributeur automatique de boissons, introduisant avec hargne une pièce dans l'appareil. Portant la canette à ses lèvres, il la vida d'un trait, résistant à l'envie de regarder vers le bureau. Et tenant bon.

Sans même avoir pris la peine de retirer sa parka, Maxie faisait les cent pas dans le bureau. En route pour le parc, elle avait appelé Jackson et, sans lui en donner la raison, s'était opposée à accueillir Kyle chez elle. Jackson toutefois ne paraissait guère disposé à se laisser convaincre.

— Je te prenais pour mon ami, Jackson. Allez, il serait aussi bien à l'hôtel...

Le chef d'équipe rit doucement tout en la regardant arpenter fébrilement le bureau.

— Tu as régulièrement des pensionnaires, remarqua-t-il avec calme. Où donc est le problème ?

Elle s'immobilisa et le fusilla du regard. Le vieil homme leva les bras en signe de reddition.

— D'accord, d'accord, ça ne me regarde pas…

— C'est toi qui places les hommes, reprit-elle en revenant vers lui. Loge-le ailleurs, s'il te plaît !

— Impossible, expliqua Jackson en désignant le tableau d'affectation. Je n'ai pas d'autre choix.

— Il y en a forcément un, insista-t-elle, paniquée à l'idée de devoir se trouver en tête à tête, jour après jour, avec Kyle jusqu'à la fin de la saison.

— Pas pour un pilote d'hélico. Le carburant est trop cher. Il serait obligé de parquer son hélico au diable vauvert. Ton ranch est le meilleur endroit. A proximité du parc, à l'abri du vent, terrain dégagé… Tu sais tout ça…

Elle le supplia du regard.

— Jamais je ne t'ai vue dans cet état, Maxie, dit Jackson, intraitable. Pourquoi te fait-il si peur… ?

Maxie écarquilla les yeux. Peur ? De lui ? Elle se débarrassa de sa parka et se laissa tomber sur le canapé. Puis, bottes sur la table basse branlante, elle croisa les bras et regarda droit devant elle, dans le vide. Elle n'avait pas peur de lui. Seulement peur de ses mains sur elle. Elle perdait toute raison lorsqu'il la touchait. Et elle ne pouvait se permettre de perdre la tête. A cause de sa fille. Mimi avait trop besoin d'elle.

En route pour le parc, puis occupée à nourrir et bichonner chevaux et mules destinés aux touristes, elle n'avait cessé de ruminer, se félicitant néanmoins que Mimi fût encore pour deux jours chez sa grand-mère. Car elle aurait eu bien du mal à esquiver les questions de sa fille qui avait un vrai talent pour deviner quand quelque chose ne tournait pas rond chez sa mère. Mimi l'aurait harcelée pour connaître la vérité. Et la vérité…

— Moi, je l'aime bien, dit soudain Jackson.

Elle leva les yeux.

— Cela ne m'étonne pas, marmonna-t-elle.

— Et apparemment toi aussi… à un moment donné.

Elle baissa la tête. Oui, elle l'avait aimé, ou du moins avait-elle cru l'aimer. Puis elle avait compris qu'il ne s'agissait entre eux que de désir. Oh, un désir absolu, oui ! Mais on ne bâtissait pas une vie sur le désir.

Les paroles de Jackson revinrent la hanter. Un temps, Kyle l'avait gardée sous son emprise. Elle n'avait jamais eu peur de lui, mais peur plutôt de la passion qu'elle éprouvait pour lui. Et c'était pour cela qu'elle ne s'était pas rendue à l'église… découvrant trois semaines plus tard qu'elle avait rompu avec le père de son enfant. Lui se trouvait alors en Irak, le cœur brisé, ne voulant certainement plus entendre parler d'elle. N'ayant besoin que de rester en vie. Elle n'avait pu se résoudre à revenir vers lui, simplement parce qu'elle était enceinte, tout en comprenant qu'il avait le droit de savoir, à propos de Mimi. Sitôt que son bataillon était rentré au pays, elle avait appelé, laissé un message… et reçu une réponse laconique, via son frère aîné : « Inutile de rappeler, il ne veut plus te revoir. »

Elle lui avait néanmoins écrit, la lettre sans doute la plus difficile qu'elle ait jamais rédigée. Lettre qui lui avait été retournée, pas même décachetée.

Aujourd'hui, il était là, et le bonheur de sa fille était menacé. Mimi demeurait son unique priorité. Elle avait trop souvent été chagrinée par des remarques sur un père absent. Pour ne pas voir sa fille souffrir une fois de plus à cause d'elle, Maxie était prête à tout supporter, y compris les remarques cruelles et le mépris de Kyle. Soudain, elle se leva, attrapa sa parka et l'enfila tout en se dirigeant vers la porte.

— Maxine ?

— Tu as besoin de lui, c'est ton dernier mot ?

— Mmouais, répondit Jackson avec un œil suspicieux.

— Parfait. Je l'accueillerai.

— Cela signifie que tu acceptes de l'héberger ?

— Ai-je le choix ? J'ai signé un contrat, dit-elle. Elle haussa les épaules et ajouta :

— La maison est grande…

Elle pourrait passer une journée entière sans le croiser en prenant quelques précautions.

Sortant du bureau tel un diable de sa boîte, Maxie heurta violemment Kyle. Il l'agrippa par les épaules et la dévisagea. Durant une éternité, les yeux dans les yeux, ils ne firent le moindre geste. Mains plaquées sur son torse, Maxie se laissa submerger par le souvenir de son corps enlacé au sien, Kyle de son côté voulant laisser glisser ses mains sur son dos, ses reins…

Quelqu'un alors toussa. Les lèvres de Kyle esquissèrent un vague sourire. Mais ce fut Maxie qui, la première, recouvra ses esprits et recula d'un bond… pour percuter Jackson. Derrière elle, celui-ci la saisit par les épaules pour la retenir, geste auquel Kyle réagit en fronçant les sourcils.

Temple était en excellente forme physique. Un bel homme, malgré la bonne douzaine d'années qui le séparait de Maxie. Se pouvait-il que… Et alors ? En quoi cela le regardait-il ? Maxie faisait ce qu'elle voulait de sa vie.

— L'affaire est réglée ! lança Temple.

Kyle interrogea Maxie du regard.

— Oui, tu restes chez moi, soupira-t-elle, l'air résigné.

Elle pourrait ainsi le torturer à loisir, pensa-t-il, maussade.

— J'aurais moi aussi préféré qu'il en soit autrement, répliqua-t-il.

Un silence pesant s'abattit, puis elle suggéra :

— Je pense que nous pouvons nous comporter en adultes, le temps de ta mission.

— Ce serait une première, ironisa-t-il.

Elle ricana puis, croisant les bras, fit remarquer :

— Toujours aussi spirituel, je vois.

Kyle ne dit rien et ce fut Jackson qui mit un terme à la conversation :

— Voilà donc le problème résolu…

Sans rien rajouter, Maxie s'écarta et, après avoir serré brièvement la main de Jackson, elle se dirigea d'un pas déterminé vers la sortie. Kyle la suivit des yeux puis reporta son regard sur Jackson. Il ouvrit la bouche pour dire quelque chose, puis se ravisa. Si Maxie avait fini par accepter cet arrangement, il le pouvait lui aussi.

— Pas une chambre de libre dans tout l'Etat. C'est Maxine ou le siège arrière de ton hélico, annonça Jackson avec un sourire énigmatique.

Kyle tenta une ultime résistance :

— Je pourrais dormir ici…

Il avait aperçu quatre lits de camp dans une petite pièce, à l'arrière du poste de secours. Sans compter l'économie de carburant qu'impliquerait de ne pas devoir rejoindre la propriété de Maxie chaque soir.

— C'est destiné à l'équipe d'astreinte, répondit Jackson avec fermeté. Désolé.

Kyle se massa la nuque et marmonna un juron. Réprimant un éclat de rire, Jackson afficha une expression sévère puis déclara :

— Suis-moi. Je vais te donner ton équipement.

Kyle emboîta le pas à celui qui serait son patron pour une à deux semaines. Tous deux avaient fait connaissance le matin même, mais déjà Kyle se sentait en confiance avec Jackson. Celui-ci l'entraîna jusqu'à un petit local, au fond de la grand-salle, dont il sortit tout le matériel nécessaire à une intervention en montagne ainsi qu'une trousse de premiers secours, une radio, des cartes, des autocollants et la veste orange en épaisse fourrure réglementaire.

— Pense à vérifier la radio, recommanda Jackson. Nous avons eu des problèmes, dernièrement.

Kyle s'exécuta puis il entreprit de ranger son équipement dans un grand sac tandis que Jackson écrivait « Hayden » sur une étiquette qu'il glissa ensuite dans la pochette plastique cousue sur la poche poitrine de la veste orange.

— Merci d'avoir répondu à l'appel, Hayden, dit-il en lui tendant la veste.

Kyle la prit sans un mot, se contentant de hocher la tête. Jackson sourit et s'avança jusqu'à la machine à café. Il remplit une tasse puis une deuxième.

— Nous sommes en effectif réduit du fait de cette satanée grippe. Toi et ton hélico êtes sacrément les bienvenus, dit-il en proposant un café brûlant à Kyle.

— Attention, à part moi, personne ne touche à l'hélico, prévint Kyle, un doigt en l'air.

Jackson rit de bon cœur.

— Possessif, n'est-ce pas ?

— Oui, convint Kyle en posant la tasse à côté de ses affaires. Moi et ma banque nous montrons toujours très possessifs à propos des choses payées à crédit.

Jackson alla se rasseoir à son bureau et s'étira longuement avant de lancer :

— Alors... Depuis combien de temps vous connaissez-vous, toi et Maxine ?

Kyle releva subitement la tête et se renfrogna tout en finissant son paquetage. Maxine. Jamais personne ne l'avait appelée ainsi, sauf son père. Les souvenirs affluèrent… Son père excédé hurlant à sa fille de rentrer, celle-ci refusant d'obéir et s'éloignant sur la moto de Kyle, les bras noués autour de lui.

— Des années.

Jackson le fixa.

— Combien exactement ?

— Huit, environ, répondit Kyle avec un haussement d'épaules en refermant son sac. Et vous ?

— Trois, à peu près. Depuis son arrivée dans le coin. Oh, et puis, sache-le, nous sommes amis, c'est tout. Personne ne s'aviserait, ici, d'approcher Maxine…

Kyle opina. La femme qu'il avait rencontrée aujourd'hui n'était plus que l'ombre de la Maxie qu'il avait aimée. Distante, froide. Il expliqua à Jackson qu'il se fichait de la vie amoureuse de Maxie, ou plutôt de son absence de vie amoureuse, qu'il ne voulait que remplir du mieux qu'il pouvait sa mission au parc pour s'en aller aussitôt après. Autant que possible en évitant de la croiser.

Il reprit sa tasse et s'installa sur le canapé, le regard rivé à la fenêtre. De l'autre côté de la vitre, il vit Maxie s'installer au volant de la Range Rover et s'éloigner.

— Vous avez eu une grande histoire, tous les deux, non ?

Kyle se renfrogna. Il n'allait pas prendre le risque que sa vie intime devienne matière à plaisanterie.

— Une histoire, simplement. Vous êtes certain que je ne peux pas trouver une chambre ailleurs… ?

Il n'était qu'un pilote d'hélico de réserve, rien de plus. Et s'il ne s'était pas senti obligé d'être là, nul doute qu'il serait loin à cette heure. Il regarda Jackson.

— Non, désolé…

Kyle ne prit pas garde à l'étincelle qui, à cette seconde, brilla dans les yeux de Jackson.

— Maintenant, enlève ton hélico de mon parking, Hayden. Sa place est au Wind Dancer.

Kyle soupira. Il se leva et attrapa son sac.

— Bon séjour.

Il fronça les sourcils et fixa Jackson. Son patron lui adressa un large sourire.

— On dirait que la situation vous amuse.

— Elle m'amuserait plus encore si je savais exactement de quoi il retourne… Bien. J'ai du travail, mon gars…

Kyle serra la main que Jackson lui tendit.

— Si vous avez besoin de moi, vous savez où me trouver…

Les deux hommes se sourirent, complices, avant de se séparer. Kyle sortit dans le froid, remonta son col contre le vent et enfila ses gants. La température avait encore chuté. Il jeta son sac dans l'hélico puis s'installa aux commandes. Il fixa alors un long moment le tableau de bord, repoussant tant qu'il le pouvait l'inéluctable, écœuré par ce coup du sort qui venait chambouler sa petite existence parfaitement réglée. Après examen des différents cadrans et de sa montre, il ajusta pour la troisième fois au moins ses lunettes de soleil puis mit le contact. Les pales commencèrent à fouetter l'air. Coiffant son casque radio, Kyle attendit ensuite le signal de l'homme au sol puis il s'éleva, inclina l'hélico sur la droite et s'envola vers le ranch de Maxie. Il devait l'avouer, il avait peur. Oh, ce n'était bien sûr pas l'Irak, mais il avait le sentiment que vivre sous le même toit que la femme qu'il avait voulu épouser pourrait être aussi risqué que le feu de l'ennemi.

A cette différence que là, il ne serait pas armé.

Une demi-heure plus tard, Maxie observa son approche depuis les marches du perron. Son hélicoptère était noir, avec un soleil rouge vif, orange et or peint sur le flanc. Sous le hublot, côté pilote, son nom était inscrit. Avant qu'il soit en mesure de se poser, elle s'éloigna de la maison et se dirigea vers la zone d'atterrissage, à quelques centaines de mètres des bâtiments du ranch. A chacun de ses pas, l'angoisse se faisait plus oppressante. Abaissant son chapeau de cow-boy sur son front, elle s'efforça de paraître aussi détendue que possible. Mais, en elle, ce n'était que chaos et nausée.

« Fais-le, pour Mimi », se répéta-t-elle. Elle avait craint qu'à trop vouloir fuir Kyle, il finisse par s'en étonner et par poser des questions. Dont une qui, inévitablement, porterait sur Mimi. Durant un instant, découvrant Kyle après toutes ces années, elle avait pensé cacher toutes les affaires de Mimi, fermer sa chambre à double tour et laisser sa fille quelques jours supplémentaires chez sa grand-mère afin d'empêcher tout contact avec lui. Une pensée qu'elle avait repoussée. Elle ne pouvait pas faire cela. Mimi représentait tout pour elle. Elle était si fière de son adorable petite fille. Elle n'avait jamais cherché à dissimuler son existence, et n'allait pas commencer aujourd'hui. Et puis Kyle s'était montré parfaitement clair en ne répondant pas à ses lettres. Il n'avait pas manifesté le moindre intérêt pour ce qui avait pu advenir d'elle après leur rupture. Et si elle se fiait à son comportement aujourd'hui, il n'était pas plus intéressé maintenant. Rien n'avait changé.

Subitement, l'image de sa fille surgit dans son esprit. Cheveux flamboyants coiffés en deux jolies petites tresses, d'immenses yeux verts pétillants... Non, se corrigea-t-elle alors, tout avait changé au contraire, à partir du moment où Mimi était venue au monde. « Comme elle me manque », se dit-elle, avant de serrer les dents, déterminée. Les deux semaines à venir ne seraient évidemment pas une partie de plaisir, mais elle saurait se montrer forte. Pour Mimi.

Une tornade de poussière s'éleva à l'approche de l'hélico et elle fut impressionnée par la grâce avec laquelle l'appareil se posa. Puis le manège des pales ralentit et le bruit faiblit rapidement. Mains dans les poches, Maxie attendit à une bonne dizaine de mètres, patientant tandis que Kyle abaissait toutes les manettes, ôtait son casque radio ainsi qu'une drôle de casquette de base-ball. De l'endroit où elle était, elle crut reconnaître l'emblème du corps des marines sur la visière. Puis Kyle fit coulisser la porte d'accès et bondit sur la terre ferme, avant d'attraper un sac kaki délavé à l'arrière.

LE sac. Le rappel permanent de leur dernière nuit ensemble. Elle l'aurait volontiers jeté au feu. Kyle le cala sur son épaule puis il attrapa un Stetson noir qu'il coiffa tout en venant vers elle. Maxie sentit son cœur s'accélérer. Même caché derrière ses lunettes et sous son chapeau, il gardait cette dégaine qui affolait les femmes. Elle ne put lutter contre le trouble qui la transperça à voir ses muscles jouer à chaque pas. Le souvenir de ses mains sur sa peau, de son corps mêlé au sien la traversa. Quel amant merveilleux il était ! Elle ravala sa salive avec peine, l'air vint à lui manquer. Elle s'empressa de détourner les yeux. Si elle commençait ainsi, ces deux semaines vireraient au cauchemar, se reprocha-t-elle en remontant ses lunettes de soleil sur son nez. Kyle était bien la dernière personne dont elle voulait dans sa vie. Encore moins dans son lit…

Il s'arrêta devant elle. Elle leva doucement la tête, ses yeux dissimulés par le verre opaque de ses lunettes, qui ne la protégeait naturellement pas que du soleil, se dit-il. Il se pencha, chercha son regard et s'amusa de la tension qu'il ressentit aussitôt chez elle. Puis il regarda ses lèvres et subitement l'intensité de leur baiser dans l'écurie lui revint à la mémoire. Et l'idée d'un nouveau baiser se mit à le tenter, à le torturer… jusqu'à ce que la voix de Maxie retentisse :

— Sois le bienvenu à Wind Dancer, Kyle.

Il esquissa un sourire froid.

— Bienvenu ? Vraiment, Max ? Ou juste toléré ?

— Un peu les deux, répondit-elle avec franchise, imperturbable.

Kyle jeta un bref regard en direction du ranch derrière elle, tentant d'imaginer ce que serait de vivre avec elle. Raffolait-elle toujours du chocolat et avait-elle encore une sainte horreur des asperges ? se demanda-t-il en la dévisageant. Possédait-elle toujours cette fabuleuse collection de lingerie fine qui le rendait fou, autrefois ? Des images sensuelles défilèrent dans sa tête et, instantanément, il se maudit. « Reprends-toi. Attention. Tu ne peux pas faire confiance à cette femme. »

La colère déforma sa voix lorsqu'il demanda :

— Où puis-je ranger mes affaires ?

Elle recula.

— C'est tout ce que tu as ? s'enquit-elle en désignant son sac.

— Je voyage toujours léger.

Son ton était sec et Maxie soupira. Visiblement, il n'était pas disposé à se répandre en courtoisies. Très bien. Au moins aurait-elle essayé. Elle lui tourna le dos et il lui emboîta le pas jusqu'à la maison, tous deux restant enfermés dans le silence.

Mais Kyle ne l'avait pas quittée des yeux un seul instant. Son regard se promena sur son dos, puis sur son jean que ses fesses rebondies… Bon sang. La bouche sèche, il se força à se rappeler chaque détail du jour de leur mariage. Elle s'était montrée égoïste, lâche, se dit-il en montant les marches à sa suite. Elle ouvrit la porte, s'engouffra à l'intérieur.

Franchissant le seuil, Kyle s'efforça de recouvrer son sang-froid. Il retira son chapeau, ôta ses lunettes. En quelques secondes, il vit les murs beiges, le mobilier terre cuite, la déco en bleu et vert. La chaleur de l'atmosphère qui régnait dans la maison l'apaisa instantanément, annihilant d'un coup cette tension qui l'étouffait depuis l'atterrissage. Il aperçut ici et là des paniers débordant d'une étrange collection de balles de croquet, d'énormes bobines de fil coloré et même une série de fers à repasser rustiques. De vieux bidons d'essence étaient disséminés un peu partout, certains faisant office de pots de fleurs, d'autres servant de porte-revues près de la cheminée en pierre de taille. Kyle se sentit tout de suite à l'aise et trouva que ce lieu ressemblait à Maxie. A la nouvelle Maxie, en tout cas.

— Jolie maison…

— Merci.

— … pour se cacher, rajouta-t-il.

Par-dessus ses lunettes, elle le fusilla du regard.

— Je ne me cache pas, Kyle, se défendit-elle tout en ôtant sa parka. Je vis là, simplement.

— Et qui donc le sait ?

— Quiconque que cela peut intéresser, répliqua-t-elle.

Elle s'apprêtait à étayer sa défense quand elle se ravisa. Sans un mot, elle accrocha son chapeau et sa veste à une patère près de la porte. Inutile d'en rajouter, se dit-elle, au risque de provoquer des questions qui pourraient devenir embarrassantes. Elle se promit de cesser de vouloir répondre à ses remarques. Il n'avait aucun droit de l'interroger sur sa vie. Traversant le hall, elle longea un couloir puis, quatre portes plus loin, s'arrêta devant la cinquième et dernière et l'ouvrit.

— C'est ici, dit-elle en s'adossant au chambranle, bras fermement croisés.

Kyle passa devant elle, son corps effleurant le sien, et il sentit une subtile vague de chaleur l'envelopper. Il s'immobilisa, chercha son regard. L'avait-elle sentie, elle aussi ?

— La salle de bains se trouve à côté. Le dîner sera servi…

Elle consulta sa montre puis annonça :

— Environ dans une demi-heure.

Et elle pénétra dans la pièce avant de s'immobiliser. Elle se tourna alors vers lui et croisa son regard, juste au moment où il posait les yeux sur le grand lit en laiton. Il tressaillit et la fixa, se perdant un instant dans l'éclat de ses yeux verts. Une mèche dissimulait une partie de son visage. Elle ne broncha pas quand il promena son regard sur elle, devinant ses petits seins dressés sous son chemisier. Puis il la dévisagea sans qu'une fois encore elle ne manifestât le moindre trouble. Dieu… Elle était toujours aussi belle. Un instant, il eut vingt-trois ans. Il fut le jeune marine éperdu d'amour et de désir.

Quelque chose scintilla alors dans les yeux de Maxie et elle eut un sourire mélancolique.

— Fais comme chez toi, Kyle. Tu trouveras de la bière et de quoi grignoter dans le réfrigérateur.

Il s'efforça de respirer avec calme et préféra s'éloigner avant de commettre un acte stupide, comme de l'enlacer.

— Merci, Max, lâcha-t-il en hissant son sac sur le lit.

— Et ne te fais aucune illusion…, ajouta-t-elle sans même le gratifier d'un regard, sur un ton qui le glaça.

Oui, pire que le feu de l'ennemi…

Maxie remonta le couloir à la hâte, ignorant le martèlement de son cœur, ignorant le fait qu'il lui aurait été facile de bondir sur elle, de nouer ses bras autour de sa taille, et de l'embrasser encore et encore… Et forcément, elle n'aurait pas résisté, forcément elle ne l'aurait pas repoussé. Comme quand elle était jeune et innocente, et que Kyle était ce jeune homme casse-cou et rebelle dont son père ne voulait pas entendre parler. Une sueur froide la saisit quand elle pensa à la torture des deux semaines à venir. Tant de jours et de nuits. Et sa chambre, face à la sienne.

Elle s'arrêta au bout du couloir, agrippa le rebord du

secrétaire et ferma les yeux en découvrant son reflet dans le miroir. Elle était folle de croire qu'elle pourrait supporter sa présence. Alors qu'il lui suffisait d'un regard pour voir en elle. Implacables, les souvenirs affluèrent dans sa tête. Elle gémit doucement. Mimi lui manquait, ses bras potelés autour de son cou, la chaleur de son petit corps blotti contre le sien. Oh oui, Mimi était tout pour elle ! Elle devait la protéger. Et pour elle, elle devait se reprendre. Etre forte.

S'écartant du secrétaire, elle se rendit dans le salon et prépara un feu. Devant le spectacle des flammes qui s'élevaient, son esprit vagabonda, s'arrêtant à un événement de leur passé. Ils avaient fait un jour une escapade au Mexique et s'étaient réveillés au matin à Encinada, dans la remorque d'un camion de primeurs, avec une terrible gueule de bois. Sans savoir comment ils étaient arrivés jusque-là. A l'époque, elle avait trouvé l'épisode follement drôle, mais le jour de son mariage, il lui était apparu complètement stupide.

Elle tressaillit, oppressée. Elle avait pleuré des semaines entières. Pensant au mal qu'elle lui avait fait en lui ayant laissé croire qu'elle serait là toujours pour lui.

Le crépitement du bois léché par les flammes l'arracha à ses pensées. Elle crut qu'elle allait pleurer. Il n'en fut rien. Son cœur en revanche saignait. Une bûche roula et elle bondit pour la repousser dans l'âtre avant de placer le pare-feu. Elle sourit. Elle devait se méfier de ses souvenirs, de ses accès de mélancolie. Ils menaçaient d'embraser la vie qu'elle s'était construite. Le bonheur de sa fille était en jeu.

Quelques minutes plus tard, elle enfila sa veste et coiffa son chapeau puis elle sortit de la maison, claquant la porte derrière elle.

Kyle fronça les sourcils en entendant la porte claquer, l'onde de choc faisant vibrer les murs. Il s'approcha de la fenêtre et aperçut Maxie qui traversait la cour. Son pas était rapide et plein de hargne. Il la suivit des yeux quand elle pénétra dans l'écurie où elle s'affaira, col remonté contre le froid, chapeau sur la tête, transportant des bottes de foin. Un travail de force. Qu'elle assumait tout seule ? Il la regarda un long moment, jusqu'à ce qu'elle disparaisse dans un box.

Il s'écarta de la fenêtre et observa sa chambre au décor champêtre. Une atmosphère chaleureuse se dégageait de la pièce, qui ne l'apaisa pas néanmoins. Il se massa la nuque, en proie à une tension qu'il n'avait pas ressentie depuis l'Irak. Il s'assit sur le lit, prit sa tête entre les mains. Il devait maîtriser ses émotions. Et si une partie de lui lui conseillait de rester à bonne distance de Maxie, une autre ne cessait de lui rappeler leur face-à-face dans l'écurie. Le souvenir de sa peau brûlante dans le froid, la passion avec laquelle elle avait répondu à son baiser… Chaque cellule de son corps semblait palpiter d'un désir souverain. Ce…

c'était comme s'il revenait à la vie, pour la première fois depuis sept ans.

Il serra subitement les poings. Car d'autres souvenirs vinrent s'immiscer dans sa mémoire. Souvenirs de trahison, d'abandon. Le cœur battant, il jura puis soudain entendit son nom.

Maxie. Elle était là, sur le pas de la porte.

— Tout va bien ? demanda-t-elle, l'air vaguement suspicieux. Si tu as faim… le dîner est bientôt prêt.

Dos tourné à la porte, il ne bougea pas. Et, les yeux dans le vague, il tenta d'étouffer la douleur, de réprimer la colère. Oui, c'était une lâche. Elle n'avait pas même pris la peine de s'expliquer. Son bonheur, ses espoirs, elle lui avait tout pris. Il tourna doucement la tête, juste pour la voir s'éloigner. Non, son charme n'agirait pas, cette fois. Et il se moquait bien de savoir si sa lâcheté avait été une erreur ou une bénédiction.

- 3 -

Accroché à son ressentiment comme à sa seule planche de salut, Kyle se leva d'un bond en répliquant :

— Pas question que je mange une seule miette de ta cuisine. Ta réputation te précède.

— A ta guise. Si tu préfères mourir de faim..., lança Maxie en remontant le couloir d'un pas alerte.

Kyle la suivit, son regard se braquant instantanément sur ses fesses dans ce satané jean avant qu'il se sermonne. Il avait néanmoins remarqué au passage qu'elle avait changé sa chemise en coton épais pour un T-shirt à manches longues.

— Ta compassion fait chaud au cœur, Max.

— C'est un vrai plaisir, répliqua-t-elle en pénétrant dans la cuisine.

Elle se hâta en direction du four, attrapa une manique et se pencha pour sortir un plat à gratin qu'elle déposa sur le comptoir. Le parfum du saumon grillé et des pommes dauphine s'éleva. Elle se rua ensuite vers le réfrigérateur et saisit un saladier duquel dépassaient des feuilles de scarole. Puis elle remplit deux assiettes, consciente de son regard épiant le moindre de ses gestes. Elle n'avait pas besoin de se retourner pour savoir qu'il se tenait sur le seuil de la cuisine. Elle sentait ses yeux sur elle, comme une caresse. Le souffle court, elle décapsula tant bien que mal deux bouteilles de soda.

Il était à peine 17 h 30, mais elle aurait tout donné pour que la journée soit déjà terminée. Non pas qu'elle ait fini par accepter la présence de Kyle pour rompre avec la monotonie de son existence. Car elle avait une vie. Avec ou sans Kyle.

Elle déposa les verres remplis de soda exactement devant chaque assiette et, à cette seconde, Kyle eut l'impression de voir l'ancienne Maxie, celle qui connaissait l'usage de tel ou tel couvert dans un restaurant de luxe, celle qui savait placer les convives lors d'un banquet, celle qui savait comment saluer notables et personnalités. Elle aurait sans doute fait une épouse de marine parfaite, se dit-il. Oh, ce n'avaient pas été ses bonnes manières qui l'avaient séduit, autrefois, mais sa culture. Il était alors avide de savoir. Et elle avait su lui faire partager son savoir, sans jamais lui faire sentir qu'il avait eu le malheur de naître du mauvais côté de la ville. Puis il y avait eu les baisers. Les étreintes, leurs corps nus enlacés… Il soupira bruyamment et se massa la nuque. Pfff. Comment pouvait-il la détester et la minute d'après avoir tant envie d'elle ?

— Kyle ?

Il sursauta et la dévisagea. Elle agita la main devant lui.

— Oui, marmonna-t-il.

— Tu ne veux vraiment pas t'asseoir ? demanda-t-elle en désignant la table dressée.

Il jeta un coup d'œil aux assiettes.

— Et si tu projetais de m'empoisonner… ?

Elle esquissa un sourire.

— Tu verras bien.

Il hocha la tête et alla prendre place. Elle s'assit à son tour face à lui et attrapa la télécommande pour allumer la télévision.

— Ne me dis pas que tu suis ces séries à l'eau de rose ?

— Allons, Hayden, dans quel monde vis-tu ? dit-elle avec un haussement d'épaules. Ce genre de séries est diffusé vers midi. A cette heure, je suis en plein travail dans l'écurie. C'est la météo qui m'intéresse.

Calée sur la chaîne météo, elle commença à manger tout en prenant des notes, en l'ignorant complètement. A mi-repas, il tendit le cou et regarda son carnet. Force du vent, risques de neige. Puis il fronça les sourcils. Il avait presque terminé son assiette, sans remarquer combien c'était délicieux.

— Pourquoi les gars du parc prétendent-ils que tu es mauvaise cuisinière ?

Elle ricana puis, désignant du menton son assiette, dit :

— Je n'appelle pas ça de la cuisine. Et puis, cette rumeur, c'est moi qu'il l'ai fait courir la première…

Comme il l'interrogeait du regard, elle expliqua :

— Je n'ai pas envie de voir les hommes que j'accueille pour le parc prendre racine. Je tiens à mon intimité. Et à ma liberté…

Elle se garda d'ajouter que recevoir des hommes chez elle n'était pas forcément une bonne chose pour Mimi.

— Je suis bien placé pour le savoir, remarqua Kyle, le nez dans son assiette.

Silence. Il leva les yeux et croisa son regard. Glacial.

— Je te le répète, Kyle : ne crois pas me connaître. Certes, nous avons… été ensemble, il fut un temps. Mais c'était il y a tant d'années. Une éternité. Tout a changé, entre-temps. L'ancienne Maxine Parrish a disparu…

Il la fusilla du regard.

— Pour disparaître, ça oui, elle a disparu…

— … et tu ne sais rien de celle d'aujourd'hui, finit-elle sans broncher. Je suis aujourd'hui une inconnue pour toi.

Elle vida son verre, débarrassa les assiettes qu'elle transporta jusqu'à l'évier. Maxie se sentait incapable de prolonger ce face-à-face ; pourtant, intérieurement, elle devait reconnaître qu'elle était heureuse de le revoir. Kyle avait toujours eu une passion pour la vie qui faisait son admiration, même si cet enthousiasme l'avait trop souvent mené à tutoyer la mort. Elle s'était contentée de vivre sans prendre le moindre risque. Elle esquissa un sourire timide. L'unique fois où elle avait osé un acte fort avait valu à Kyle de souffrir, et à elle de se retrouver enceinte seule, sans soutien. Oui, elle était différente, plus forte qu'autrefois. Rompre avec lui n'avait que peu à voir avec la femme qu'elle était devenue, mais tout avec l'enfant qu'il lui avait donné.

Elle fit couler l'eau sur les assiettes, tressaillant imperceptiblement au son rauque de sa voix.

— Tu n'es pas une inconnue, Max. Tu as un peu changé en apparence, oui, mais au fond, tu restes la même. Tiens, là, en ce moment précis, tu continues à me fuir.

Elle fit volte-face, le fusilla du regard. Elle avait cessé de fuir le jour où Mimi était venue au monde.

— Figure-toi que j'ai une vie, ici. Certes, tu m'as retrouvée après toutes ces années, mais cela ne signifie pas pour autant que je me cachais en Arizona. Et certainement pas de toi…

Elle s'interrompit, son visage se durcit, puis elle ajouta :

— N'imagine pas, du haut de ton orgueil, que j'attendais que tu apparaisses pour voler à mon secours…

Sa colère perdit subitement de son intensité et elle se tourna vers l'écran de télévision, sans rien voir de la carte météo mais voyant sa vie se dérouler tel un film après sa rupture traumatisante avec Kyle, après son mariage catastrophique avec Carl Davis qui l'avait plongée dans une profonde dépression… parce qu'elle ne pouvait être honnête avec ses sentiments. Et ne pouvait s'y fier. Ils l'avaient déçue tant de fois. Les secondes s'écoulèrent, puis elle reporta son regard sur Kyle.

— Combien de temps va durer la punition, Kyle ? demanda-t-elle d'une voix lasse. Combien de temps vas-tu rester dans mon ranch à me faire payer pour une décision que j'étais obligée de prendre ?

Il fronça les sourcils et, l'espace d'une seconde, elle crut voir une douleur intense briller dans ses yeux. Aussitôt effacée par la colère.

— Que tu étais obligée de… prendre ? s'exclama-t-il en se levant. Mais as-tu pensé à moi, Max ?

— Quoi, toi ? répliqua-t-elle, ne voulant pas entrer dans cette discussion. J'ai tenté de te joindre, au téléphone, par courrier. Tu n'as jamais daigné écouter mes explications. Alors, à quoi bon aujourd'hui ? Qu'est-ce qui a changé ?

Un silence s'ensuivit puis il répondit en la fixant :

— Rien, en effet. Tu ne penses toujours qu'à toi, et à toi seule.

Elle soupira.

— Crois ce qui te plaît, Kyle. De toute manière, je n'arriverai pas à te faire changer d'avis, lâcha-t-elle en se dirigeant vers la porte.

Il saisit alors son bras et la força à lui faire face.

— Tu peux essayer.

— Non.

Elle le défia du regard un bref instant. Reconnaître ses erreurs était la seule chose pour laquelle elle ne se sentait pas prête.

— J'ai travaillé dur pour me bâtir un avenir ici et je refuse de ressasser le passé.

« Par pitié, ne m'y force pas. »

De nouveau, elle l'excluait, pensa Kyle. Peut-être pouvait-il malgré tout tenter une petite incursion ?

— Je te fais peur, n'est-ce pas ? Le passé te terrorise, dit-il en venant se plaquer contre elle. Pourquoi, Max ?

Elle dégagea son bras.

Tout ça est bien loin et l'histoire est finie, Kyle. Bien finie, dit-elle en sortant de la maison.

— Cette discussion, elle, est loin d'être finie, protesta-t-il dans le silence de la cuisine.

Puisqu'il ne réussirait apparemment pas à obtenir des explications, Kyle décida de renoncer. Désormais et pour le restant de son séjour, il resterait muet. Courtois, mais muet. A quoi bon remuer le passé ? Il regarda par la fenêtre et l'aperçut qui se dirigeait d'un pas pressé vers l'écurie. Et puis zut ! Ses dérobades ne faisaient qu'accroître son besoin de savoir. Pourquoi exactement l'avait-elle quitté ? Il avait le droit de savoir, non ?

« Même après avoir ignoré ses appels et ses lettres ? » demanda une petite voix.

Bah, il était là aujourd'hui. De toute façon, il ne

partirait pas avant d'avoir pu exorciser Maxie. Il voulait, il exigeait de savoir. L'heure était venue.

Dans l'écurie, Maxie sella un cheval et le sortit de son box. Elle se hissa sur l'animal, l'éperonna puis laissa l'étalon se ruer à travers la campagne environnante et fendre avec sauvagerie le vent. Le martèlement des sabots, rythmé sur celui de son cœur, résonnait avec fracas dans sa tête. Elle parcourut ainsi au galop deux bons kilomètres avant que le cheval ne ralentisse. Elle reprit alors au pas le chemin du ranch.

Pourquoi tenait-il tant à savoir ? Jamais il ne pourrait comprendre. Et sans doute reviendrait-il à la charge, encore et encore, jusqu'à ce qu'il obtienne des réponses. Il n'était là que depuis quelques heures, et déjà elle était lasse de son manège.

Comme elle entrait dans l'écurie, le téléphone sonna. Sautant de sa monture, elle se précipita pour attraper le combiné placé près de l'entrée. Elle entendit alors la voix de Kyle qui saluait son correspondant depuis un autre poste.

— Ranch Wind Dancer, annonça-t-il.

— Qui est-ce ?

Sa mère. Et voilà les catastrophes qui s'enchaînaient. Maxie fronça les sourcils, craignant soudain que quelque chose soit arrivé à Mimi.

— A qui ai-je l'honneur ? répliqua Kyle, imperturbable.

— Mme Lacy Parrish, répondit sa mère avec dignité.

Elle entendit Kyle soupirer.

— Hello, madame Parrish, marmonna-t-il, presque à contrecœur. C'est Kyle.

— Hayden ? s'écria sa mère, manifestement surprise.

— Oui, m'dame.

Il y eut un long silence puis elle demanda :

— Que fais-tu donc là, mon garçon ?

Le ton plein de compassion de Mme Parrish agaça Maxie.

— Les secours du parc avaient besoin d'un hélico pour la saison.

— Oh ! Et il n'y avait pas de chambre d'hôtel disponible ?

Silence. Sa mère était une femme discrète et elle n'insista pas. Chère maman qui savait tout. Ou presque.

— Sachez que j'aurais préféré mille fois…

— Oui, mon garçon, j'imagine. Elle est sortie ?

— Je crois. Je lui dirai que vous avez appelé.

Et sa mère lui dit au revoir et raccrocha. Maxie attendit que Kyle en ait fait autant puis à son tour elle reposa doucement le combiné sur sa base. Dans moins de vingt minutes, tout le comté serait au courant. Maxie ferma un bref instant les yeux.

Ses sœurs allaient lui téléphoner, puis son père, elle s'y attendait et, dès demain, sa mère lui rendrait une visite, « juste comme ça, en passant ». Maman, qui était autrefois folle de Kyle, auquel l'uniforme allait si bien. Maman qui l'avait soutenue quand elle avait décidé de garder le bébé et d'élever seule sa fille. De nouveau, Maxie remercia le ciel. Car ses parents avaient fait preuve de compréhension. S'ils l'avaient rejetée, toute sa vie en aurait été changée. Même son père, autrefois si réticent à l'égard de Kyle, avait toujours pensé qu'elle devait lui dire, à propos de sa fille, lettres retournées ou pas. Maman s'était montrée solidaire de Maxie. Elle n'était pas étrangère au fait que Kyle était tenu dans l'ignorance.

Elle ramena l'étalon dans son box, retira la selle et étrilla l'animal en sueur puis elle se rendit dans le box voisin. Elle mena ainsi une à une mules et juments au corral puis elle s'occupa de chaque étalon.

Sur le seuil, un peu à l'abri du vent, Kyle la regarda s'éloigner au galop pour la huitième fois. Elle montait bien. Et il se rendit compte qu'il ne l'avait jamais vue à cheval autrefois. Ni travailler aussi dur, par ailleurs. Même si son père possédait deux magnifiques étalons. Maxie devait avoir abordé la trentaine, aujourd'hui, estima-t-il. Il avait eu un moment envie de lui tendre la main, mais après ce matin, il comprenait qu'elle n'attendait qu'une chose : qu'il disparaisse. Il rentra, maussade, et regarda quelques photos, chacune encadrée d'une essence de bois différente. Accoudé à la cheminée, il les examina. Des photos de famille. Sa mère, son père, ses sœurs et, du moins le supposa-t-il, leurs époux et enfants respectifs. Il sourit en se rappelant les colères de son père puis il remarqua une photo de Maxie, une petite fille rousse assise à son côté, ses petits bras autour du cou de Maxie, l'une et l'autre joue contre joue… Une nièce, sans doute, pensa-t-il avant de reporter son attention sur d'autres clichés. Sa nièce préférée, certainement, jugea-t-il en découvrant d'autres photos de la fillette.

Kyle ne s'était jamais réellement senti à l'aise avec les enfants. Lui et son frère, seuls depuis l'adolescence, étaient des gamins des rues, fuguant de foyers en familles d'accueil. Les enfants le rendaient nerveux en vérité. Il baissa les yeux sur sa main, serra le poing. Il avait toujours peur de les étreindre trop fort, de trop élever la voix. Et puis il ne savait jamais quoi leur dire. Il regarda de nouveau la série de clichés. Enviant l'esprit de famille qui s'en dégageait. L'amour aussi, et la confiance. Kyle et son frère connaissaient ces sentiments. Entre eux. Mais de famille, ils n'en avaient point. Depuis que sa mère les avait abandonnés, imitée peu de temps après par leur père.

Il se renfrogna. Chassant ses souvenirs, il se rendit dans la cuisine, lava les assiettes et nettoya le comptoir avant de retourner dans le salon pour entretenir le feu. Puis il appela le parc et, bien qu'il n'y eût aucune urgence, il accepta d'accompagner une équipe de recherche dans le canyon avant le coucher du soleil, afin de s'assurer qu'aucun touriste ne restait en rade.

Il regarda sa montre, calcula le temps que cette sortie lui prendrait. S'il voulait rentrer avant la nuit, il devait partir immédiatement. Les vols de nuit ne lui posaient aucun problème, mais évoluer en hélico au-dessus du Grand Canyon pouvait être dangereux. Alors qu'il s'apprêtait à laisser un mot à Maxie, il se souvint avoir aperçu un Interphone près de la porte d'entrée. Il se rendit dans le hall, pressa le bouton marqué « Ecurie » et appela.

« Elle doit être dehors », se dit-il comme elle ne répondait pas. Arrachant une feuille au bloc posé près du téléphone, il gribouilla quelques mots. Il fut dehors en moins de cinq minutes, son cahier de vol sous le bras et son esprit s'interrogeant sur la brosse à dents à l'effigie de Donald aperçue dans la salle de bains.

Une fois à bord de l'hélico, Kyle échangea son Stetson pour sa casquette de base-ball, puis il mit le contact et alluma le chauffage. La neige tomberait sans doute cette nuit, se dit-il en regardant les nuages bas et épais. Tout en prenant de l'altitude, il observa les terres au-dessous de lui, cherchant Maxie, s'attendant à la voir chevaucher l'un de ses étalons. Soudain, il l'aperçut au bord du canyon, sa monture broutant l'herbe à ses pieds. Lorsqu'il passa au-dessus d'elle, elle leva la tête. Kyle fit alors se redresser l'hélico. Elle répondit à son salut par un signe de la main. Un moment, il pensa brancher le haut-parleur, puis il se ravisa. Le bruit risquait d'effrayer le cheval. Et puis, que dire ? Il opéra un virage serré et fila droit vers l'horizon.

*
* *

« Toujours aussi casse-cou », pensa Maxie en le regardant piloter l'hélico à travers le canyon. Le spectacle de l'appareil frôlant les falaises et les à-pics lui glaça le sang. Elle soupira puis, claquant la langue, elle lança l'étalon au galop en direction du ranch. Une fois qu'elle aurait fait faire de l'exercice à tous les chevaux, elle appellerait Mimi.

— Grand-père m'a offert une luge, lui apprit sa fille au téléphone une heure plus tard.

— Oh, vraiment, ma chérie ? répondit Maxie, en s'adossant au comptoir de la cuisine.

— Oui, oui et s'il neige, on ira en faire… Tu veux bien, dis ?

— Eh bien…

— Grand-père dit que je peux, se rebella Mimi.

— Hé ! Qui est-ce qui décide ? Ce n'est pas maman ?

— Si, maman. C'est toi, marmonna la fillette, un peu bougon.

Maxie sourit. Mimi avait un caractère bien trempé pour son âge.

— Bien. Nous verrons, ma petite princesse. Passe-moi grand-mère.

Mimi appela sa grand-mère en criant, oubliant au passage d'écarter le combiné de ses lèvres.

— Aïe !

— Oh ! Pardon, maman.

— Ce n'est rien, mon trésor. Je te pardonne…

— Eh bien, moi, je ne te pardonne pas, dit sa mère sur un ton amusé. Pourquoi ne pas nous avoir dit…

— Je ne le savais pas.

Un silence, puis :

— Comment te sens-tu, chérie ?

— Fatiguée. Mais je n'avais pas le choix.

— Alors… ? Comment est-il ? enchaîna sa mère, curieuse.

— Plutôt pas mal, maman.

L'image de Kyle resurgit dans son esprit, la couleur de ses yeux, son sourire, son corps athlétique… Oui, plutôt pas mal…

— Et toujours aussi dangereux ?

Maxie éclata de rire.

— Oui. Et papa… Comment prend-il la chose ? demanda-t-elle, sachant que son père ne serait pas aussi enthousiaste que sa mère.

— Tu le connais. Prêt à protéger sa petite fille d'un nouveau chagrin.

Maxie soupira.

— Je ne pense pas souffrir, cette fois, maman. Kyle a changé.

Elle revit le visage dur de Kyle, son regard narquois, et, un instant, oui, un instant, elle regretta l'ancien Kyle.

— Nous revoir n'a fait que raviver son chagrin et

son amertume, reprit-elle. Oh, je me dégoûte ! Les années n'ont décidément rien effacé.

La culpabilité la submergea de nouveau, lui nouant la gorge.

— Allons, ma chérie, peu importe le temps écoulé. Je suis certaine que ses sentiments pour toi sont…

Soudain, Maxie reconnut au loin la voix de son père faisant remarquer à sa femme qu'elle n'était pas un homme et ne pouvait donc savoir ce que Kyle avait dans le cœur. Imperturbable, sa mère enchaîna en l'assaillant de questions avant de lui rappeler que Mimi irait le soir même dormir chez son amie Dana.

— Tu es adulte et responsable, ma chérie. Fie-toi à ton jugement et agis en conséquence, conclut-elle enfin.

Réconfortée, Maxie réprima ses larmes.

— Merci, maman. Je t'aime.

Elle raccrocha, attrapa un soda dans le réfrigérateur et se dirigea vers la salle de bains. Une bonne heure plus tard, elle sortait de la douche lorsqu'elle entendit Kyle jurer. Elle se renfrogna, puis, après s'être enveloppée de son peignoir, elle ouvrit la porte en regardant prudemment dans le couloir. Rien.

Une demi-seconde plus tard, Kyle surgit de la deuxième salle de bains, une serviette autour des hanches, quelque chose à la main. Ses cheveux étaient trempés et des gouttes s'écoulaient sur son torse. Un moment, elle promena son regard sur sa peau nue, son ventre ferme et… « Stop, danger », se dit-elle avant de remarquer une petite poupée entre ses doigts.

— Oh, ciel ! s'écria-t-elle en traversant le couloir, main tendue. Je l'ai cherchée partout.

Sourcils froncés, Kyle regarda le jouet puis demanda :

— Tu joues à la poupée sous la douche ?

— Eh bien, c'est-à-dire, euh…, bredouilla-t-elle avec un sourire alors qu'il lui tendait la poupée. Oui, j'en fais collection, expliqua-t-elle en rajustant la minuscule toge de la petite poupée grecque. Mais celle-ci appartient à Mimi…

Kyle la fixa, les yeux ronds.

— Et Mimi est… ? demanda-t-il avec un mauvais pressentiment.

Elle croisa son regard.

— Ma fille.

— Tu as un enfant ? s'exclama-t-il en faisant un pas vers elle.

Maxie recula d'un bond, serrant la poupée contre elle.

— Oui. Cela pose un problème ?

- 4 -

Une vague relent de trahison le submergea.

Elle avait été enceinte. D'un autre. La petite fille rousse, sur les photos. Mais, apparemment, elle ne s'était pas mariée.

— Tu n'as pas perdu de temps…, ricana-t-il, regardant avec insistance son peignoir, tentant de percevoir les changements qui forcément étaient survenus dans son corps.

Relevant le menton, mains serrées sur son col, Maxie répliqua :

— Perdu de temps pour quoi ?

— Pour sauter dans le lit d'un autre après mon départ, lâcha-t-il avec colère.

Elle le dévisagea, le cœur gros. C'était donc l'image qu'il avait d'elle. Mais de quoi se mêlait-il ? Il n'avait jamais daigné répondre à ses coups de téléphone ni à ses lettres.

— Combien de temps espérais-tu me cacher le fait que tu avais un enfant ? reprit-il avant qu'elle pût répondre.

— Mimi n'est pas un enfant. Elle est ma fille et je n'essayais pas de te cacher quoi que ce soit, dit-elle avec un regard froid. De toute façon, tu n'as rien à dire. Je me félicite en tout cas qu'elle ne se soit pas trouvée là pour entendre ta réaction.

Puis elle lui tourna le dos et s'engouffra dans sa chambre en claquant bruyamment la porte derrière elle. Bouche bée, Kyle fixa le battant fermé. Mal à l'aise. Si Mimi l'avait entendu, Maxie aurait dû consoler la petite fille en s'efforçant d'expliquer les vilaines paroles qu'il avait eues. Il hocha la tête, contrarié.

— Max ? appela-t-il doucement en grattant la porte. Je… euh…

— Disparais, Kyle, cria-t-elle. Je dois m'habiller.

Il baissa les yeux sur la serviette humide accrochée à ses hanches puis se rua dans sa chambre pour attraper son jean. Il ne pouvait en rester là, se dit-il en sautant dans son pantalon. De retour dans le couloir, il se colla de nouveau à la porte derrière laquelle Maxie se cachait.

— Max, je te demande pardon.

Pas de réponse. Il remonta la fermeture Eclair de son jean puis frappa au battant.

— Ouvre, allons…

— Eh bien quoi ? Sinon, tu vas enfoncer la porte et m'insulter une fois encore, moi et ma fille ?

Il se renfrogna. Elle semblait à cran.

— Maxie, je n'ai pas voulu dire ça. J'ai perdu la tête…

Plutôt, en effet. Il frappa encore, décidé à rester là toute la nuit, s'il le fallait. Même si, connaissant Maxie, elle était capable de tenir un siège ainsi plusieurs jours d'affilée.

— Ah, Maxine Parrish, cessons cette comédie et montre-toi.

Quelques secondes s'écoulèrent puis la porte s'ouvrit.

— Maudis sois-tu, Kyle Hayden, vociféra-t-elle. Tu n'as pas le droit de me parler ainsi !

Il s'émut de son regard si chargé de colère.

— Nous étions presque mariés. Cela donne à un homme le droit de…

— Nous étions, précisément, l'interrompit-elle en pesant ses mots. Il y a sept ans de cela.

— Mais… Je t'aimais, bon sang ! s'écria-t-il en prenant vivement ses mains contre son cœur.

Elle se figea, tenta de se libérer, mais il enlaça sa taille, l'attira contre lui, ventre contre ventre, cuisses contre cuisses.

— Je t'aimais, répéta-t-il, ses yeux plongés dans les siens.

La gorge de Maxie se serra. Elle se sentit vaciller. Il prononçait ces mots avec encore tant de conviction. Et il avait toujours ce même regard possessif. Oh, il avait tant souffert. Par sa faute…

— Je sais, dit-elle tristement, effleurant avec tendresse ses cheveux. Je croyais t'aimer, moi aussi.

Elle croyait… A l'entendre dire cela, les yeux dans

les yeux, une douleur fulgurante le transperça. Il se demanda alors ce qui faisait le plus mal. Sa trahison, autrefois ? qu'elle puisse renier ses sentiments, aujourd'hui ? ou encore, effectivement, qu'elle ne l'ait jamais aimé ?

Le visage de Kyle exprimait une telle détresse... « Oh, Kyle », pensa Maxie. Il était là, devant elle, à moitié nu, si vrai dans ses émotions, si désemparé et... Elle prit soudain conscience combien il lui serait facile de se laisser attendrir par lui. Non. Elle n'était pas faite pour lui jadis et ne l'était pas plus aujourd'hui. Et, pour le salut de sa fille, il devait comprendre que plus rien n'était possible entre eux. Tout était fini, depuis longtemps déjà. Elle s'arracha subitement à ses bras et demanda :

— Serais-tu resté célibataire depuis tout ce temps ?

Il se renfrogna, refusant de penser à toutes ces femmes auprès desquelles il avait cherché à l'oublier. Refusant de penser au néant qui en cet instant l'aspirait.

— Bien sûr que non.

— Alors, n'attends pas qu'il en soit autrement pour moi. Ce que j'ai fait après notre rupture ne te regarde pas, Kyle. Comme ce que tu as pu faire de ton côté ne me regarde pas.

Il avait passé dix-huit mois dans le désert, à redouter à tout instant une balle, pendant qu'elle... qu'elle faisait l'amour avec un autre.

— Ouais, tu as raison, dit-il avec un sourire mauvais. Cela ne te regarde pas.

Elle le scruta intensément, cherchant à voir en lui.

— Tu veux que je te dise, Kyle ? Je crois que le problème ne vient pas de ton chagrin, ni de ma fille, dit-elle avec calme. Le problème vient de ta fierté bafouée. Tu es furieux, parce que je t'ai laissé seul au pied de l'autel.

— Furieux, oui, marmonna-t-il entre ses dents, la douleur réprimée depuis tant d'années déferlant soudain sur lui. Je me tenais dans cette église, revêtu de mon uniforme, un bouquet ridicule à la main, une alliance achetée à crédit sur ma solde dans la poche, à t'attendre…

Il approcha son visage du sien et sa voix se fit sifflante :

— Oui, j'ai attendu, attendu…

Il fit un pas vers elle, et un encore, la forçant à reculer dans sa chambre.

— Mais lorsque tes parents sont arrivés sans toi, j'ai compris que quelque chose n'allait pas. Ciel… Je me suis senti si bête… mais j'étais fou amoureux et… Je me suis dit : « Non, Maxie ne te ferait pas ça. Maxie a dû avoir un accident… Oh, elle saigne, quelque part… »

Sa voix à cet instant se brisa, la faisant tressaillir. Elle ne put retenir ses larmes.

— « Elle m'aime, voyons… » Voilà ce que je me

suis dit. Et j'aurais vendu mon âme au diable tellement j'étais sûr de cela…

Il se tut, regarda dans le vague puis caressa doucement ses cheveux et, de nouveau porté par la rancœur, lança :

— Mais tu te fichais pas mal de moi !

— C'est faux ! cria-t-elle.

Il la saisit par le bras, l'attirant de nouveau contre lui.

— Vraiment ? Tu t'es comportée avec lâcheté. Tu n'as même pas eu le courage de m'affronter, ni la politesse de m'expliquer : « Excuse-moi, Kyle, j'ai changé d'avis ! »

Il referma les mains sur ses bras.

— Tu m'as humilié ! Tu n'as pensé qu'à toi et…

— Tu as raison.

Il se figea.

— Quoi ?

— Je te dois des excuses.

Il la relâcha et, sur un ton plein de sarcasmes, demanda :

— Répète ça !

— Je voudrais te présenter des excuses, répéta-t-elle avec fermeté, comprenant que l'heure était venue. C'était cruel et immature de ma part de t'abandonner comme ça, quelques heures avant ton départ pour la guerre.

Un sentiment de honte qu'elle connaissait bien la submergea.

— J'aurais dû venir vers toi et te parler, dit-elle d'une voix à peine audible, les yeux voilés par les larmes. Mais je n'étais pas mature. J'avais peur. J'étais désespérée et… Et je savais que si je te voyais… Je n'aurais pas su te dire ce que j'avais sur le cœur et je t'aurais dit oui, choisissant de me taire et de vivre avec ce mensonge…

— Ce n'était pas un mensonge, chuchota-t-il. Je t'aimais.

Elle croisa son regard.

— Si tu m'aimais, pourquoi ne pas avoir répondu à mes lettres ? Pourquoi ne pas m'avoir téléphoné ?

— J'avais mal. Il fallait que je guérisse cette blessure.

— Effacée, comme ça, dit-elle en claquant des doigts. Tu n'as pas fait l'effort de chercher à me revoir, à ton retour. J'aurais aussi bien pu être morte. Est-ce ainsi qu'un homme traite la femme qu'il prétend aimer ?

Kyle serra les poings. Il refusait d'entendre la vérité.

— J'étais prêt à t'épouser…

— Mais pas moi. Pas à l'époque, pas dans l'urgence. J'ai essayé de te parler, quelques jours avant, Kyle. Mais chaque fois que j'évoquais la possibilité d'attendre ton retour, tu m'embrassais ou me faisais l'amour, ou encore tu te moquais de moi… Tout sauf m'écouter… sauf m'entendre.

Kyle plongea dans ses souvenirs et ses traits se durcirent.

— Mais nous étions bien, ensemble… Cela aurait pu marcher, entre nous…

— Nous n'étions pas sur la même longueur d'onde, Kyle. Et tu le sais, dit-elle. Je voulais me marier et avoir des enfants. Toi, tu rêvais d'aventure et d'adrénaline.

Il croisa les bras et la fixa.

— J'aimais vivre pleinement, avec intensité… Et si je me souviens bien, toi aussi.

— Oh, certainement ! Mais tu étais beaucoup trop irresponsable pour un homme qui prétendait vouloir se ranger, répliqua-t-elle, guère impressionnée par son regard de défi. Le jour de la solde, tu n'avais déjà plus un dollar en poche…

Il se renfrogna. Il acceptait visiblement très mal qu'elle lui jette ses défauts à la figure. Tant pis. Il devait comprendre les raisons de son départ. Et puis elle avait besoin de le lui dire.

— Tu adorais risquer ta vie. Parfois, c'était dangereux de te suivre. Mais tu te montrais si convaincant…

Esquissant un sourire, il demanda :

— Tu regrettes tant que ça ce que nous étions ?

— Non, non, répondit-elle avec un triste sourire. Mais chaque fois que tu partais en montagne, que tu sautais en parachute ou que tu t'installais au volant d'un bolide, j'étais terrorisée. Ce n'était pas le comportement d'un homme prêt pour le mariage.

Kyle réfléchit, tâchant de la comprendre. Et refusant d'admettre qu'il ait pu se cacher la vérité si longtemps.

— Je voulais rompre avec cette vie-là. Vraiment. Je sais que tu ne me crois pas mais je me sentais prêt, Max…

— Tu as raison, je ne te crois pas, dit-elle d'une voix lasse. Mais si je ne me suis pas rendue à l'église, ce n'était pas parce que je doutais de toi… C'était de moi que je doutais en réalité. Je n'ai pas rompu avec toi… mais avec nous. J'étais amoureuse de l'idée même de me marier, d'avoir ce dont je rêvais. Peut-être étions-nous réellement amoureux l'un de l'autre, alors, mais nous aimions surtout faire l'amour. Et je ne sais pas si une telle relation aurait pu durer au-delà de la guerre…

Kyle serra les dents et détourna les yeux. Souvent, il avait tenté d'imaginer le tableau. Elle et lui, mariés.

— Peut-être cela aurait-il pu durer, si tu nous avais laissé une chance.

— Peut-être, ou peut-être pas. Mais toutes ces semaines précédant la cérémonie, nous n'étions pas dans notre état normal, reprit-elle en saisissant son bras, le forçant à la regarder. Tu allais partir au front et tu voulais que quelqu'un attende ton retour. Tu n'as aucune famille, excepté Mitch, continua-t-elle sur un ton plus doux. Marié, tu aurais eu une femme à laquelle tu manquais.

Il la fixait, mais comme dans un brouillard, sans la voir. Elle le secoua et essuya une larme sur sa joue.

Elle se sentait mieux, oui. Mais lui, l'avait-il comprise ? Accepterait-il la vérité ?

— Je suis désolée, Kyle, chuchota-t-elle.

— Je vois.

Elle semblait si sincère. Lentement, il l'attira contre lui. Elle ne résista pas, appuya la joue contre son torse nu, noua les bras autour de sa taille.

— Je ne voulais pas te briser le cœur, gémit-elle dans un soupir. Je veux que tu me croies.

Kyle ferma les yeux, s'efforçant de garder les yeux secs. Souvent, il avait pensé combien ce jour avait dû être pénible, pour elle aussi.

— Je te crois, murmura-t-il en prenant son visage entre ses mains. Est-ce que je t'ai manqué ?

Il demanda cela, parce qu'il ne pouvait se résoudre à croire qu'elle ne l'avait jamais aimé. Elle sourit derrière ses larmes, repensant à la naissance de Mimi. Comme elle avait regretté qu'il ne fût pas à son côté.

— Oui.

Il ne dit rien pendant un long moment, caressant son visage, ses cheveux.

— Et si nous recommencions depuis le début ? suggéra-t-il soudain.

Immédiatement sur ses gardes, elle recula et essuya ses joues puis elle le dévisagea.

— Que veux-tu dire ?

Il sourit.

— Salut, Max ! C'est bon de te revoir.

Elle sourit à son tour, comprenant ce qu'il voulait dire.

— Hello, Kyle ! C'est bon de te revoir.

Puis il promena son regard sur son peignoir.

— Toujours aussi belle, dit-il d'une voix grave.

Elle rougit légèrement, ses yeux s'éternisant sur son torse nu, son jean déboutonné au-dessous du nombril.

— Tu n'as pas changé non plus, dit-elle, les yeux plongés dans les siens.

— J'ai froid…

— Evidemment, tu es à moitié nu.

Subitement, il enlaça sa taille et se pressa contre elle, la serrant de toutes ses forces. Elle se débattit, pour la forme, voulut le sermonner. En vain. Alors, elle rit.

— Oh, Maxie, dit-il.

Et il l'embrassa, avec fougue, passionnément avant de la lâcher, tout aussi subitement, au point qu'elle bascula sur son lit. Un instant désorientée, toute concentrée sur ce baiser, elle laissa échapper une plainte. Revenue à elle, elle aperçut Kyle près de la porte.

— Kyle…

Attention, prudence.

— Oui, dit-il sans se retourner. C'est mieux ainsi.

Maxie s'affaissa sur le lit, le cœur battant la chamade après ce baiser, après la tension émotionnelle de ces dernières minutes. Les yeux clos, elle coiffa ses cheveux en arrière et les maintint ainsi. Comme elle avait chaud ! Elle pensa à l'homme qu'elle avait connu autrefois. Kyle Hayden, tout feu tout flammes. Cet homme avait mis son père au défi de l'empêcher de la voir.

D'accord, pensa-t-elle, ils s'étaient expliqués. Pour une grande partie. Cela ne signifiait pas pour autant que tout fût pour le mieux. Aussi longtemps que durerait son séjour ici, elle devrait veiller à ne pas baisser sa garde. Elle ne pouvait se permettre de voir ses secrets mis au jour.

Il était le père biologique de Mimi, rien de plus. Il n'avait jamais manifesté le souhait d'avoir des enfants. En fait, c'était même là l'une des raisons qui les avaient opposés quand il l'avait demandée en mariage. Elle n'avait aucun motif de croire qu'il était aujourd'hui plus disposé sur ce sujet. Il avait refusé tout contact et, du moins en ce qui la concernait, il avait définitivement laissé passer sa chance, sept ans plus tôt. Elle était mère et heureuse de l'être. D'une adorable petite fille. Et elle avait bien l'intention de préserver le bonheur de Mimi.

Peu importait qu'elle perde toute raison quand il posait les mains sur elle, ou qu'elle ait trouvé à ce baiser plus de saveur qu'à aucun autre. Mimi passait avant tout. Maxie n'avait aucune confiance en elle lorsque Kyle était dans les parages. Elle se méfiait de ses pensées, de ses sentiments. Et évidemment de lui. Qu'il soit une passion éteinte ou pas, le bonheur de sa fille ne devait pas souffrir du fait que sa mère était troublée. Maxie fixa le plafond. Elle devait rester vigilante, prendre ses distances sur le plan émotionnel et agir avec discernement. Elle ricana. Parfait. Agir comme si le père de son enfant ne vivait pas sous le même toit qu'elles ?

Elle se leva et sortit de la chambre. Kyle semblait s'être volatilisé et elle en fut soulagée. Après avoir chargé le lave-linge, elle passa l'aspirateur, vida le lave-vaisselle puis, un peu plus tard, elle retourna dans l'intimité de sa chambre. Assise sur le bord du lit, elle regarda l'heure puis ouvrit le carnet d'adresses posé sur son chevet et composa le numéro de son amie Gina. Mimi devait être sur le point de se coucher, à cette heure.

Gina décrocha et la salua gaiement. Toutes deux bavardèrent quelques minutes jusqu'à ce qu'un cri strident retentisse au loin.

— Il y a toujours un peu d'effervescence au moment du coucher, expliqua Gina. Tu sais comment elles sont. Dana et Mimi chahutent, ingurgitent des tonnes de pop-corn devant la télé puis, tradition oblige, c'est la bataille de polochons…

— D'où ce cri.

— Scott est censé garder un œil sur elle, mais… une petite minute.

Maxie entendit Gina appeler Mimi.

— Salut, maman ! dit la petite fille quelques secondes plus tard.

Maxie sourit au son de la voix rieuse de sa fille.

— Comment vas-tu, mon trésor ?

— C'est génial, m'man. On a mangé des hamburgers, des frites, puis des pop-corn.

— Et tu ne crains pas d'être malade après tout cela, à chahuter comme tu sembles chahuter... Tu risques de réveiller le bébé...

— Oh, euh, oui... non. Mme Trask a dit que nous pouvons veiller jusqu'à 10 heures... si tu es d'accord, bien sûr.

— 9, dit Maxie.

— Mamaaann...

— 9 h 30.

— Super ! s'exclama Mimi.

— Mais je veux que tu sois gentille. Mme Trask a besoin de se reposer. D'accord ?

Mimi promit.

— Bonne nuit, ma chérie.

— Maman ? Qu'est-ce qui se passe ? Tu as l'air... drôle.

Mimi avait toujours été très perspicace pour son âge.

— Drôle ah-ah ou drôle bizarre-bizarre ?

— Drôle bizarre-bizarre.

— C'est juste que tu me manques. Je me sens seule ici, sans toi, avec pour seule compagnie les chevaux et les mules.

— Mais grand-mère a dit qu'il y avait un pensionnaire.

Maxie tressaillit au souvenir du baiser échangé avec ledit pensionnaire.

— C'est exact. Un vieil ami…

— Mais alors, pourquoi tu te sens seule ?

— Bonne question, répondit-elle en s'efforçant de paraître détendue.

— Je t'aime, petite maman, chuchota sa fille dans le combiné.

Maxie ferma les yeux et remercia le ciel de lui avoir fait don de ce petit ange.

— Je t'aime aussi, ma princesse. Bonne nuit.

Gina reprit le téléphone.

— Je voulais te demander… verrais-tu un inconvénient à ce que Mimi reste avec nous demain encore ? Il n'y a pas école, lundi. Nous pensions aller faire un tour au carnaval.

Maxie ouvrit la bouche pour dire non, elle avait besoin de Mimi, de prendre sa petite fille dans ses bras, de la border le soir dans son lit. Puis elle pensa précisément à sa fille, et uniquement à elle.

— Tu es sûre que cela ne te dérange pas ?

— Pas du tout, répondit Gina en riant. Mimi est un ange.

Pourquoi tous les enfants se comportaient-ils comme des terreurs chez eux et de véritables petits saints chez les autres ?

— Eh bien, soit. Mais dans ce cas, Scott et toi, vous allez vous réserver un week-end et je prendrai les enfants au ranch…

Gina protesta en invoquant le bébé, mais Maxie ne voulut rien entendre.

— Un couple a besoin de moments de réelle intimité, dit-elle.

— Oh... Intimité ? Qu'entends-tu réellement par là ? demanda Gina en riant.

Maxie souhaita bonne nuit à son amie, puis elle raccrocha. Perdue dans ses pensées, elle se recoiffa d'un geste distrait puis se massa les tempes doucement. A cet instant, elle tourna la tête et aperçut Kyle, immobile, sur le seuil. Il avait revêtu un sweat-shirt noir délavé frappé de l'emblème des marines.

— Tu écoutes aux portes ? demanda-t-elle, troublée par l'intensité de son regard.

Kyle en avait en tout cas suffisamment entendu pour comprendre qu'elle avait parlé à sa fille et qu'elle adorait cette dernière. Il se demanda alors si elle ne faisait pas en sorte de la tenir loin de lui. Cette idée l'irrita.

— Tu ne réponds pas ? insista Maxie en se levant.

— Non, non, pas intentionnellement.

Elle le crut et tenta de déchiffrer la noirceur de son regard.

— Tu as faim ?

— J'ai toujours faim, répondit-il sans la quitter des yeux.

Elle avança vers lui.

— Et si je préparais quelque chose à grignoter ?

A vrai dire, il l'aurait bien grignotée elle, se dit-il comme elle sortait de la chambre en le frôlant. Puis il regarda plus en détail le lit. Un lit à baldaquin, touchant, romantique. Il aurait aimé écarter le rideau, s'allonger avec elle, la déshabiller, lentement, et promener ses doigts sur sa peau. Il revint subitement à lui quand, devant la porte, elle toussota pour l'inviter à la suivre.

— Un bien beau lit, Max.

Il la rejoignit et, brusquement, elle se sentit toute nue dans son pyjama et son peignoir devant l'éclat de son regard.

— Euh, oui, répondit-elle tout en se reprochant d'être si légèrement vêtue.

Repoussant ses cheveux en arrière, elle se maudit de voir ses mains trembler. Un détail qui n'échappa pas à Kyle, même s'il tenta d'abord de l'ignorer. Il y eut alors en lui comme un déclic. Subitement, il attrapa sa main et, adossé au chambranle, il chuchota :

— Tu dors toujours entièrement nue ?

Elle écarquilla les yeux.

— Oh, par pitié, soupira-t-elle en se dégageant, courant presque en direction de la cuisine.

Kyle jeta un dernier regard dans sa chambre puis il remonta le couloir à sa suite. S'efforçant d'oublier son lit, sa fille, et se promettant de faire de son mieux pour terminer la soirée sans accrocs.

Sentant son regard sur sa nuque, Maxie s'efforça de garder son sang-froid en sortant fruits et fromage du réfrigérateur, et les toasts du placard. Un peu plus tard, après avoir préparé du café, elle mit un CD dans la chaîne puis transporta le plateau dans le salon. Chopin en fond sonore, elle l'invita à s'installer et à se servir, tandis qu'elle prenait place dans le fauteuil en cuir. Elle saisit une calculette et ouvrit ses livres de comptabilité. La musique et le travail l'apaisèrent bientôt. Au bout d'un moment, posant son stylo, elle s'étira et le chercha des yeux. Près de la cheminée, il croquait une pomme tout en la regardant.

— Eh bien quoi ? demanda-t-elle, nerveuse soudain.

— Je ne me souviens pas t'avoir vue avec tant d'appétit.

Elle regarda le plateau vide devant elle.

— Je ne travaillais pas si dur.

— Quelle idée d'ouvrir un ranch !

— C'était une affaire. Et m'occuper des chevaux est bien la seule chose que j'ai jamais su faire, expliqua-t-elle en s'enfonçant dans son fauteuil.

— N'importe quoi, marmonna-t-il en remuant les braises.

— Il m'a bien fallu quatre ans pour finir l'université, fit-elle remarquer.

— Je crois ne pas être étranger à ce retard, admit-il en poussant une bûche dans le feu.

Elle sourit à ces souvenirs d'elle négligeant ses études, pour lui.

— Sans doute. Mais à côté de mes sœurs, je passais pour un cancre.

Kyle se renfrogna. Qu'elle ait cette image d'elle lui déplaisait.

— Rater ses exams n'est pas un crime, Max.

— Non, mais se marier et divorcer en moins d'un an n'est pas très honorable non plus…

Il tenta de ne pas laisser paraître sa surprise. Mariée ? Le père de Mimi, évidemment, supposa-t-il.

— Je t'ai toujours considérée comme une femme fatale.

Maxie blêmit. Elle s'interrogea sur ce que pouvait cacher son sourire crispé et regretta de ne pas avoir révélé cette nouvelle avec plus de tact.

— Oublie ça, dit-elle en se levant pour aller chercher un café.

Silencieux, Kyle la suivit des yeux. Ils avaient discuté aimablement et il tenait à préserver cette paix. Il ne put s'empêcher néanmoins de penser à ce mariage, à celui auquel elle avait dit oui et aux raisons de leur rupture. Elle réapparut avec un pot de café et lui en servit une tasse.

— Si tu me racontais toute l'histoire, à propos du ranch, suggéra-t-il, souhaitant prolonger ce moment d'harmonie.

— Oh, oui, dit-elle, visiblement soulagée, en reprenant sa place au bureau. Mia et Mariah n'ont jamais pu s'approcher des chevaux de papa, contrairement à moi. Bref, quand l'occasion s'est présentée d'acheter le ranch, je n'ai pas hésité. Cela n'a pas été facile, au début, mais maintenant, oui, nous nous en sortons plutôt bien…

Nous. Elle et Mimi, se dit-il. Seules.

— C'est beaucoup de travail, lâcha-t-il en la regardant par-dessus l'épaule. Personne ne t'assiste ?

— Mimi, parfois, répondit-elle avec un tendre sourire, mais uniquement pour recevoir les touristes. Je ne peux en demander plus à ma petite chérie. De toute façon, je me trouve mieux toute seule.

Il fronça les sourcils. Gérer un ranch seule expliquait qu'elle ait tant maigri, pensa-t-il en l'observant.

— J'aime ce que je fais, reprit-elle. Travailler de mes mains.

— Tu pourrais te trouver une aide plus conséquente que ta fille ?

— Oh, ça ne fait rien. J'aime tellement quand elle est avec moi.

— Peut-être pourrais-je te donner un coup de main, le temps de mon séjour ?

— Non, répondit-elle en criant presque avant de se radoucir. Non, merci. Je m'en sors parfaitement toute seule.

« Elle n'a jamais eu besoin de moi », se dit Kyle qui préféra taire ses pensées. Il était las de se battre avec elle. Et seul responsable de la tension qui régnait entre eux. Peu disposée apparemment à lui parler de Mimi, Maxie se leva subitement, l'invitant à la suivre d'un geste alors qu'elle se dirigeait vers la cuisine.

— Comment va Mitch ? demanda-t-elle.

— Toujours dans les marines, et toujours célibataire. Il est cantonné au Camp Lejeune, mais devrait bientôt partir en mission.

Elle sortit un plat du réfrigérateur puis disposa assiettes à desserts et serviettes sur la table.

— Où va-t-il ?

— S'il me le dit, il devra me tuer.

Elle sourit à sa plaisanterie.

— Oh, oh ! dit-elle. Top secret.

— Oui, il adore ça, répondit Kyle en salivant à la vue du gâteau. C'est quoi ?

— Tarte à la crème et chocolat. Un antidépresseur bien connu.

— C'est toi qui l'as fait ?

— J'ai rarement le temps, mais je crois me souvenir que tu étais gourmand…

Toujours autant, dit-il en prenant son assiette, les yeux rivés sur la généreuse part de tarte.

Il mordit à pleines dents dans le gâteau fondant tout en revenant avec elle dans le salon, grognant de satisfaction. Assise sur le canapé, Maxie le regarda dévorer la tarte puis elle le servit une seconde et une troisième fois, riant quand il fut incapable d'avaler un autre morceau.

— Supergénial, soupira-t-il. Vraiment délicieux.

Il se laissa tomber à côté d'elle, sur le canapé, un sourire béat aux lèvres. Les minutes s'écoulèrent, le silence rompu seulement par le crépitement du feu. Une atmosphère chaleureuse et douce les enveloppa. Prenant soudain conscience de l'intimité de ce moment, Maxie se leva d'un bond pour se ruer dans la cuisine.

— Laisse-moi au moins faire cela pour t'aider, dit Kyle en retenant sa main alors qu'elle s'affairait.

Elle baissa les yeux sur sa main, pénétrée par la chaleur de ses doigts. Une fraction de seconde, elle resta comme pétrifiée, ses yeux plongés dans les siens puis, subitement, reprenant conscience, elle s'écarta. Il ne la lâcha pas pour autant et tourna autour d'elle, refermant son bras autour de sa taille et l'attirant contre lui.

— Oh, Kyle, ne recommence pas, gémit-elle en cognant son torse de ses poings.

— Je sais à quoi tu penses, chuchota-t-il en resserrant son étreinte, sa main caressant son dos, son ventre pressé contre le sien.

— Oh... vraiment ? soupira-t-elle.

Il y avait si longtemps qu'on ne l'avait touchée ainsi.

— Après ce baiser échangé dans l'écurie, tu te demandes si les sentiments que tu croyais morts...

— Ils le sont, le coupa-t-elle, le souffle court.

— Menteuse, dit-il avant de poser ses lèvres sur les siennes.

« Oh, Kyle ! » Elle voulut résister, mais se laissa tout entière absorber par la passion presque désespérée de ce baiser. Une fois, il l'avait embrassée ainsi, se souvint-elle, la nuit où il lui avait appris qu'il partait pour l'Irak. La nuit où ils avaient conçu leur enfant... Oh, comme elle se rappelait de l'angoisse qui l'avait étreinte. La peur de le perdre. Elle noua subitement les bras autour de son cou et sentit ses mains courir le long de son dos, s'arrêter sur ses reins, ses fesses. Sa bouche se fit plus avide, plus impatiente. Elle gémit, se colla à lui.

Kyle crut qu'il allait s'écrouler, là, dans le salon. Il avait tellement envie d'elle. Elle le sentait, forcément. Oui, il la voulait. Voulait la sentir, nue, contre lui. Il tremblait maintenant à force de désir. Désir, oui. Aucune colère, aucun ressentiment. Du désir brut, impérieux, absolu.

« C'est de la folie », pensa Maxie en sentant son trouble. Elle voulut s'écarter mais il l'embrassa avec plus de ferveur encore, le souffle court, tandis qu'elle rejetait la tête en arrière, lui offrant sa gorge.

Kyle grogna et agrippa ses hanches, se plaquant à elle et commençant à bouger, là, juste là, contre elle, sa langue la dévorant. Il s'était menti, toutes ces années. Tant de fois il avait imaginé ce moment, elle se blottissant contre lui, la chaleur de leurs corps, la faim de l'autre… Et elle… Avait-elle une fois pensé à lui depuis leur séparation ? Non, certainement pas, se dit-il. Mais aujourd'hui, elle était là, entre ses bras.

Il écarta les pans de son peignoir et posa la main sur son sein. Une éternité s'était écoulée, pensa Maxie alors que son autre main venait se poser sur ses fesses nues. Elle tressaillit, sentit un liquide chaud et inespéré s'écouler sur l'intérieur de ses cuisses.

— Cela, Maxie, ce ne sont pas des souvenirs… mais la réalité, murmura-t-il contre ses lèvres.

Brusquement, elle le repoussa.

— Non, non, rien n'est vrai… Rien ne l'a jamais été, gémit-elle. Cela ne veut rien dire…

— Ces sensations, ce désir existent bel et bien,

Max, que tu le veuilles ou non, dit-il en tendant la main vers elle.

Elle recula, l'air terrifié, lui jeta un regard courroucé et la passion qui, toute-puissante, avait déferlé sur elle amorça alors son reflux. Elle ne pouvait le laisser la séduire une nouvelle fois. L'avenir de Mimi reposait sur sa faculté à contrôler ses émotions. Elle ne récolterait que de nouvelles souffrances à s'abandonner entre ses bras.

— Je savais que cela arriverait en t'accueillant chez moi.

Tenant à peine debout, Kyle croisa les bras. Il mourait d'envie de l'embrasser, encore et encore, mais comprit qu'elle ne le laisserait plus faire.

— Tu veux que je parte ?

Elle fronça les sourcils, surprise.

— Tu partirais, vraiment ?

Il ravala son amertume en voyant combien cette idée la ranimait.

— Oui, si tu ne te sens pas capable de gérer la situation.

Elle le fusilla du regard.

— Je suis apte à gérer n'importe quelle situation, Kyle. Toi compris. Fais-moi simplement le plaisir de ne plus poser la main sur moi. Plus jamais.

Et elle lui tourna le dos, l'abandonnant là, en proie à un désir qui semblait ne pas vouloir faiblir.

- 5 -

Jusqu'à l'aube, Kyle revécut ce baiser. Morose et désemparé, il se leva, soulagé de constater qu'elle était partie quand il entra dans la cuisine, de bon matin. Plusieurs fois au cours de la nuit, torturé par le désir, il avait pensé aller jusqu'à sa porte et la supplier de le laisser entrer. Heureusement, il lui restait encore quelques bribes de bon sens et il s'était ravisé. Il ne trouva toutefois pas le repos, pas même sous la douche froide qu'il s'imposa, ni après le café noir qu'il ingurgita. Perdu dans ses pensées, il dévora sans y penser le copieux petit déjeuner que Maxie avait préparé à son intention.

Qu'il ait pu une fois de plus succomber à ses charmes le mettait hors de lui. Il savait pourtant ne pas pouvoir lui faire confiance. Ses promesses autrefois ne l'avaient pas empêchée de rompre avec lui, au pire moment. Et après la nuit dernière, il voyait bien qu'elle était restée experte dans l'art de le séduire, pour la minute d'après le repousser. A quoi jouait-elle ? Qu'y avait-il, dans ses baisers ? De la nostalgie ? Autre chose ? Oh, bien sûr, elle s'était excusée pour le passé. Néanmoins, il ne pouvait se permettre de jouer avec le feu. Il avait trop souffert.

Emportant sa tasse de café, Kyle téléphona au service de secours du parc. On commençait à s'inquiéter pour deux rafters qui s'étaient séparés de leur groupe. Peut-être ferait-il mieux de se rendre sur place, estima-t-il en enfilant son blouson. Il tenait là un bon alibi pour l'éviter. Bah, mais il n'était pas un lâche. Contrairement à elle.

Traversant la cour, il se rendit jusqu'à l'étable et la trouva en train de s'affairer autour d'un tas de bottes de foin. Il réalisa soudain combien elle travaillait dur. Il se demanda alors si c'était la routine pour elle de travailler un dimanche matin. Ou était-ce à cause de lui ? Il l'observa discrètement. Comme hier, elle portait une chemise en coton grossier, un jean, une veste sans manches molletonnée et des gants de travail. Cheveux dans le visage, elle piqua une botte d'un coup de bêche et tenta de la hisser par-dessus les autres.

A coup sûr, elle préférerait mourir plutôt que de demander de l'aide, pensa-t-il en approchant. Sans un mot, il lui prit l'outil des mains et envoya la botte au sommet du tas.

— Merci, dit-elle, essoufflée.

La sueur dégoulinait de son front. Cela devait faire une bonne heure qu'elle se débattait ainsi avec ces bottes pour être ainsi en nage, dans ce froid sibérien.

— Tu souhaitais quelque chose ?

Il s'efforça d'ignorer la sécheresse du ton.

— Pas spécialement. Je dois y aller. Rien de grave, je pense, rajouta-t-il comme elle semblait inquiète. Combien sont à toi ? demanda-t-il ensuite en désignant les box.

— Je possède la moitié des chevaux.

Il émit un long sifflement admiratif.

— Bon sang, Max, c'est super.

Maxie sourit en écartant ses cheveux d'un revers de main.

— Merci. Si cela te tente de monter…

Il se détendit. Les choses démarraient plutôt bien.

— Oui, pourquoi pas… Tu m'accompagnerais ?

— Peur de te perdre ?

— Non. Mais… on pourrait faire la course ?

Elle leva les yeux au ciel.

— C'est bien un truc de mecs, ça…

Il rit doucement. Maxie avait presque oublié combien il était beau quand il riait ainsi.

— Et vouloir à tout prix faire le travail toute seule, c'est un truc de femmes ?

— C'est plutôt que je ne peux pas me permettre d'embaucher quelqu'un, dit-elle, honnête.

— Mon offre tient toujours. Si tu veux un coup de main…

— Non.

— Max…

Levant une main, elle lui imposa le silence.

— Mes pensionnaires ne travaillent pas. C'est une

règle. Le parc paye pour ton séjour, dit-elle en essuyant une tache de terre sur sa joue. Imagine ce qui pourrait se passer si tu étais fatigué d'avoir trimbalé du foin et que tu devais prendre l'hélico pour une urgence... ?

— Tu sous-estimes ma vigueur...

Elle éclata de rire.

— Ta vigueur n'a en effet jamais été un prob... Oops, s'interrompit-elle, les yeux ronds, visiblement gênée.

Kyle rougit puis éclata de rire. Il fit un pas vers elle qui recula de deux, les yeux pleins de méfiance, derrière une frontière invisible. Sa bêche levée, elle paraissait prête à se battre pour se protéger de lui. Il n'insista pas, prudent.

Comme il semblait las ! se dit-elle. Ces dernières vingt-quatre heures avaient été terriblement éprouvantes sur le plan émotionnel, pour elle comme pour lui. Mais rien ne serait plus jamais comme avant, entre eux, pensa-t-elle. Parce qu'une fois au courant, pour sa fille, ce qui avait pu recommencer serait irrémédiablement détruit.

— Ecoute, Max... Je sais que ça n'a pas été facile, entre nous, dit-il, avec un regard éperdu qui ne lui échappa pas.

— C'est le moins que l'on puisse dire, soupira-t-elle.

— Bah ! mais on a eu des moments chouettes, non ?

— Oui, sans doute. Mais le temps a passé.

— Oui, le temps a passé…

— Et je dois penser à ma fille. Je ne veux pas qu'elle se fasse des idées, à propos de nous. Pas question de lui faire encore une fois de la peine…

Kyle imagina qu'elle faisait de nouveau allusion à l'échec de son mariage et il opina du chef. Il savait par expérience que les enfants voyaient ce qu'ils avaient envie de voir. A douze ans encore, lui croyait, plein d'illusions, que ses parents viendraient l'arracher à l'orphelinat. Bien sûr, ils n'étaient jamais venus. Un enfant sensible verrait sans doute entre sa mère et lui autre chose qu'une simple amitié. Et d'ailleurs lui-même ne savait même pas s'il parviendrait à nouer un jour des relations purement amicales avec Maxie. Bah, et puis les enfants le rendaient nerveux.

Un coup de Klaxon retentit à cet instant et, aussitôt, elle se hissa sur la pointe des pieds.

— Oh, de mieux en mieux, se lamenta-t-elle, l'air las.

Il fronça les sourcils et l'interrogea du regard.

— C'est maman.

Faisant les yeux ronds, il se rua vers l'entrée.

— Froussard, cria Maxie derrière lui en riant.

— M'en moque…

Kyle rejoignit en courant l'hélico, saluant à bonne distance sa mère d'un geste de la main, mais sans s'arrêter. Il ne se sentait vraiment pas en état de rencontrer un membre de la famille Parrish. Maxie regarda les pales fouetter l'air puis l'appareil s'éleva.

— Oh, ma chérie, s'exclama Lucy Parrish en venant vers elle, il est toujours aussi séduisant…

— Je t'en prie, maman, se lamenta-t-elle.

Il était inutile qu'on lui fasse remarquer combien Kyle était beau. Et sexy. Et tout et tout.

— Tu le sais bien. J'ai toujours craqué pour lui, enchaîna sa mère.

— Ce n'est pas le cas de papa.

— C'est juste. Mais il a lui aussi été un marine et il sait parfaitement d'où Kyle vient. Il veut juste protéger sa fille. Et puis tu l'as plus d'une fois défié en sortant avec Kyle quand il te l'interdisait, et cette histoire reste pour lui un sujet sensible.

Moins assurément que pour elle, se dit Maxie. Mais au diable les souvenirs…

— Alors, maman, enchaîna-t-elle, bras croisés, le regard gentiment moqueur. Prête à mettre la main à la pâte ? Il reste quelques bottes à remiser. A moins que tu préfères te rincer l'œil en regardant le père de Mimi ?

Max se figea, puis rougit… Que lui avait-il pris ? Elle blêmit et fixa sa mère. La vieille dame aux cheveux gris la dévisagea, les yeux ronds, avant d'éclater de rire.

Plus tard, cet après-midi-là, Kyle pilota l'hélico hors du canyon, volant pleins gaz en rase-mottes. Puis, soudain, il l'aperçut, chevauchant au galop, presque debout sur ses étriers. Il frémit en la voyant, sauvage, insaisissable, et la suivit ainsi, une centaine de mètres au-dessus d'elle, sans pouvoir quitter des yeux cette femme dont l'image l'avait obsédé la journée entière. Sa mission achevée deux heures seulement après son départ du ranch, ce matin, il s'était porté volontaire pour de menus travaux mécaniques, au parc, trop heureux de s'occuper l'esprit. Mais cette parenthèse n'avait apparemment pas apaisé sa tension. Il leva la tête et abaissa vivement le manche en découvrant à cinquante mètres à peine devant lui la ligne à haute tension. Il piqua et vira sur la droite, puis sur la gauche, provoquant un fantastique nuage de poussière.

Stupide.

Il s'éleva haut dans le ciel et regarda en bas. Elle s'était arrêtée et remuait énergiquement la tête dans sa direction. Puis elle partit au trot vers l'écurie. Bon sang. Il avait l'air malin avec ses acrobaties. Morose, il posa l'hélico, coupa les gaz et sortit de l'appareil. Les bras chargés de victuailles, il se dirigea vers la maison. Maxie arriva à son niveau, perchée sur son étalon.

— C'est chez les marines que tu as appris cette technique d'approche ? l'interpella-t-elle sur un ton rieur, mais désolée au fond d'elle de constater qu'il n'avait pas changé.

Pour Kyle, la prise de risque était et resterait un mode de vie.

Il leva les yeux sur elle, seule responsable de ce vol approximatif.

— Ce soir, c'est moi qui fais le repas, marmonna-t-il en grimpant les marches du perron.

— Hé !

— Quoi ? lâcha-t-il en la regardant par-dessus l'épaule.

— Tout va bien ?

— Mmouais, je vais bien, mentit-il en lui faisant face.

« J'ai failli me crasher parce que je ne pouvais détacher mes yeux de toi. » Voilà ce qu'il mourait d'envie de lui dire. Et puis, « je voudrais t'embrasser encore et encore, et te faire l'amour, au point que je ne peux penser à autre chose. »

— Bien, reprit-il, je vais en cuisine. Et rassure-toi, je ne traînerai plus dans tes pattes.

— Excellent, dit-elle en riant. Puis, dressée sur ses étriers, elle tenta de voir dans les sacs.

— Que vas-tu nous préparer ?

— Lasagnes aux épinards à la sauce sicilienne.

— Vraiment ? s'exclama-t-elle en lui souriant de telle sorte qu'il s'adoucit un peu.

— Mmoui, répondit-il, touché plus qu'il ne l'aurait voulu par ce sourire. Il me faut une heure, à peu près.

Elle regarda sa montre.

— Je ne serai pas en retard d'une seule minute.

Kyle lui sourit à son tour puis il se détourna et entra

dans la maison. En se maudissant. Il jouait avec le feu. Il était décidément stupide.

Une heure et demie plus tard, Maxie s'écroula sur le canapé. Elle était rassasiée.

— Oh oui, de la grande cuisine, marmonna-t-elle en retenant un bâillement.

Assis à côté d'elle, jambes croisés, Kyle sourit. Il se sentait détendu. Comme vidé, aussi. Et, visiblement, Maxie ne valait pas mieux que lui, les lasagnes lui ayant donné le coup de grâce. Elle portait encore ses vêtements de travail et un parfum mêlé de cuir et de grand air émanait d'elle.

— Peut-être quelques courses de stock-cars te permettraient-elles d'évacuer ton trop-plein d'énergie, suggéra-t-elle soudain dans un soupir.

Il rit doucement et but une gorgée de café.

— Trop vieux pour ces bêtises-là, répondit-il. Ce qu'il me faut, c'est une bonne nuit de sommeil.

Comme elle ne répliquait pas, après une minute, il tourna la tête. Elle dormait. A poings fermés. Et à peine bougea-t-elle lorsqu'il la prit dans ses bras et l'emporta jusqu'à sa chambre. Il l'allongea sur le lit, lui retira ses bottes. Elle gémit et étreignit l'oreiller, toujours endormie. Kyle la regarda.

Il avait passé l'après-midi à repenser à ce qu'ils s'étaient dit au cours des dernières vingt-quatre heures. Puis il avait posé sur ses souvenirs de jeunesse un nouveau regard, regard d'un homme de trente ans, qui avait vu tant d'horreurs en Irak. En réalité, le jeune marine fougueux et irresponsable qu'il avait été n'avait pas su entendre l'appel de détresse de Maxie. Elle avait voulu remettre leur mariage à plus tard et lui avait paniqué, craignant plus de se retrouver seul que de la perdre. Oui, elle avait raison, admit-il. Il était un casse-cou, l'argent lui brûlait les doigts… Il faut dire qu'il n'avait jamais eu grand-chose avant de s'engager et, s'il n'était pas sur la paille aujourd'hui, c'était uniquement que sa solde était versée à la banque, pendant son séjour en Irak. Il se massa la nuque et fixa le tapis. S'il l'aimait autant qu'il le prétendait, pourquoi n'avait-il pas cherché à la revoir ? Kyle n'avait jamais cru à l'amour, encore moins à un amour qui dure. A l'exception de son frère aîné, tous ceux qu'il avait pu aimer l'avaient laissé tomber.

Soudain, le téléphone sonna et il s'empressa de décrocher.

— Allô !

— Ce… C'est bien le Wind Dancer ? demanda une petite voix.

— Oui, répondit Kyle en s'asseyant au pied du lit, comprenant à qui il avait affaire.

— Où est ma maman ?

L'angoisse qui résonna dans la voix de l'enfant lui serra le cœur.

— Ici, juste à côté de moi, dit-il. Une seconde.

Couvrant le combiné de la main, il secoua Maxie qui entrouvrit les yeux.

— Ta fille, dit-il en lui tendant le téléphone.

— Merci, répondit-elle. Hello, mon trésor. Comment s'est passée ta journée ?

Kyle ne prêta qu'une oreille discrète à la conversation, excepté quand Maxie, subitement, le fixa du regard.

— Il est grand, très grand, et fort. Il a les yeux et les cheveux noirs.

Il rougit un peu puis rajouta en chuchotant, le plus sérieusement du monde :

— Je suis aussi excellent pilote.

Aussitôt, masquant le combiné, elle lui dit :

— Excellent pilote ? Tu parles de tes acrobaties de l'après-midi ? Puis parlant de nouveau à sa fille.

— Oui, tu le verras demain matin, s'il n'est pas en mission de sauvetage.

Kyle se leva sans quitter Maxie des yeux, celle-ci continuant sa conversation :

— Je t'aime aussi, ma princesse. A demain.

Il fut soudain frappé par une impression de déjà-vu. Maxie dans son lit, nue, ses cheveux en désordre, le drap dévoilant l'un de ses seins. Et lui pestant, parce que l'heure avait sonné de rejoindre la caserne. Quelques secondes plus tard, il se recouchait, lui faisait l'amour. Et, une fois au camp, recevait un blâme pour son retard.

Elle reposa le téléphone sur son socle et se laissa retomber sur son lit.

— Elle a mangé trop de barbe à papa…, gémit-elle.

— Il est tard, Max. Rendors-toi.

Elle lui sourit d'un air vaguement triste.

— Merci pour le repas.

— Tout le plaisir fut pour moi, dit-il en sortant de la chambre sur la pointe des pieds.

Maxie déjà se rendormait. *« Où est ma maman ? »* La petite voix le ramena au passé, lorsque, enfant, il découvrait que sa mère l'avait abandonné.

Le jour suivant, après le déjeuner, Kyle sortait de la cuisine quand devant lui surgit une petite fusée rousse.

— Maman ! Maman ! C'est moi ! hurla la fillette en abandonnant sac et doudoune dans son sillage.

Maxie apparut et ouvrit grands les bras, couvrant bientôt sa fille de baisers et de rires.

— Est-ce que je t'ai manqué, au moins ? demanda-t-elle après mille caresses à Mimi, rouge d'excitation.

— Tout le temps, déclara avec gravité l'enfant.

— Comment m'aimes-tu ?

— Très fort, répondit Mimi en nouant ses petits bras potelés autour de son cou.

Kyle s'adossa au mur, plus par habitude que par réel besoin. Littéralement fasciné par l'expression qu'il surprit sur le visage de Maxie. Une expression d'amour total, inconditionnel. Une maman.

La ressemblance entre elles était indéniable. Cheveux roux, yeux verts, traits fins.

— Ouh, dis donc, comme tu pèses ! remarqua Maxie en posant sa fille sur ses pieds.

— J'ai beaucoup mangé, c'est pour ça, répondit Mimi avec sérieux.

— Certainement, renchérit Maxie en riant.

A cette seconde, elle croisa le regard de Kyle et tressaillit sous l'effet d'une peur panique. A quoi pensait-il ? Se reconnaissait-il en Mimi ? Avait-il remarqué qu'elle avait sa bouche, son sourire ? Perdue dans ses pensées, elle sursauta quand retentit un coup de Klaxon. Courant jusqu'à la porte, elle agita la main en direction de Gina.

Kyle entendit vaguement la voiture s'éloigner. Il ne pouvait détacher son regard de la fillette. L'enfant de Maxie. Sa chair, son sang. Une adorable petite poupée. Aux yeux verts vifs et pénétrants. Braqués en ce moment même sur l'inconnu balourd qu'il était.

Mimi vint se planter devant lui, mains sur les hanches.

— Qui tu es ?

— Mimi-Anne, enfin ! Quelle insolence, la gronda gentiment sa mère en refermant la porte d'entrée. Tu dois d'abord te présenter, toi.

Mimi rougit, étudia un moment ses pieds.

— Oui, m'man, dit-elle avant de le regarder dans les yeux, main tendue. Hello, je m'appelle Mimi Parrish.

Kyle prit délicatement les petits doigts dans sa grosse main pataude.

— Enchanté, mademoiselle Parrish. Mon nom est Kyle Hayden.

Quelque chose scintilla dans les yeux de la fillette.

— Heureuse de faire ta connaissance, monsieur, dit-elle. Puis se tournant vers sa mère.

— C'est vrai qu'il est grand.

Maxie sourit, ravalant les larmes qui depuis quelques secondes lui brûlaient les yeux. Combien de fois avait-elle imaginé ce moment… et combien de fois avait-elle prié pour qu'il ne se présente jamais ?

Kyle s'accroupit.

— C'est mieux, comme ça ?

— Non, répondit Mimi, boudeuse. Tu es encore trop grand.

— Je ne te fais pas peur, au moins ? demanda-t-il, inquiet.

— Non. Elvis est plus grand que toi et il me fait pas peur.

Kyle interrogea Maxie du regard.

— Elvis, le cheval, enchaîna Mimi, devinant son trouble.

— Oh, excusez-moi, mademoiselle.

La fillette sourit, dévoilant le trou laissé par une canine manquante. Kyle sourit en retour et tira gentiment sur l'une de ses tresses.

De son côté, Maxie s'attendait à s'évanouir d'une

seconde à l'autre. Les voir ainsi face à face était si inattendu, si… inespéré.

— Une balade à cheval, Miminette ? lança-t-elle, pressée soudain de prendre l'air.

— Chouette !

Après avoir à la hâte rassemblé les affaires de sa fille, Maxie attrapa sa parka puis aida Mimi à enfiler sa doudoune. Toutes deux, main dans la main, s'apprêtaient à sortir quand la fillette soudain se tourna vers Kyle.

— Tu viens avec nous ?

Il regarda brièvement Maxie, qui détourna ostensiblement la tête, tenta de lire sur son visage. En vain.

— Hmm, plus tard, peut-être. J'ai deux trois choses à faire…

Mimi sourit affectueusement devant sa mine confuse et quelque chose à cette seconde déferla sur son cœur.

— Si Kyle vient avec nous, ça te fera un cheval de moins à sortir pour tout à l'heure…, fit alors remarquer la fillette à sa mère.

Silence. La logique implacable des enfants, pensa Kyle, amusé. Tendu.

— Evidemment, dit Maxie sans prendre le risque d'expliquer pourquoi elle aurait préféré que Kyle ne les accompagne pas. Le talkie-walkie est sur le bureau, rajouta-t-elle à son attention. Prends-le, au cas où le parc aurait besoin de toi. Tu monteras l'étalon.

Kyle opina et les regarda s'éloigner avant de leur

emboîter le pas. Maxie remonta le Zip de la doudoune de Mimi et ajusta son petit chapeau de cow-boy avant de prendre sa main. Puis toutes deux se mirent à courir vers l'écurie en riant aux éclats. Il ne put s'empêcher de remarquer comme elle irradiait auprès de sa fille, comme elle était différente. Sa réserve, sa froideur, tout cela s'était évaporé dès l'instant où Mimi avait franchi la porte. C'était comme si Maxie avait en elle un amour qui attendait de s'épancher. Jamais il n'avait vu pareil amour. Et jamais probablement n'en verrait-il qui lui soit destiné.

Une demi-heure plus tard, ils galopaient à travers la lande. Kyle, en léger retrait, les observait, médusé. Non pas à cause de l'allure effrénée, mais de l'image qu'elles offraient toutes deux, Mimi pelotonnée contre sa mère, agrippée au pommeau, Maxie presque debout sur les étriers. Il éperonna alors sa monture et dépassa le cheval de Max. Surprise, celle-ci accéléra encore le pas et prit les devants, Mimi lui faisant des signes de la main et riant de sa défaite annoncée. Car Maxie était bien meilleure cavalière.

— Tu as perdu ! Tu as perdu ! s'écria la fillette en battant des mains, quand il arriva à leur niveau.

— Mimi, voyons…

— Oh, laisse-la dire, Max. Je mérite la disgrâce. Bon sang, quel galop infernal… Chapeau.

— L'entraînement, dit-elle.

Ils reprirent le chemin du ranch. Tout le long du trajet, Mimi raconta avec force détails son week-end.

Elle n'avait d'ailleurs pas terminé quand ils rentrèrent les chevaux dans leurs box.

Au bas de sa monture, Kyle gémit en s'étirant.

— Cassé ? s'enquit Maxie avec un sourire narquois, avec un regard complice à sa fille.

— Oh, juste un peu. Et vous ?

— Pas du tout du tout du tout…

— Mimi !

— Oh, euh… Je voulais dire, non, monsieur. J'ai l'habitude.

Et la fillette alla chercher un seau et des brosses dans un coin de l'écurie. Kyle ne la quitta pas des yeux.

— Elle est adorable, Max, dit-il au bout d'un moment.

— Merci. J'en suis folle.

Il rit et, prenant une brosse, entreprit d'étriller les chevaux en sueur.

— Les enfants… Ils sont tous comme ça ? demanda-t-il, au bout d'une minute.

— C'est-à-dire ?

— Si, euh… Si adultes.

Max sourit, sans faire de commentaire, et continua de peigner l'étalon. Elle se demanda si Kyle avait une idée de l'âge de Mimi. Qu'il croie qu'elle était la fille de son ex-mari avait quelque chose de rassurant. Bientôt, en effet, il reprendrait son envol vers d'autres aventures et il n'était pas question de perturber l'existence de la fillette.

— Je ne connais pas bien les enfants, reprit-il, une minute plus tard.

Elle nota dans sa voix une réelle angoisse qui ne manqua pas de la surprendre.

— Tu t'en sors plutôt bien. Evite simplement de lui parler comme à une petite fille. Elle déteste être traitée avec condescendance.

Kyle se redressa, l'air perplexe.

— Elle sait ce que cela signifie ?

— Non, bien sûr, pas vraiment. Mais elle sait reconnaître ce genre de ton quand elle l'entend. Elle a un sale caractère…

— Telle mère, telle fille, hein ?

— Je n'ai pas sale caractère !

Il fronça les sourcils et elle soupira avant d'éclater de rire. Son seau à bout de bras, Mimi revint près d'eux en trottinant.

— Besoin d'aide, petite mademoiselle ? demanda Kyle.

— Non, merci. C'est à moi de le faire, répondit la fillette en relevant fièrement le menton.

Attrapant une brosse, elle se hissa sur la pointe des pieds et commença à brosser énergiquement le cheval qu'elle et sa mère avaient monté. Kyle s'écarta et, bras croisés, il regarda la mère et la fille s'occuper des bêtes, nettoyer leurs box puis amener de quoi les nourrir. Sans lui prêter à aucun moment la moindre attention. Ce dont il se fichait bien. Jamais il n'oublierait cette scène, la première du genre, pour lui. Parent et enfant, si proches, complices, amis.

En lui, cependant, il ne put réprimer un sentiment de jalousie.

- 6 -

Le lendemain matin, Kyle fut arraché à son sommeil par un tapage de tous les diables. Maxie. 6 heures du matin. Elle chantait à tue-tête. La stéréo beuglait, le parfum du bacon frit embaumait la maison et Mimi poussait des cris stridents.

Le jean à peine enfilé, il déboula dans le couloir. Maxie se tenait devant la porte de l'une des chambres, comme prête à l'assaut, un pistolet à eau jaune vif dans les mains, battant le sol du pied et se déhanchant au rythme de la musique country. Elle ne le vit pas. Et soudain elle s'engouffra telle une furie dans la chambre. Aussitôt, Mimi y alla d'un nouveau cri. Hurlement.

— Tsst, fillette, appel numéro trois !

— D'accord, d'accord, maman, je me lève…

Kyle sourit. Sortant de la chambre, Maxie s'immobilisa en le découvrant. Puis, devant son sourire, elle haussa les épaules et soupira :

— C'est toute une histoire pour la faire lever, le matin…

— C'est bien ce que j'ai cru comprendre, dit Kyle

en marchant vers elle, prenant bien garde à ne pas regarder dans la chambre.

Mimi était sans doute en train de s'habiller et n'avait certainement pas besoin qu'un inconnu la surprenne dans son intimité. Erreur ! Brusquement, un jet d'eau surgit de la chambre et heurta Maxie en pleine figure. Celle-ci toussa, crachota puis appuya à son tour sur la détente de son pistolet, visant Mimi qui s'avançait, craquante dans son adorable chemise de nuit rose.

— Maman, rends-toi ! cria la fillette qui continuait d'asperger sa mère.

— Pas question, répliqua Maxie, elle-même trempée.

Kyle ne broncha pas, se contentant d'observer ce duel… et brûlant d'envie d'y participer. Puis Mimi l'aperçut et aussitôt, dans le feu de l'action, l'aspergea d'une rafale d'eau froide en pleine poitrine.

Maxie se figea. Mimi laissa échapper un « Ooops » et rougit. Kyle leva alors les mains en signe de reddition.

— On ne tire pas sur un homme désarmé, dit-il.

— J'ai un troisième pistolet, suggéra alors timidement Mimi, une goutte d'eau suspendue au bout de son nez.

— Vous n'avez pas la moindre chance, petite mademoiselle. J'ai appartenu aux marines.

La fillette le défia du regard.

— C'est vrai ?

— Je demande un cessez-le-feu, s'interposa Maxie

en imposant le silence à Kyle d'un regard. Et toi, chère mademoiselle, tu vas te mettre en retard pour l'école. Petit déjeuner dans un quart d'heure !

Mimi se renfrogna et jeta un regard à Kyle. Puis, tournant les talons, elle s'apprêtait à disparaître dans sa chambre, quand elle fit volte-face et mitrailla sa maman d'une ultime rafale entre les yeux.

Kyle éclata de rire.

— Un vrai tireur d'élite, s'exclama-t-il.

Maxie s'essuya le visage.

— Inutile de l'encourager, dit-elle en se hâtant vers la cuisine.

Ayant rangé le pistolet à eau sous l'évier, elle attrapa un torchon et s'essuya le visage.

— C'est comme ça tous les matins ?

— Le lundi uniquement. Elle adore faire la grasse matinée.

— Et tu adores la réveiller.

Elle le regarda par-dessus son épaule, lui sourit, sourire qui émut Kyle jusqu'au plus profond de lui-même.

— C'est un jeu entre nous… Le petit déjeuner est presque prêt, mais…

Elle s'interrompit en notant le petit filet d'eau qui courait sur le ventre de Kyle et reprit :

— … Mais peut-être souhaites-tu te sécher, d'abord.

Fronçant les sourcils, il mit une poignée de secondes avant de comprendre ce qu'elle voulait dire. Puis il rit avec elle, la dévisagea avec une tendresse qui la fit tressaillir. Il courut dans sa chambre, se rasa, prit sa douche et retourna sans plus tarder dans la cuisine. Mimi dévorait avec entrain son petit déjeuner au rythme de la musique. Quant à Maxie… Maxie dansait. Il ravala sa salive et s'installa à table, face à Mimi, puis se jeta sur le bacon et les pancakes, but d'un trait son jus d'orange, fasciné par le déhanchement de Maxie. Comment une femme qui travaillait si dur pouvait-elle avoir tant d'énergie de si bon matin ? Puis, soudain, il sut. Sa fille.

L'amour de Mimi la portait, la transcendait. Il fut alors happé par ses souvenirs. Jamais personne ne lui avait préparé son petit déjeuner, enfant. Jamais sa mère n'avait dansé de bon matin, dans la cuisine.

— Un peu plus, Kyle ?

C'était là l'image du bonheur. La maternité avait épanoui Maxie.

— Kyle ? Encore un peu de pancakes ?

Mimi fut prise de fou rire et, soudain, il émergea de ses pensées.

— Oh, euh… oui, merci…

Puis s'adressant à la fillette :

— Elle est toujours aussi active, le matin ?

— Toujours, opina Mimi avec un air faussement exaspéré.

Maxie lui présenta une nouvelle fournée de pancakes.

— Oh, oh, c'est bien trop !…, protesta-t-il.

— Allons, allons, je t'ai vu dévorer trois fois plus…

— Oui, mais j'avais vingt-trois ans à l'époque, et je cherchais alors à t'impressionner.

Ils échangèrent un sourire.

— Et toutes ces acrobaties, c'était aussi pour m'impressionner ?

— Quelles acrobaties ? Le saut en parachute, les courses de stock-cars ou…

Il la fixa avant de rajouter :

— Les chutes d'Encinada ?

Maxie retint son souffle, ses joues rosirent au souvenir de cette journée. Ils avaient fait l'amour, passionnément, dans le secret de la campagne mexicaine, en plein midi…

— Depuis quand tu connais ma maman ? s'interposa subitement Mimi.

Kyle nota chez Maxie un changement subit. Elle blêmit, son regard s'assombrit.

— Il y a longtemps. Elle avait les cheveux longs, alors.

Mimi regarda sa mère puis Kyle :

— Et quoi encore ?

— Voyons, voyons, dit Kyle en observant Maxie de la tête aux pieds. Elle avait des jambes sublimes et aussi… elle se maquillait…

— Maquillée, ma maman ? s'exclama Mimi en dévisageant sa mère.

Kyle fit oui d'un signe de tête, amusé par l'air agacé que prenait Maxie.

— Et encore ?

Il plongea ses yeux dans ceux de Maxie, et ajouta d'une voix suave :

— Elle adorait le satin, le chocolat noir et le homard…

Le regard de Maxie s'adoucit.

— Elle aimait aussi les balades à moto avec moi. Elle avait une tache de rousseur sur la cheville en forme de larme… Et elle ronronnait littéralement quand on lui massait les pieds.

Maxie baissa les yeux et Kyle se demanda si elle se souvenait de la dernière fois où il l'avait massée ainsi. Puis, se rappelant subitement qu'ils n'étaient pas seuls, il se tourna vers la fillette.

— Et surtout elle détestait les insectes.

Mimi sourit en mordant dans son pancake.

— C'est toujours pareil. Elle a peur des chenilles, dit-elle entre deux bouchées.

— Bien, bien, assez de bavardages, décréta subitement Maxie. Mimi, ne parle pas la bouche pleine et toi, Kyle… euh, eh bien, finis ton petit déjeuner.

— Oui, m'dame, dit-il en étouffant un rire.

Il fit de son mieux pour regarder ailleurs. Il n'y avait rien de provocant dans sa tenue, mais Maxie avait une façon de porter le jean comme personne. Il émanait d'elle une sensualité qu'il n'avait rencontrée chez aucune autre femme. Y en avait-il eu beaucoup, d'autres femmes ? tenta-t-il de se souvenir. Ses aventures en réalité n'avaient jamais duré plus de deux mois. L'arrachant à ses pensées, Mimi se leva brusquement et courut se brosser les dents.

Pour Kyle, ce fut comme si un peu de lumière délaissait la pièce. Pourtant, c'était la première fois qu'il se retrouvait seul face à Maxie, depuis l'arrivée de la fillette. Il fronça les sourcils. Etait-ce fait exprès de sa part ? De mettre systématiquement la fillette entre eux ? Redoutait-elle les moments d'intimité avec lui ? Peut-être pas consciemment, mais…

S'il se sentait bien avec elles, l'image de Maxie l'abandonnant à l'église et se glissant dans le lit d'un autre ne cessait néanmoins de le torturer. L'avait-elle trompé, autrefois ? Voyait-elle cet homme, déjà ? L'aimait-elle ? Et l'avait-elle jamais aimé, lui ? Il serra les dents. Mimi aurait-elle pu être sa fille ?

Maxie grignotait un pancake, faisant son possible pour ignorer Kyle. Il était beau, diablement séduisant et… cela n'arrangeait pas ses affaires que sa fille s'entende bien avec lui. Bah, Mimi s'entendait avec tout le monde. Que dirait-il, que ferait-il, s'il apprenait qu'il avait pris son petit déjeuner avec sa fille ? Et Mimi, comment réagirait-elle, si elle découvrait que son père vivait sous le même toit qu'elle ? Plusieurs fois dans le passé, la fillette avait posé des questions sur son père. Maxie avait tenté de répondre avec le plus d'honnêteté possible. Papa était absent lors de sa naissance et il ignorait même qu'elle existait. Mimi savait que sa mère l'avait suffisamment aimé pour la concevoir, mais pas assez pour vivre avec lui. La fillette semblait plus que tout se réjouir du fait qu'elle n'était pas responsable de l'absence de ce père. Maxie ne pensait pas qu'il manquât véritablement à Mimi que ses grands-parents, tantes et oncles entouraient d'amour. Quant à son ex-mari, Carl, trois ans déjà… il n'était plus heureusement qu'un vague souvenir dans la mémoire de la fillette. Maxie remua doucement la tête. Pas une fois depuis leur séparation, Carl ne s'était inquiété de savoir si Mimi allait bien. Le silence s'épaissit, Kyle tentant de voir en elle, elle finissant de manger.

Kyle n'avait cessé de l'observer, fasciné par les différentes émotions qu'exprimait son visage et il s'apprêtait à l'interroger sur ses pensées quand elle regarda l'horloge :

— Oh, elle va se mettre en retard !

Elle se leva, appela sa fille. Les yeux dans le vague, Kyle mordit dans sa tranche de bacon, contrarié. Chaque fois, elle trouvait un prétexte pour le fuir. Puis il les entendit bavarder et il sourit. Mimi cherchait une excuse pour rester à la maison. Mais Maxie se montra inébranlable. Puis un coup de Klaxon retentit et Mimi traversa la maison en courant. Sur le seuil, Maxie, doudoune dans une main, un mini sac à dos dans l'autre, demanda à sa fille de ne pas oublier son goûter, et de penser à ramener cette fois les devoirs à faire à la maison. Mimi bataillait avec le Zip de sa doudoune quand Kyle apparut dans le hall.

— Tu seras là à mon retour, monsieur Hayden ?

— Pour deux semaines encore, répondit-il sans un regard pour Maxie.

— Super ! s'exclama la fillette avec un large sourire.

La gorge de Kyle se serra. Elle était réellement adorable. Craquante. De nouveau, un coup de klaxon. Mimi se hissa sur la pointe des pieds et Max lui donna un baiser.

— Je t'aime, ma princesse.

— Je t'aime aussi, ma maman, répondit Mimi.

Puis franchissant le seuil, elle lança :

— A tout à l'heure, monsieur Hayden.

— A tout à l'heure, petite mademoiselle.

Mimi rit puis se rua dans la cour. Maxie sortit sous le porche et regarda sa fille monter dans le bus et se mettre aussitôt à bavarder avec ses camarades. Elle referma la porte et se tourna vers Kyle.

— Quelle énergie ! dit-il, tout sourires.

— Et encore, elle se modère en ta présence. Habituellement, à cette heure, elle finit à peine son petit déjeuner et…

Le téléphone sonna et, après un rapide bonjour, elle tendit le combiné à Kyle :

— C'est Jackson.

Kyle prit l'appel qui ne dura qu'une poignée de

secondes puis il se rendit dans la cuisine. En pleine vaisselle, Maxie se tourna vers lui.

— Je dois y aller, dit Kyle.

— Un sauvetage ?

— Oui, deux rafters coincés en amont de la rivière, expliqua-t-il en enfilant son blouson. J'ignore l'heure de mon retour…

— Pas de problème.

— Si je vois que ça risque de durer, j'essaierai de te prévenir, dit-il en faisant un pas vers elle pour l'embrasser.

Il s'arrêta net en prenant conscience de ce qu'il faisait. Ils se regardèrent, lui subjugué par l'éclat de ses yeux verts, par le dessin de ses lèvres. Non, chaque fois qu'il posait la main sur elle, ça finissait par des reproches… Ils étaient bien ensemble, comme ça. Pas question de gâcher cette nouvelle complicité, cette harmonie. Si fragile. Il s'éclaircit la gorge :

— Bien, euh, à plus tard, alors…

Maxie le regarda, le cœur battant, troublée :

— Oui, à plus tard, murmura-t-elle.

Kyle sourit tristement puis il s'éclipsa. Elle soupira et se remit à sa vaisselle avec acharnement. Non, elle n'attendait pas qu'il l'embrasse. Non, elle ne le voulait surtout pas.

L'hélico de Kyle était déjà parqué lorsqu'elle rentra du supermarché. Elle avait espéré qu'il serait de retour une fois Mimi revenue de l'école. En présence de Mimi, elle se sentait moins tendue.

Pourquoi ? l'interrogea une petite voix. Parce que, répliqua-t-elle en attrapant un sac qu'elle transporta dans la maison. Avant de recommencer l'opération, une fois, deux fois, tout en s'interrogeant. Attendait-elle quelque chose de lui ? S'agissait-il simplement de nostalgie ? D'un retour de flamme… qu'elle devait à tout prix étouffer, chaque fois qu'il évoquait de vieux souvenirs ? Chaque fois qu'il la regardait comme s'il cherchait à comprendre. Oh, elle voyait clair dans son jeu ! Consciemment ou non, il cherchait à vaincre ses défenses. Pourquoi ? Elle avait commis le pire envers cet homme, et même s'il lui avait pardonné, il aurait été logique qu'il se tienne à bonne distance d'elle et ne vienne pas remuer des souvenirs d'un érotisme torride qu'elle avait réussi à refouler depuis tant d'années. Attrapant le dernier sac, Maxie se figea et regarda du côté de l'écurie. Elle remit le sac dans le coffre de la Range Rover, puis elle traversa la cour.

— Mais que fais-tu ? demanda-t-elle, sur le seuil de l'écurie.

Kyle leva les yeux sur elle, la pelle remplie de paille souillée suspendue en l'air.

— Tu le vois bien, répondit-il en se remettant au travail.

— Tu n'es pas ici pour travailler, Kyle. Laisse ça.

Il posa sa pelle et la regarda, mains fichées sur le manche.

— Je t'en prie, Max. Pas de dispute.

— Je ne cherche pas à… C'est simplement que je n'ai pas besoin de toi. Ni de personne et…

— Maxie… Je m'étais dit qu'ainsi, tu pourrais passer plus de temps avec ta fille lorsqu'elle rentrerait de l'école.

Elle ne trouva rien à redire. Kyle attendit puis il attrapa la brouette qu'il mena jusqu'au fond de l'écurie, comme il l'avait vue faire. Quand il eut terminé, il retira ses gants et alla se laver les mains et se débarbouiller un peu. Il chercha à tâtons la serviette… que lui tendit Maxie. Elle était hors d'elle. Oui, bien sûr, il avait tout nettoyé. Parfaitement, à ce qu'elle pouvait voir. Et oui, elle allait ainsi avoir plus de temps à consacrer à Mimi dès son retour… Mais à quoi donc allait-elle s'occuper, en attendant ? Elle s'éloigna.

— Toujours à me fuir…

— Je dois ranger les courses.

— Peureuse.

Elle fit volte-face et le fixa, furibonde.

— Je dois ranger les courses.

Il haussa les épaules.

— Avec ce froid, elles ne risquent rien…

— Je ne veux pas que les légumes gèlent.

Il la fixa, impassible.

— Eh bien… quoi ? demanda-t-elle, nerveuse.

— J'attends ta prochaine excuse pour ne pas rester en ma présence.

— Je ne cherche pas d'excuses.

Kyle fronça les sourcils.

— Tu mens très mal, Max…

Elle leva les bras au ciel.

— Viens près de moi.

Méfiante, elle fit un pas, puis deux.

— Plus près.

Maxie marcha jusqu'à lui, tête baissée. Suffoquant lorsqu'il fit le dernier pas.

— Tu trembles.

— Non, répliqua-t-elle avec véhémence.

Il rit en la regardant dans les yeux.

— Et alors ? Qu'est-ce que ça prouve ?

— Tu fais tout pour m'éviter…

Elle fronça les sourcils.

— Puisque je me trompe, allons faire une balade à cheval, ensemble, suggéra-t-il.

— Tu détestes ça.

— Autrefois, oui…

Qu'était-il en train de dire ? se demanda-t-elle en rougissant sous l'intensité de son regard. Voulait-il faire table rase du passé ? Et tout recommencer ? Elle tressaillit à cette pensée qu'elle s'empressa toutefois de repousser. Mimi, sa vie, son espoir. Non, rien ne valait qu'elle prenne le moindre risque. Et soudain, approchant son visage, il l'embrassa avec tendresse. Elle frissonna à ce contact puis gémit contre ses lèvres :

— Non, Kyle, je t'en prie… Ne commence pas…

Prenant son visage entre ses mains, il plongea ses yeux dans les siens.

— Maxie, rien n'a jamais fini, entre nous. Jamais. Comprends-tu ?

Oui, elle comprenait. Mais elle savait aussi ne pas pouvoir se permettre de laisser les sensations et les sentiments prendre le pas sur la raison. Tant pis pour la frustration.

— Il ne s'agit plus que de nous seuls, Kyle. Aujourd'hui, lorsque je fais des choix, je ne les fais pas que pour moi.

— Je suis un grand garçon, Max, quoi que tu en penses, dit-il avec gravité. Et je n'ai pas en tête de coucher avec toi pour coucher avec toi, si c'est ce que tu imagines…

Il se tut, fit glisser ses mains sur sa gorge, enfouit ses doigts dans ses cheveux.

— Mimi est adorable, reprit-il. Mais elle n'a rien à voir avec nous.

« Oh, comme tu te trompes », pensa Maxie. Préserver le bonheur de Mimi était ce qui lui avait permis de se protéger émotionnellement de lui, depuis son arrivée.

Elle semblait si lasse, se dit Kyle, brûlant de savoir ce qui se cachait derrière ses jolis yeux verts.

— A quand remonte la dernière fois que tu as pensé à toi ? demanda-t-il avec tendresse.

— Ne m'as-tu pas reproché récemment mon égoïsme ? répliqua-t-elle, en le défiant du regard.

— C'était idiot de ma part, répondit-il en chuchotant contre ses lèvres.

Elle s'abandonna, l'espace d'un frisson, avant de le repousser énergiquement Un silence s'ensuivit, puis il demanda :

— De quoi as-tu peur, Maxie ?

Elle détourna les yeux, l'air si désespéré à cet instant qu'il en fut bouleversé.

— De… De faire des erreurs. De gâcher ma vie… et celle de Mimi…

Elle s'interrompit puis conclut :

— … et la tienne.

— C'est donc pour cela que tu as érigé ces remparts autour de toi ?

— J'aime la solitude…

— Tu vis en ermite, Max.

— Parfait ! s'exclama-t-elle avec un rire forcé. Si c'est le seul moyen de protéger ma fille, pourquoi pas ?

Sur ces paroles, elle attrapa un balai et se rua dans un box qu'elle entreprit de balayer à grands gestes furieux.

— Mimi n'est pas là, remarqua-t-il à voix basse.

Faisant volte-face, elle le toisa.

— Elle est toujours là, Kyle. Car elle fait partie de moi.

« Comme elle fait partie de toi », pensa-t-elle. Lentement, Kyle avança dans le box.

— Mais… existe-t-il une place pour moi dans tout cela ? demanda-t-il, son regard rivé au sien.

Elle laissa échapper une plainte.

— Tu te trompes sur la nature de tes sentiments,

Kyle, dit-elle en soupirant. Tu crois vouloir quelque chose entre nous, mais…

Elle se remit à donner de grands coups de balai avant de conclure.

— … en réalité, ce sont tes hormones qui parlent.

Soudain, il ne fut plus qu'à quelques centimètres d'elle. Et il continua d'avancer, la forçant à reculer, dos au mur. Laissant tomber son balai, Maxie, mains plaquées derrière elle, attendit.

— C'est la deuxième fois dans notre histoire que tu prétends savoir ce que je veux, Max, dit-il entre ses dents en se collant à elle. Mais, cette fois, je ne te laisserai pas décider pour moi.

Elle retint son souffle.

— Il n'y a pas de choix possible, Kyle, chuchota-t-elle. Il n'y a rien à décider pour nous.

— Je n'ai pas besoin de ta permission, dit-il, glissant une jambe entre ses cuisses.

— Tu ne m'auras pas, lâcha-t-elle, la gorge nouée.

Il la regarda avec une infinie tendresse.

— Le crois-tu réellement ? J'ai confondu autrefois posséder ton corps et posséder ton cœur. Je ne suis plus si naïf, mais…

Il se tut, déposa un baiser sur sa gorge, puis sur sa joue. Elle voulut crier, appeler à l'aide. Mais il prit ses lèvres. Comme ça, sans l'enlacer, sans la toucher, son corps à un soupir du sien. Et la détermination patiente avec laquelle il l'embrassa finit par avoir raison de sa résistance. Un instant seulement, elle voulut réagir, courir se réfugier dans la maison, puis sa langue vint à la rencontre de la sienne. Ce fut comme si le feu l'aspirait. Elle prit soudain son visage entre ses mains, l'attira contre elle. Lui ne la touchant toujours pas. Il attendit. Il voulait qu'elle vienne à lui, complètement. Oui, il y avait plus que du désir dans cette attente. Il s'agissait plus que d'un baiser, entre eux. Soudain, il perdit conscience, il se pressa contre elle, son ventre collé au sien. Aussitôt, elle gémit et l'étreignit avec une subite fureur.

Agrippant ses hanches, il commença à bouger contre elle tandis qu'elle l'embrassait maintenant avec passion, son souffle mêlé au sien. Au comble du désir, il glissa ses mains sous son chemisier, puis sous son soutien-gorge. La douceur de sa peau, la chaleur de ses seins lui arrachèrent une plainte. Maxie retint un cri. Voulant plus, tout de suite. Elle fit descendre ses mains sur son dos, puis sur sa taille. Elle avait envie de le sentir, de le toucher. Les yeux clos, sa bouche toujours rivée à la sienne, elle laissa sa main aller là où elle devait aller. Tressaillant quand elle sentit à travers le jean son sexe dur.

— Oh oui, gémit Kyle.

Puis, sans qu'elle sût comment, sa bouche fut sur ses seins nus. Rejetant la tête en arrière, elle le maintint ainsi contre elle. Et ce fut aussitôt après sa main qui s'insinua dans son jean, ses doigts allant et venant sur son slip, puis sous son slip.

— Tu es chaude… Tu es à moi…

— Oui, je l'ai toujours été, soupira-t-elle, allant et venant contre sa main.

Il connaissait si bien Maxie. Son corps. Il aimait quand elle le suppliait ainsi, quand elle perdait toute inhibition, s'abandonnait à lui. Il plongea en elle, se retira puis revint au plus profond d'elle.

— Kyle, je…

Il sentait ses muscles se resserrer autour de ses doigts.

— Oh, Maxie, j'ai tellement envie de te prendre…

Elle laissa échapper un cri, cri annonciateur du plaisir qui soudain déferla sur elle.

— Oh, Kyle…

Il aimait quand elle prononçait son nom ainsi, en tremblant. Il aimait quand elle gémissait, l'embrassant à pleine bouche. Il aimait la regarder jouir. Il retira ses doigts et la serra contre lui en l'attirant contre le foin fraîchement étalé dans un coin du box. Ils s'allongèrent, lui fixant le plafond.

— Kyle, je…

— Chut, la coupa-t-il en l'étreignant plus fort. Je meurs d'envie de te prendre, mais sans protection pas question. Alors, je t'en prie, chut…

Elle soupira, se blottit contre lui. Détendue, comblée pour la première fois depuis des années. Elle refusait de penser aux conséquences. Seul comptait ce vrai moment de paix. Le vent fit craquer les cloisons de bois de l'écurie. Dans un autre box, un cheval hennit doucement. Puis ce fut le Klaxon du bus de l'école.

Instantanément, Maxie s'assit et regarda sa montre avant de bondir sur ses pieds. Kyle, lui, resta allongé, mains sous la tête, s'amusant de la regarder se rhabiller puis retirer à la hâte les brins de paille piqués dans ses cheveux.

— Tu ne viens pas ?

— Non, dit-il en souriant, ému de retrouver ce regard limpide, comme lavé, qu'il lui connaissait autrefois après l'amour.

— Je ne veux pas que Mimi me voie dans cet état.

— Max…, marmonna-t-il en s'asseyant, fou de désir.

— Oh, Kyle, non, ne discute pas. Mimi passe avant tout.

Il se leva d'un bond, attrapa son bras avant qu'elle ne fuie.

— Je ne veux pas discuter et je ne tiens pas non plus à ce qu'elle sache ce que nous faisions ici… Je refuse simplement que sa mère oublie…

— Oh, Kyle, gémit-elle avec désespoir en prenant son visage entre ses mains…

Puis elle l'embrassa avant de s'enfuir, le laissant désemparé. Maxie marcha jusqu'à la Range Rover dont elle sortit le dernier sac, les rafales de vent dispersant les ultimes vapeurs du plaisir. Sa fille sauta du bus et courut vers elle avant de voler entre ses bras. Maxie la serra tendrement contre son cœur.

— Salut, maman ! Où est M. Hayden ?

- 7 -

Sous la douche chaude, Maxie, les yeux clos, repoussa ses cheveux en arrière. Toute l'eau du monde ne saurait effacer ce qui était arrivé dans l'écurie. Elle tressaillit. Kyle la faisait vibrer. Physiquement, émotionnellement. Et elle aurait sans aucun doute fait l'amour avec lui, si l'absence de protection ne les avait retenus. Elle se félicitait de ce détail, car alors elle aurait été dans un tout autre état de désarroi.

Elle n'envisageait pas d'aller plus loin. Leur avenir était déjà écrit. Condamné. Quand il apprendrait que Mimi était son enfant, et qu'elle lui avait caché tout ce temps son existence, toute relation à peine entamée serait aussitôt détruite. Elle finit de se rincer, perdue dans ses pensées. Il allait se mettre à espérer, pensa-t-elle, à croire que tout pouvait changer, aujourd'hui. Malheureusement, il n'en était rien.

Sortant de la douche, elle manqua de déraper sur le carrelage en entendant les rires de Mimi et de Kyle, sur fond de musique country. Un moment indécise, elle se sécha et s'habilla à toute vitesse avant de se ruer hors de la salle de bains. Elle trouva Kyle dans la cuisine, un tablier autour des hanches, réglant son pas sur celui de Mimi dans ce qui ressemblait à une leçon de danse.

Son cœur s'emballa à les voir tous deux ainsi, côte à côte, levant la jambe, tortillant des hanches.

— Non, comme ça, dit Mimi en l'attrapant par la taille pour corriger son mouvement.

— Bah, ne te fatigue pas. Je n'ai pas le sens du rythme.

Il prit alors un air niais des plus comiques devant lequel Mimi éclata de rire. Un sourire, sourire d'une infinie tendresse, se dessina alors sur le visage de Kyle. Puis il prit le bout du petit nez de Mimi entre le pouce et l'index et la fillette rit de plus belle.

— Attends, attends, je crois que je vais y arriver, cette fois, dit-il, fébrile, comme le refrain reprenait.

Et tous deux se mirent à danser, en rythme, et en harmonie, Mimi veillant de près aux pas de Kyle avec une gravité attendrissante.

La chanson terminée, Mimi applaudit Kyle qui, de son côté, esquissa une révérence et déposa un baiser délicat sur la main potelée de sa fille qui rougit de bonheur. Sans faire de bruit, Maxie recula hors de la cuisine. Dos plaqué au mur, elle soupira, attendant que la douleur qui transperçait son cœur s'atténue.

Comment trouvait-elle la force ? Quel droit avait-elle ? Leur cacher ainsi le lien qui les unissait ? Avait-elle raison de vouloir taire l'identité de Kyle à Mimi ? Le souffle court, elle frissonna. Qu'adviendrait-il de la belle joie de vivre de sa fille quand il partirait ?

Oh, mais Mimi avait un talent incroyable pour la vie, se rassura-t-elle. Elle se remettrait du départ de Kyle et continuerait simplement son chemin. En revanche, sa mère risquait bien de ne pas avoir la même facilité à récupérer. Car non, elle ne pouvait risquer une nouvelle fois de souffrir, de cette souffrance qui autrefois avait bien failli avoir raison d'elle.

Elle demeura ainsi de longues minutes, à l'abri des regards, écoutant leurs bavardages, Mimi lui parlant de ses tortues, Kyle s'affairant aux fourneaux… et Maxie faisant appel à tout son courage avant de lui faire face. Quand elle entra dans la cuisine, il leva les yeux sur elle et un sourire illumina son visage. Elle serra les dents. Oh, voir ce regard, vivre avec ce sourire, jour après jour, pensa-t-elle.

— Où étais-tu donc passée ? Attention, la CP veille…, dit-il, sourcils froncés.

— La CP, ça veut dire Cuisine Police, maman, s'empressa d'expliquer Mimi tout en mettant la table.

— Oh, vraiment ? dit Maxie sur un ton qu'elle voulait enjoué.

— M. Hayden m'a raconté qu'autrefois, quand il était en retard, la CP des marines le punissait de corvée de pommes de terre.

« Il était entre mes bras et partait toujours au dernier moment », pensa Maxie en croisant les yeux de Kyle. Il l'enveloppa d'un regard brûlant, ravivant en elle la chaleur de leurs étreintes de l'après-midi. Elle tressaillit puis, comme il venait tout sourires vers elle, elle recula prestement et agita la tête. Il s'immobilisa, manifestement désemparé. Maxie alors désigna Mimi d'un mouvement discret du menton. Kyle n'insista pas et battit en retraite.

Mal à l'aise, Maxie s'empressa de se reprendre. Elle ne pouvait pas laisser Mimi imaginer qu'il était plus qu'un simple pensionnaire. Si sa fille venait à avoir le moindre doute, elle la harcèlerait de questions. Questions auxquelles Maxie ne se sentait pas prête à répondre.

— Quel est le menu ? lança-t-elle avec entrain.

— Poulet au citron, fettucine et brocolis.

— Beurk, brocolis, commenta Mimi en remplissant les verres.

— Au gratin, petite mademoiselle.

— Bof quand même, monsieur Hayden…

Kyle rit de bon cœur et commença à remplir les assiettes, croisant au passage le regard de Maxie.

— Tout va bien ? demanda-t-il avec une tendresse qui la fit fondre.

— Oh, pourquoi ça n'irait pas ? demanda-t-elle.

Il haussa les épaules et rit en lui passant le plat de fettucine qu'elle lui arracha littéralement des mains avant de s'asseoir.

— Pour rien, pour rien, se contenta-t-il de dire avec un air entendu qui exaspéra Maxie.

Mimi, quant à elle, était déjà installée et discutait à

propos de tout et de rien. Au grand soulagement de sa mère, ce fut elle qui entretint la conversation au cours du repas, ne s'arrêtant que pour manger, y compris les brocolis qu'elle daigna finalement goûter, convaincue par Kyle. Elle en était à sa troisième portion quand le téléphone sonna. Kyle suivit Maxie des yeux quand elle décrocha.

— Le parc, leur dit-elle en s'approchant de la fenêtre, fixant la neige qui commençait à tomber dans la nuit noire. Tu es sûr que cela ne peut pas attendre jusqu'à demain matin ? Non, je comprends, Jackson. Donne-moi une heure.

Puis elle raccrocha.

— Le parc a besoin de chevaux supplémentaires, expliqua-t-elle à Kyle avant de se tourner vers Mimi. Je te confie la maison, ma princesse.

— Max, s'empressa Kyle, laisse-moi t'aider.

— J'ai déjà fait cela mille fois, Kyle. Seule.

— Mais il est tard et il neige, insista-t-il.

Puis, devant le regard noir de Maxie

— D'accord, d'accord. Bien, va préparer les chevaux pendant que Mimi et moi débarrassons la table. Puis je viendrai te donner un coup de main pour fixer le van. Quant au reste, nous saurons très bien nous débrouiller tout seuls, n'est-ce pas, petite mademoiselle ?

— Mmoui, monsieur Hayden, répondit la fillette, un peu maussade soudain.

Maxie croisa le regard plein de confiance de Kyle puis elle se tourna vers Mimi. Mimi dont le regard s'était assombri. Sa fille adorait certes Kyle, mais de là à rester seule avec lui... Etait-ce bien raisonnable ? Kyle était-il en mesure de veiller sur une petite fille ?

— Et si on y allait tous les trois, plutôt ? suggéra-t-elle alors subitement.

Surpris, Kyle la fixa puis il se tourna vers Mimi.

— Oh oui, ce serait génial ! s'exclama la fillette en battant des mains, visiblement soulagée.

De nouveau, Kyle regarda Maxie puis il hocha la tête, manifestement perplexe.

— Hmm, bien, changement de programme. Allez, au travail, petite mademoiselle ! lança-t-il en transportant plats et assiettes dans l'évier.

Mimi accourut en riant auprès de lui et essuya la vaisselle à la vitesse de l'éclair. Elle courut ensuite s'habiller et fut dehors dix bonnes minutes avant lui. Lorsque, à son tour, il sortit de la maison pour aider Maxie, la fillette se tenait près du van, tenant les chevaux par la bride avec bravoure dans le blizzard. Puis Maxie abaissa la porte du van et Kyle regarda Mimi y mener les montures avec maîtrise et sang-froid, attachant les rênes et sécurisant les bêtes telle une vraie petite cow-girl.

— Fais quand même attention, mademoiselle, lança-t-il, craignant un mauvais coup de sabot.

— Ne crains rien, monsieur Hayden.

Maxie sourit devant son inquiétude.

— Elle a l'habitude, Kyle. Du calme.

Puis elle referma la porte du van, tandis que Kyle et

la fillette prenaient place dans la Range Rover. Deux heures plus tard, après que Jackson eut offert trois fois trop de sucreries à Mimi et du café chaud à Maxie et Kyle, ils prirent le chemin du retour.

— Il est grand temps qu'elle retrouve son lit, remarqua Kyle pendant que la Range Rover filait dans la nuit.

Maxie se tourna vers lui et retint son souffle en découvrant sa fille blottie entre ses bras, apparemment endormie.

— Je savais qu'elle ne résisterait pas, dit-elle en s'efforçant de paraître détendue.

— Mais tu n'étais pas prête à me laisser seul avec elle, n'est-ce pas ? enchaîna-t-il en caressant tendrement les cheveux de Mimi.

— Non, Kyle, dit-elle. *Elle* n'était pas prête.

Kyle fronça les sourcils et baissa les yeux sur la fillette.

— Tu veux dire... qu'elle aurait peur de moi ?

— Pas exactement, répondit-elle car, en réalité, jamais elle n'avait vu Mimi si confiante avec aucun de ses pensionnaires. Mais l'heure du coucher pour une petite fille est un moment spécial. Plein de rites. Très intime...

Il ne dit rien. Comprenant seulement combien il s'était montré sot. Brutal. Prétentieux. Et inconscient. Il n'y connaissait rien en matière d'enfant. Et de petite fille, encore moins. Maxie, elle, avait toujours voulu des enfants, rêvant de famille, d'une maison emplie de cris et de rires. Il la regarda à la dérobée. Si belle, même sans maquillage, vêtue simplement d'un jean et d'une chemise. Une femme. Mais une mère aussi… et avant tout.

Un peu plus tard, Maxie venait de se garer devant la maison et de couper le contact, lorsque Kyle glissa sa main sous sa nuque et amena ses lèvres contre les siennes. Elle résista deux secondes avant de s'abandonner à son baiser dans un soupir.

— Je ne fais que penser à nous… cet après-midi, chuchota-t-il à son oreille. J'ai tellement envie de toi…

— Kyle, chut, gémit-elle sans le repousser, même si elle s'était juré dorénavant de le faire.

Puis entre eux, Mimi soudain s'agita et, instantanément, ils s'écartèrent l'un de l'autre. Maxie le foudroya du regard quand il fit mine de s'approcher de nouveau d'elle. Il soupira puis emporta Mimi jusque dans sa chambre. Il venait juste de l'allonger sur son lit quand la fillette, s'éveillant subitement, s'assit, bras croisés, ses yeux accusateurs allant d'un adulte à l'autre.

— Tu as embrassé ma maman, dit-elle à Kyle sans détour.

Surpris, il fronça les sourcils.

— Oui, je l'ai embrassée.

Mimi se tourna alors sa mère :

— Tu as aimé ça ?

Maxie demeura bouche bée.

— On dirait que oui, commenta-t-elle.

— Tu n'étais pas censée nous épier, jeune fille, la

gronda Maxie, rouge de confusion. Maintenant, il faut dormir…

Déjà Kyle opérait une retraite discrète quand Mimi l'interpella :

— Tu aimes ma maman, monsieur Hayden ?

Le regard de Kyle croisa celui de Maxie.

— Oui, je l'aime.

« Comme je l'ai toujours aimée », pensa-t-il tout en s'éclipsant pour se réfugier dans sa chambre. Il se laissa tomber sur le lit, mains croisées derrière la tête, et fixa le plafond. Mimi. Ce baiser semblait l'avoir tellement affectée… Il adorait la fille de Maxie. Plus, il en était fou, littéralement. Etrangement. Il se sentait infiniment proche d'elle. Mais sa mère avait raison : les choses n'étaient pas si simples. Un enfant, et plus encore une petite fille lui semblait-il, attendait autre chose d'un adulte que des parties de fou rire. Il s'assit, se frotta la nuque. Serait-il prêt un jour pour la paternité ? Saurait-il être à la hauteur ?

Dans sa chambre, Mimi à moitié endormie retira ses vêtements et se glissa dans son pyjama, mère et fille bavardant tout ce temps de choses et d'autres, de l'école, des brocolis cuisinés par Kyle…

— Maman, M. Hayden, il m'aime un peu ?

Maxie dévisagea sa fille.

— Quelle question, ma princesse ! dit-elle en étreignant tendrement sa fille. J'en suis certaine. Jamais je n'ai pu le convaincre de danser.

Mimi sourit et Maxie s'allongea avec elle sur le lit.

— Tu sais qu'il va bientôt partir, ma chérie, chuchota-t-elle en caressant les cheveux de sa fille.

— Mmoui, je sais, répondit la fillette en bâillant.

Maxie se leva et borda Mimi qui avait fermé les yeux.

— Il embrasse bien, dis, maman ? demanda-t-elle subitement.

Levant les yeux au ciel, Maxie sourit.

— Cela ne te regarde pas, mademoiselle.

Mimi dévisagea sa mère.

— Je suis sûre que oui… Je le sais.

— Tiens, tiens. Tu as sans doute embrassé beaucoup de garçons pour affirmer cela…

— Bof… En tout cas, toi, ça fait très longtemps que tu n'as pas embrassé un monsieur.

Maxie en avait parfaitement conscience. Mais que la remarque vînt d'une enfant de sept ans, et en l'occurrence de sa fille, la laissa un moment pantoise.

— A présent, dodo, se contenta-t-elle de répondre.

Mimi obéit et remonta illico son drap sous le menton, Maxie sortant à pas feutrés de la pièce. Elle referma doucement la porte et s'apprêtait à s'éloigner quand elle s'immobilisa, en retenant son souffle. Kyle se tenait sur le seuil de sa chambre et la regardait. Sans aucune ambiguïté. Ces dernières minutes avaient été l'occasion d'une prise de conscience. Il ne supportait plus de se sentir exclu de cette relation mère fille. Il se sentait tellement bien, avec elles deux. Et puis il avait besoin de savoir avec qui Maxie l'avait trahi, au point de donner le jour à Mimi. Et pourquoi avait-elle divorcé ? Que s'était-il passé ? Pourquoi Mimi ne portait-elle pas le nom de son père ? Quel était ce mystère ? Toutes ces questions se bousculaient dans sa tête.

Maxie devait s'y résoudre. Lui savait bien, oui, il sentait que l'ancienne passion et la nouvelle ne faisaient en réalité qu'une. Sept années, sept heures, quelle différence cela faisait-il ?

Avant qu'elle puisse réagir, il traversa le couloir et l'enlaça tendrement. Elle ne le repoussa pas, ne recula pas lorsqu'il approcha ses lèvres pour un baiser aussi fugitif qu'intense.

— Bonne nuit, Max, murmura-t-il avant de disparaître dans sa chambre.

Maxie laissa échapper un long soupir. « D'accord. Qu'espérais-tu ? Qu'il t'emporte dans ses bras et te couche dans son lit ? »

Elle s'éloigna, éteignit les lumières dans la maison et ferma les portes. Puis elle dut se rendre à l'évidence. Oui, c'était tout ce qu'elle avait espéré. Ce constat la terrifia et tandis qu'elle rejoignait sa chambre, se faufilant sans un bruit devant celle de Kyle, elle supplia. « N'espère rien ! N'attends rien ! Jamais ça ne marchera. » Elle soupira. Une semaine encore…

Deux jours plus tard, Maxie dans le paddock tenait fermement la bride de l'un de ses étalons et regardait avec méfiance Mimi et Kyle, accoudés à la clôture, attendant son verdict.

— Un tour en hélico ? répéta-t-elle. Je ne sais pas si…

— Oh, maman, s'il te plaît ! supplia Mimi en courant vers elle.

— Pas le moindre soupçon d'imprudence, je le jure, déclara Kyle, la main sur le cœur.

En cet instant même, comprit-il, elle revoyait le jeune Kyle amateur de danger, accro d'adrénaline. Il pouvait le comprendre.

— Quinze minutes, pas plus, enchaîna-t-il. Un petit vol dans les parages.

— Je veux voir la rivière depuis le ciel, renchérit Mimi.

Kyle rejoignit la fillette et se pencha vers elle pour lui murmurer à l'oreille :

— Chut, ne la brusque pas. Tu risques de tout faire rater…

Maxie fronça les sourcils alors que tous deux la dévisageaient avec une expression angélique. Voir Mimi et Kyle devenir les meilleurs amis du monde la mettait mal à l'aise. Mais qu'en plus Kyle manifeste le souhait de faire des choses en compagnie de Mimi, lui qui avait toujours eu peur des enfants, faisait naître en elle un espoir qu'elle se refusait à entretenir.

Mais Mimi semblait tellement tenir à ce baptême de l'air…

— Alors, que décides-tu, Max ?

— Oui, qu'est-ce que tu décides, maman ? fit écho Mimi, une main dans la poche arrière de son jean, tout comme Kyle, la tête légèrement inclinée sur la droite, tout comme Kyle.

Prenant subitement conscience de leur ressemblance, elle retint son souffle. Individuellement, il était difficile de leur résister, alors ensemble… Elle était foutue.

— D'accord. Mais une très courte balade.

Mimi laissa échapper un cri de joie et sortit de l'enclos à toutes jambes tandis que Kyle promettait à Maxie :

— Tout ira bien, Max. Fais-moi confiance.

Elle le dévisagea, trouva dans son regard une sincérité qui lui fit chaud au cœur, puis, les yeux voilés de larmes, elle chuchota :

— Je te fais confiance, Kyle.

Elle sourit en entendant Mimi chanter à tue-tête dans la cour.

— Elle est ce que j'ai de plus précieux, rajouta-t-elle.

D'un geste tendre, il repoussa les cheveux que le vent ramenait sur son front, ses doigts effleurant sa joue. Instantanément, elle se raidit, son regard se fit opaque. La même réaction, encore et encore, dès qu'il osait une caresse, fût-elle infime.

— Tu te trompes, Max, dit-il en tournant les talons, sans plus de précisions. Allez, en route, petite mademoiselle ! lança-t-il à Mimi. Les conditions de vol sont idéales…

— Mmoui, les conditions de vol sont idéales, répéta la fillette en prenant sa main.

Tous deux se dirigèrent vers l'hélico d'un pas alerte, sans cesser de bavarder. Maxie les suivit du regard jusqu'à ce que l'appareil disparaisse vers le canyon tout proche. Comme promis. Au bout du compte, l'attachement qui liait Mimi et Kyle ne la surprenait pas vraiment. Père et fille se ressemblaient plus qu'elle ne voulait l'admettre. Elle tressaillit en pensant au départ prochain de Kyle.

« Pour qui as-tu peur ? l'interrogea une petite voix. Pour toi, ou pour Mimi ? » Elle haussa les épaules. Elle se moquait bien d'elle-même et se remettrait de cette nouvelle séparation, comme de la première. Car elle ne céderait pas, parce que c'était la seule chose censée à faire. Et qu'elle devait le faire. Le bonheur de Mimi était en jeu. Evidemment, Kyle souffrirait, par sa faute, une fois encore. Elle regarda sa montre et se remit au travail, voulant en avoir terminé avant leur retour.

*
* *

A bord de l'hélico, Kyle boucla sa ceinture à Mimi, puis il la coiffa de sa casquette de base-ball et du casque radio.

— Prête ? demanda-t-il ensuite dans le micro.

— Très prête ! répondit-elle, pouce dressé, avant de regarder, émerveillée, le tableau de bord devant elle.

Kyle sourit et mit le contact. Les pales prirent de la vitesse et la fillette se pencha pour les regarder puis, comme ils s'élevaient, elle écarquilla les yeux en s'exclamant :

— Cool !

Elle ne semblait pas le moins du monde apeurée. Il s'en félicita, en éprouvant même une certaine fierté avant de se raisonner. A cet âge, les enfants ne savaient pas ce qu'était la peur. Lui-même l'avait ignoré longtemps, jusqu'à sentir la première balle en Irak siffler à ses oreilles, pour toucher l'homme près de lui en pleine tête.

Mimi. C'était une révélation, pour lui. Une joie de tous les instants. En réalité, quand elle bavardait, quand elle prenait sa main, quand elle lui faisait l'honneur de lui montrer ses poupées, c'était comme si quelque chose de sucré se déversait sur son cœur. Tout chez elle le fascinait. Ses réactions, souvent plus adultes que celles des adultes eux-mêmes. Sa logique implacable. Sa façon de parler, sans détour. Quand il la regardait, il se prenait à rêver qu'elle était à lui, sa fille. Ce qui était impossible, car Maxie avait toujours pris la pilule.

Et Mimi était la fille de l'homme auquel Maxie s'était donnée après l'avoir abandonné.

Il chassa ces pensées et prit de l'altitude. Mimi rit aux éclats.

— Tout va bien, petite mademoiselle ? Pas le vertige ?

— Non ! Encore plus haut, s'il te plaît demanda-t-elle.

Il s'exécuta et sourit à son émerveillement.

— Comment ça marche, monsieur Hayden ?

Kyle regarda ses cadrans, ses jauges et ses compteurs puis il se tourna vers elle et passa les vingt minutes qui suivirent à tenter d'expliquer les lois de la gravité et de l'aérodynamisme à une enfant de sept ans.

Vingt minutes plus tard, Maxie attendait dans le champ quand l'hélico se posa. Elle vit Kyle détacher Mimi qui bondit dès qu'elle le put de l'appareil pour courir vers elle et se ruer entre ses bras, au comble de l'excitation.

— C'était supergénial ! Tu aurais dû venir avec nous, maman ! D'en haut, tout ressemble à des jouets. Et puis, tu sais quoi ? M. Hayden m'a laissée conduire ! Quand je vais dire ça à Dana…

L'air soupçonneux, Maxie interrogea aussitôt Kyle du regard.

— Attends, je t'explique, Max…

— Je pourrai recommencer, maman ? Quand ?

Maxie baissa les yeux sur sa fille et n'eut pas le cœur de gâcher sa joie.

— Nous verrons cela un peu plus tard, entendu ? dit-elle en caressant les cheveux de Mimi. Et si, pour l'instant, tu téléphonais à Dana pour lui raconter tes aventures ?

La fillette hocha doucement la tête puis elle se tourna vers Kyle.

— Merci, monsieur Hayden.

— Tout le plaisir fut pour moi, petite mademoiselle. Tu es une excellente copilote.

Manifestement flattée, Mimi fit une rapide révérence puis s'enfuit à toutes jambes en direction de la maison. Quant à Kyle, il sut que le pire était à venir en voyant le regard glacial de Maxie.

— Tu l'a laissée piloter ?

Mains dans les poches, il avança vers elle, la mine dépitée.

— Voyons, Max, tu me prends vraiment pour un irresponsable. Je l'ai seulement laissée poser les mains sur le manche deux minutes, c'est tout.

— Oh, dit-elle en rougissant, réellement honteuse.

— Tu me penses donc capable de commettre un acte aussi stupide ?

— Eh bien, c'est-à-dire, euh…

— Oui, tu le penses.

Elle releva soudain la tête et lança :

— C'est-à-dire… Je te connais… Je connais ton amour du risque.

Voilà. De nouveau, les ressentiments.

— Non, tu ne me connais pas, Max, lâcha-t-il sur

un ton brusque. Ces sept années t'ont vue changer. Et elles m'ont changé moi aussi. Dix-huit mois dans le désert m'ont définitivement vacciné contre le danger et la mort.

Poings serrés, il se tut. Dans ses yeux, à cet instant précis, Maxie crut voir toute l'horreur de la guerre.

— Je suis désolée. Je ne voulais pas… Je sais bien que tu ne feras rien qui puisse la faire souffrir.

Le visage de Kyle s'adoucit. Tendrement, il effleura sa joue.

— Ni elle, ni toi, Max… Oh, Max…

En une seconde, elle recouvra toute sa méfiance, toutes ses peurs, toute son amertume. Non, cela ne marcherait jamais. Et il devait s'en convaincre lui aussi, une fois pour toutes.

— Ne fais pas de promesses que tu ne pourras pas tenir, Kyle. Et puis, aurais-tu oublié ? Je t'ai fait souffrir autrefois et, qui sait, l'histoire pourrait se répéter…

— Mmouais, dit-il avec un haussement d'épaules. Possible.

Son air blasé l'agaça.

— Et c'est tout ce que cela te fait ? A ta place, je prendrais mes jambes à mon cou…

Il fit un pas de plus vers elle.

— Je te fais du mal, tu me fais du mal… Bah, arrêtons cela, Maxie, chuchota-t-il. Je sais que Mimi passe avant tout, c'est naturel, mais pourquoi faut-il que tu te caches derrière elle ? Pourquoi ne laisses-tu pas parler ton cœur ?

Elle soupira. Il voyait si clair en elle.

— Je… ne peux pas.

— Mais pourquoi ?

— Parce que ça ne rime à rien.

— Oh, eh bien, je comprends, répliqua-t-il, furieux soudain. Je comprends, oui, que je ne suis rien pour toi… Tout juste bon à un moment de distraction au fond de l'écurie.

Elle le gifla. De toutes ses forces. Kyle la fusilla du regard.

— Comment peux-tu croire une chose pareille ? dit-elle en tremblant.

— Que veux-tu ? répondit-il en levant les bras au ciel. Tu t'abandonnes entre mes bras et, la seconde d'après, à peine m'adresses-tu la parole…

— Eh bien, restons-en là, d'accord ?

Et elle s'éloigna en direction de l'écurie, telle une furie, sous le regard de Kyle, exaspéré. Non et non, elle refusait tout, tout ce qui touchait à Kyle, en bloc. Le passé, le présent et plus encore un improbable avenir. En ne répondant pas à ses lettres, à ses appels, il lui avait fait comprendre qu'il l'avait définitivement rayée de son existence, que l'amour était mort, pfft, enterré. Mais… mais voir Kyle et Mimi ensemble, si proches… Tout l'après-midi, elle s'était interrogée sur ses choix. Sur ses silences. Envers sa fille. Envers lui. Avait-elle eu raison ? Avait-elle le droit ?

Puis, derrière elle, un chuchotement :

— Mimi, quel âge a-t-elle ? Sept ou six ans ?

Refusant de lui faire face, elle marmonna :

— Sept, pourquoi ?

— Tu sais... L'espace d'un instant, je me suis dit qu'elle pouvait être ma fille. Mais non, ce n'est pas possible. Tu prenais la pilule... Elle est la fille d'un autre... De cet homme auquel tu as donné l'enfant que tu m'avais promis... à moi...

Elle ferma les yeux, au bord des larmes, puis les rouvrit. Avec calme, la voix faussée par la douleur, il reprit :

— Voilà ma croix, ma douleur et elle me hantera pour le restant de mes jours.

Sans rien ajouter, il se détourna et s'éloigna. « Oh, Kyle, qu'ai-je fait ? » gémit Maxie en essuyant ses larmes.

- 8 -

Kyle fit environ dix mètres avant de s'arrêter net. Il revint alors sur ses pas. Sur le seuil de l'écurie, Maxie sursauta, apeurée par sa détermination.

— Tu as épousé ce Davis parce que tu étais enceinte.

Il s'agissait plus d'une affirmation que d'une question.

Ravalant ses larmes, elle répliqua :

— Ma fille avait deux ans lorsque j'ai épousé Carl.

Kyle resta bouche bée. Ainsi, Davis n'était pas le père de Mimi. Faisant un pas de plus, il la força à se retrancher dans l'intimité de l'écurie.

— Pourquoi avoir voulu me faire croire qu'il l'était ?

— Oh, Kyle, lâcha-t-elle avec amertume. Je ne sais pas…

Il rougit, mal à l'aise soudain. Car lui savait. Si elle lui avait tu la vérité, c'était à cause de son attitude.

— Pourquoi avez-vous divorcé ? demanda-t-il d'une voix à peine perceptible.

Toujours hors d'elle, Maxie croisa les bras et le défia du regard.

— Il m'a trompée. Trois semaines à peine après les noces. Je l'ai quitté. Satisfait ?

Il fronça les sourcils.

— Tu crois que je peux me satisfaire du fait que tu aies souffert ?

— Ce ne serait pourtant que justice, non ? Je t'ai fait du mal, la logique voulait que je souffre à mon tour, dit-elle, cynique. Et puis, je n'étais pas vraiment blessée pour moi, mais pour Mimi.

Kyle serra les dents en pensant à ce que Mimi avait pu endurer.

— Tu l'aimais ?

— Non.

Il soupira.

— Tu dis cela avec tant de facilité.

« Et de froideur », rajouta-t-il en silence.

— C'est pourtant la vérité. Je n'ai toujours pas compris pourquoi je l'ai épousé… Peut-être parce que j'ai pensé que c'était ma dernière chance… Qu'il pouvait être le premier homme à accepter ma fille sans questions ni accusations…

Elle baissa la tête et sa voix s'adoucit :

— Je ne sais pas ce qu'il avait en tête, m'avoir pour femme et entretenir en même temps une maîtresse…

Oui, je crois que je cherchais à me marier plus pour le confort que pour les sentiments.

— Te rends-tu compte ? Tu as préféré ne pas m'épouser, moi, alors que nous nous aimions, pour épouser un type qui n'était rien pour toi ! explosa-t-il. Et tu attends peut-être que je te comprenne ?

— Ne hurle pas comme ça, Kyle Hayden ! Et puis, pourquoi veux-tu savoir tout ça ? Pourquoi viens-tu fouiller dans mon passé ?

Il attendit quelques secondes puis répondit :

— Parce que j'ai toujours des sentiments pour toi, Max... et je me sens trahi chaque fois que je vous regarde, toi et ta fille.

Elle réfléchit. Consciente que rien ne serait jamais possible pour eux s'il ne se résignait pas à accepter le passé.

— Oh, Kyle...

— Dieu sait que je fais des efforts, Max, reprit-il en marchant de long en large. Mais ça me déchire le cœur de savoir que tu as tiré un trait sur moi si rapidement...

Il s'interrompit, lui fit face.

— Alors qu'il m'a fallu des mois avant de pouvoir seulement penser à toi sans ressentir de douleur.

Elle resta pétrifiée. Comment pouvait-il croire cela ? Comment pouvait-il la regarder dans les yeux et croire qu'elle avait tiré un trait sur lui ? Superficielle, légère ? C'était donc ainsi qu'il la voyait ? Bah, en tout cas, il ne saurait rien. Rien que ce qu'elle voudrait bien lui dire.

— Comment j'ai pu tourner la page ne te concerne pas, Kyle. Tais-toi ! Que tu le veuilles ou non, Mimi est à moi, point. Son père ignore son existence. J'ai voulu lui dire, mais il a refusé de m'entendre. Fini. Terminé. Eh bien, en me rejetant, c'est aussi sa fille qu'il a rejetée…

Maxie s'interrompit. Frappée au cœur par les souvenirs. Elle avait tant besoin de lui et il était resté sourd à ses appels. Rassemblant tout son courage, elle reprit :

— J'ai donc élevé mon enfant seule et nous vivons parfaitement bien ainsi, toutes les deux. Oui, nous sommes mille fois mieux sans lui.

— Vraiment, Max ? demanda-t-il sans la quitter des yeux. Est-ce avec le monde que tu as rompu tout contact, ou uniquement avec moi ?

Elle blêmit et ne dit rien. Kyle soupira, impuissant. L'espace d'une seconde, il se demanda s'il n'était pas cet homme dont elle parlait. Un instant plus tard, il repoussait cette pensée. Elle ne mentirait pas. Pas à propos de quelque chose de si important, non.

— Tu ne vis pas en ermite pour protéger ta fille, Max. C'est toi que tu cherches à préserver. Et cette attitude aura sans doute des conséquences sur elle.

— Je t'interdis de me dire ce qui est bon ou pas pour ma fille ! s'écria-t-elle. Tu ne sais pas ce que c'est d'être parent.

Il hocha lentement la tête. Oui, un orphelin. Un gamin abandonné, que ses parents n'avaient jamais aimé.

— Tu veux dire que je n'ai pas la moindre expérience en ce domaine… Tu as raison. Si tu savais comme je le regrette. Mais c'est ainsi.

— Oh, assez ! Je connais ton histoire… Je n'ai pas voulu te blesser…

— Qu'est-ce que tu veux, alors ?

De nouveau, elle sombra dans le mutisme. Il connaissait le moyen de la libérer, de l'atteindre au cœur, pour qu'enfin elle s'abandonne à ses émotions. Néanmoins, il doutait que lui faire l'amour, là, en cet instant, puisse résoudre quoi que ce fût. Alors, il opta pour cette question qu'il tournait et retournait dans sa tête depuis qu'il avait découvert qu'elle était mère :

— Dis-moi une chose, Max… Ce type qui t'a donné Mimi… l'aimais-tu ?

Maxie plongea ses yeux dans les siens. Les sentiments qu'elle éprouvait pour lui, ceux qu'elle gardait cachés tout au fond de son cœur depuis sept années, resurgirent. Kyle, poings serrés, attendit sa réponse. Elle ravala ses larmes puis la vérité sortit de sa bouche :

— Oui… A la folie.

Kyle regardait fixement son livre sans en voir un traître mot. L'éclat désespéré des yeux de Maxie au moment où elle reconnaissait, devant lui, avoir aimé un autre homme l'obsédait. « A la folie », avait-elle dit. Ces trois petits mots vrillaient son cerveau. Tel un poison, coulaient dans ses veines.

Qu'elle ait sans vergogne brisé son cœur, se soit donnée à un autre et ait laissé ce type lui faire l'amour, quelques semaines à peine après avoir soupiré entre ses bras, le laissait avec une impression de vertige, de néant… De dégoût. La gorge serrée, il leva les yeux et la regarda, à l'autre bout du salon, jouer aux dames avec Mimi. Il essaya alors d'imaginer la Maxie d'autrefois, celle qu'il avait adorée… et aujourd'hui, elle tournait le dos à tout ce qu'ils avaient été l'un pour l'autre. Non, il ne pouvait l'admettre. Et c'était pour cela qu'il ne s'était pas résolu à élire résidence sur le canapé de Jackson. Céder, renoncer ou même partir ? Ce serait trop facile. Et, il le savait, rien n'était jamais simple, avec Max.

Il les observa, face à face, même chevelure rousse, même yeux verts, même sourire. Elles bavardaient gentiment. Comme il aurait aimé participer à leur conversation ! Encore quelques jours plus tôt, il faisait partie de leur vie, de leur famille. Il ne supportait pas de s'en voir exclu. Et n'était pas disposé à renoncer. Cependant, il n'était pas sûr d'être prêt à se battre pour retrouver le droit de… Le droit, quel droit ? En avait-il seulement un, de droit ?

Une fois sa mission effectuée, Maxie se contenterait-elle de lui dire au revoir et de l'effacer de son esprit ? En retrouvant Max, il s'était pourtant bien juré de ne pas répéter les erreurs du passé. Et aujourd'hui, il était là, à repenser à ce qu'elle lui avait donné autrefois et… à regretter ce passé.

Sourcils froncés, il fixa le tapis, se maudissant pour ses contradictions et maudissant Maxie pour les siennes, quand des éclats de voix féminines attirèrent son attention.

Il sourit en voyant Mimi bondir sur sa mère, toutes les deux entamant sur le canapé une bataille de coussins. Maxie entreprit de chatouiller sa fille et… le rire de Mimi, ce rire lui alla droit au cœur, comme chaque fois.

A les voir chahuter ainsi, il comprit quel monde le séparait de Maxie et de sa fille. L'image du bonheur, d'une famille unie et aimante. Que n'aurait-il donné, lui, pour que sa mère lui manifeste de l'attention quand il était enfant. Même trois fois moins. Mais ni lui ni son frère Mitch n'avaient obtenu un seul gramme d'amour de sa part. Ni de leur père d'ailleurs. Sa vie aurait été différente s'il avait eu une vraie famille, comprit-il. Maxie, elle, avait eu la chance d'être entourée, chérie par ses parents. Elle n'avait manqué de rien. Mais lui et Mitch… Très vite, ils avaient dû travailler pour survivre. Oh, il ne pouvait lui reprocher ce bonheur, cette chance. Mais sans doute s'était-il montré trop impatient d'aimer et d'être aimé à cause du manque d'amour qui avait marqué son enfance. Il n'avait pas su l'aimer. Et pas su prendre la mesure de l'amour que lui vouait Maxie.

Aujourd'hui, il avait l'impression d'avoir échoué. Lamentablement. Echoué à entretenir, à protéger cet amour. Intrépide, casse-cou, il avait vécu son amour pour Maxie comme un défi gagné. Acquis. Pas comme un trésor précieux à préserver. Mmouais... Son besoin d'adrénaline n'avait été, somme toute, qu'un comportement immature. Celui d'un enfant livré à lui-même se confrontant au danger pour attirer l'attention ou, peut-être, agissant par dépit, parce que, finalement, à qui pouvait-il manquer ? Qui pouvait se soucier de ce gamin, de lui, le chien perdu sans collier ?

La guerre, avec ses cruautés, ses injustices, lui avait mis du plomb dans la cervelle. Il savait désormais tout le prix de la vie. Et avait compris qu'il n'avait rien compris à l'amour. Il avait vécu tel un loup, un chien fou, libre. Et seul.

Il referma son livre. Oui, seul. L'une des raisons pour lesquelles il s'était engagé dans les marines avait été qu'il pensait ainsi ne plus être seul, jamais. Et s'il avait voulu ce mariage, c'était aussi pour élever un rempart contre cette solitude. Il avait voulu s'assurer contre l'oubli, le désespoir.

Oui, et aujourd'hui, il n'était pas plus avancé, laissé à ses regrets, à ses remords, à ses erreurs, pensa-t-il en se frottant inconsciemment la jambe.

— Tu as mal à ta jambe, monsieur Hayden ?

Il sursauta et sourit à Mimi.

— Oui, parfois, lorsqu'il fait froid.

— Tu es blessé ?

— Un saut à l'élastique, depuis un hélico… et un mauvais retour. J'ai failli perdre ma jambe.

Mimi le dévisagea avec le plus grand sérieux.

— Du saut à l'élastique ? C'est vraiment une chose idiote…

Kyle rougit, mal à l'aise. Derrière la fillette, Maxie rit doucement.

— Oui, je sais. J'ai fait beaucoup de choses complètement idiotes, par le passé.

« Comme de laisser partir ta mère », chuchota sa conscience.

— Tu veux jouer avec nous ?

Le regard de Kyle se porta aussitôt sur Maxie qui avait pris place devant le jeu de dames. Se trouver dans la même pièce qu'elle était déjà une épreuve, alors respirer son parfum, la sentir si proche…

— Non, merci.

— Allez, viens, insista Mimi.

— Mimi, intervint Max sans détourner les yeux du plateau de dames, puisque M. Hayden n'a pas envie, laisse-le…

La réflexion résonna à ses oreilles comme un défi.

— Peur de perdre, Max ?

Elle releva la tête. C'était la première fois qu'il lui adressait la parole en deux jours, hormis les politesses d'usage. Ils se regardèrent. Et Maxie soudain eut envie de rire. Comme il lui avait manqué ! Ses paroles, son attention. C'était comme revenir à la surface après avoir touché le fond d'un lac aux eaux troubles et profondes. De nouveau, elle respirait. Jamais elle n'aurait dû dire ce qu'elle avait dit, l'autre jour, dans l'écurie. Ce n'était pas elle. Mais elle n'imaginait pas de lui laisser voir ses sentiments… puisqu'elle-même n'était pas sûre. Oh, était-elle condamnée à être hantée par ses erreurs ?

— Tu… veux dire que je suis une poule mouillée ?

— Maman n'a peur de rien, déclara Mimi, bras croisés. Pas vrai, m'man ?

— Viens ici, Hayden, dit Maxie en détournant les yeux. A nous deux.

Et une demi-heure plus tard, après avoir été battu par Maxie, il était ridiculisé par Mimi.

Toutes deux rirent longtemps de sa déconvenue et de sa mine penaude. Bon joueur, il se contenta de déclarer forfait quand mère et fille réclamèrent la belle.

Maxie fit en sorte d'éviter son regard tout le long de la soirée. Elle rit, bavarda gaiement avec Mimi, mais à aucun moment ne lui parla directement. Il ne pouvait lui en vouloir et, à vrai dire, s'il l'avait pu, il lui aurait présenté ses excuses de l'avoir traitée comme il l'avait fait, dans l'écurie, l'autre jour.

— Bientôt 6 heures, princesse ! fit soudain remarquer Maxie à la fillette… Si tu veux partir à l'heure, demain, pour le centre aéré…

Mimi fronça les sourcils.

— Oui, oui, ça va, j'ai compris…

Après avoir embrassé sa mère, Mimi s'éloigna en

trottinant vers le couloir avant de s'arrêter subitement pour se tourner vers Kyle :

— Merci pour cette deuxième balade en hélico, monsieur Hayden, dit-elle, bien qu'elle l'eût déjà remercié à plusieurs reprises pour ce deuxième vol « absolument génial ! »

— Ce fut un plaisir. Tu es ma meilleure copilote.

Mimi sourit avec fierté puis elle vint jusqu'à lui, se hissa sur la pointe des pieds et déposa un baiser sur sa joue. Kyle lui sourit et effleura ses cheveux. Elle était adorable. Et il en était fou.

— Bonne nuit, mademoiselle.

Elle rit puis s'enfuit vers sa chambre, Kyle la suivant des yeux jusqu'à ce qu'elle eût disparu.

Maxie faillit éclater en larmes quand sa fille embrassa Kyle. Il semblait si ému qu'elle se sentit happée par une culpabilité sans nom. Elle avait eu tort, tort de lui cacher qu'il était père. Père. N'importe quel homme pouvait être père, faire un enfant, mais un enfant ne pouvait avoir qu'une mère. C'était là une théorie sexiste, elle en convenait, mais n'avait-il pas refusé de répondre à ses appels, autrefois ? Et aujourd'hui qu'elle avait réussi à se reconstruire, il faisait son apparition, réclamait, prenait, exigeait. Comme s'il avait tous les droits. Eh bien, non, il n'en avait aucun ! Il y avait renoncé des années auparavant.

— Mimi est vraiment une enfant adorable, dit-il en la regardant.

— Merci, répondit-elle en attrapant sa tasse de café. Mes parents m'ont beaucoup aidée…

Bien plus encore que ce qu'il pouvait imaginer.

— Oui, j'en suis certain.

Maxie ressentit un pincement au cœur en notant l'envie qui teintait sa voix. Elle se leva et se dirigea vers la cheminée pour remuer les braises… qui n'en avaient pas besoin. « Sors de cette pièce, lui dit une petite voix. Ne rouvre pas cette blessure. »

— Tu as de merveilleux parents, Max.

Il l'avait compris dès sa première rencontre avec Lacy et Dan Parish, unis par un amour authentique et vouant à leurs enfants une affection absolue. Quant à Mimi, elle avait, ancrée en elle, la certitude que sa mère ferait tout pour elle. Et subitement, ne connaissant pourtant la fillette que depuis peu, Kyle prit conscience qu'il en ferait tout autant.

Il regarda Maxie. La tenir dans ses bras. Faire partie de sa vie… Rêve inaccessible. Encore faudrait-il qu'il sache abattre les remparts qu'elle avait dressés autour d'elle. Il admira son profil éclairé par les flammes et… Elle pleurait. Ce fut comme si la lame d'une épée lui transperçait le cœur.

— Max ?

Elle se tourna vers lui, les yeux rougis.

— Chut, tais-toi, Kyle, je t'en prie, chuchota-t-elle, les larmes coulant de plus belle sur ses joues. Au moins jusqu'à ce que Mimi soit partie pour le centre aéré.

Et elle se précipita en direction de sa chambre, une

main sur ses lèvres pour étouffer ses pleurs. Médusé, Kyle resta planté un long moment au milieu du salon avant de s'affaler dans le fauteuil.

Elle était comme un petit animal blessé. Et sans doute lui cachait-elle plus qu'il ne l'imaginait. Mais si elle ne voulait définitivement plus de lui, pourquoi ne se réjouissait-elle pas de son prochain départ ?

Le lendemain matin, Mimi trépignait sous le porche, son sac à dos posé à ses pieds, emmitouflée jusqu'aux oreilles. A croquer.

Kyle lui adressa un clin d'œil. Elle plissa les yeux et rit doucement. Le bus pour le centre aéré serait là d'une minute à l'autre. Le séjour d'observation de la faune et de la flore devait durer quarante-huit heures. Mille fois trop, selon Kyle, qui trouvait Mimi bien trop jeune pour ce genre d'excursion, même s'il ne doutait pas des compétences du personnel d'encadrement. Dont Maxie, régulièrement, faisait d'ailleurs partie. Cette fois néanmoins, elle n'avait pas été prévue dans l'effectif. Et puis on annonçait de nouvelles chutes de neige…

Il pivota vers Max, dos tourné, au bas de l'escalier… L'air sombre, bras fermement croisés sur sa poitrine, chapeau rabattu sur les yeux. Que n'aurait-il donné pour la secouer, l'arracher à sa prison… la tenir simplement dans ses bras.

Levant la tête, Mimi observa sa mère à la dérobée. Regard d'une enfant préoccupée, nota Kyle.

— Qu'est-ce qui ne va pas, mademoiselle ? demanda-t-il en se penchant.

Mimi croisa son regard. Elle aimait bien M. Hayden. Il souriait tout le temps, ne criait jamais. Et puis il l'avait emmenée dans son hélico. Maman l'aimait bien, elle aussi. Elle le savait à la façon que sa mère avait de le regarder. Mais aujourd'hui… Aujourd'hui, ce n'était plus pareil. Et Mimi se dit que ce devait être à cause de la dispute qu'ils avaient eue dans l'écurie. Elle avait rebroussé chemin pour demander si elle pouvait goûter et puis elle avait entendu leurs paroles, la colère… Et elle s'était enfuie sans qu'ils l'aient vue. Comment pouvaient-ils s'embrasser un jour et le lendemain se disputer ? Elle ne comprenait pas. Les adultes étaient décidément une étrange espèce, convint-elle.

Tous l'ignoraient mais elle avait surpris des bribes de conversations au fil de sa courte existence. Entre grand-mère et maman qui, la croyant endormie, avaient parlé de lui, parfois. Elle était toute petite, alors, et n'avait pas compris de quoi il s'agissait. Mais ce qu'elle savait, c'était qu'après ces conversations, maman était toujours triste. Triste comme aujourd'hui. Et qu'elle pleurait, aussi. Comme la nuit passée. Maman qui ne pleurait quasiment jamais, pas même lorsque l'étalon blanc avait écrasé son pied, l'an passé. Maman n'allait pas bien. Et si elle était triste, c'était la faute de M. Hayden.

— Tu veux bien faire quelque chose pour moi, monsieur Hayden ?

Le ton anormalement grave de sa voix le mit mal à l'aise.

— Evidemment.

— Ne fais plus pleurer ma maman.

Kyle ouvrit la bouche, mais aucun mot n'en sortit. Ce fut comme si un étau lui broyait le cœur. Ciel. Elle avait entendu sa mère pleurer après leur dispute dans l'écurie. Il chercha Maxie du regard, mais Mimi tira sur son blouson et l'obligea à se pencher. Prenant son visage entre ses petites mains, elle plongea ses yeux verts dans les siens.

— Promis ?

— Je ferai tout ce qui est en mon pouvoir.

— Tu dois promcttrc.

— Je… le promets, bredouilla-t-il, stupéfait par la maturité de son regard, son autorité.

Un coup de Klaxon tonitruant annonça l'arrivée du bus. Maxie alors leur fit face avant dc sc figcr cn lcs découvrant ainsi, front contre front.

— Voilà le bus, Mimi.

La fillette lâcha Kyle qui se redressa.

— Amuse-toi bien, mademoiselle.

— Toi aussi, monsieur Hayden, répondit Mimi avec un clignement d'œil maladroit.

Il sourit en la regardant descendre les marches du porche et prendre la main de sa mère, son sac sur le dos. Le bus freina devant le portail. A l'intérieur, des petites filles battaient des mains et chantaient joyeusement. Maxie embrassa alors tendrement sa fille puis Mimi se dirigea vers le bus quand, soudain, elle s'immobilisa pour revenir à toutes jambes vers le porche. Kyle s'agenouilla et elle se précipita vers lui, ses petits bras enserrant son cou.

— Je t'aime beaucoup, monsieur Hayden.

Il sentit son cœur s'arrêter.

— Je t'aime aussi beaucoup.

Sans croiser son regard, elle s'arracha à lui et repartit en courant. Une fois à sa place, elle embrassa sa mère à travers la vitre. Puis la porte se referma. Kyle vint auprès de Maxie pendant que le bus s'éloignait.

— Tu es sûre que tout ira bien… Je sais qu'il va neiger et…

— Oui, tout ira bien. Elle va apercevoir des daims, admirer des oiseaux, faire des batailles de boules de neige…

— Mmouais, sans doute, marmonna-t-il en suivant le bus du regard. Mais elle est si petite.

Maxie sourit devant son inquiétude.

— Elle sera de retour après-demain, tenta-t-elle de le rassurer.

Puis, se tournant vers lui :

— Que t'a-t-elle dit ?

Kyle la dévisagea.

— Oh, rien… Des trucs de copilote.

Bouche bée, mains sur les hanches, elle le fusilla du regard avant de rentrer dans la maison, telle une furie. Il la suivit. Ces deux journées promettaient d'être longues.

- 9 -

Passant devant la chambre de Mimi, Kyle s'arrêta. Par la porte entrouverte, il observa Maxie, à quatre pattes, qui semblait chercher quelque chose sous le lit. Soudain intimidé, il sourit devant la tapisserie rose et blanc, les poupées et les jouets. Puis Maxie se mit à marmonner, pestant contre les mauvaises habitudes de sa fille. Elle s'accroupit et lissa avec soin la robe de taffetas, les minuscules chaussures et le chapeau d'une poupée avant de se lever pour la déposer sur une étagère, auprès de ses congénères.

Kyle assista sans mot dire à toute la scène, fasciné par l'amour qu'elle exprimait à travers chacun de ses gestes. Jaloux. Non pas de Mimi, mais de n'avoir jamais fait l'objet d'un tel amour. Il était prêt à s'éclipser quand Maxie s'empara d'une casquette de base-ball noire. La sienne. Il l'avait donnée à la fillette après leur deuxième vol. Jamais il ne s'était attendu que Mimi la place en si prestigieuse position, parmi ses poupées de collection… Comme il ne s'attendait pas à voir Maxie tomber à genoux et se mettre à pleurer toutes les larmes de son corps.

La gorge serrée, Kyle serra les poings, touché en plein cœur. Ces pleurs... Ils résonnaient de tant de désespoir, de tant de lassitude. La réconforter, la bercer... Il ne put cependant faire le moindre geste, comme pétrifié.

Sans un bruit, il s'éloigna de la chambre de Mimi. Mais toute la matinée, il fut hanté par l'écho de ses pleurs. Et des questions, mille questions l'obsédèrent. Sans réponses.

— Ce n'est pas à toi de faire ça...

— Je sais, marmonna Kyle en abattant le marteau sur le clou.

Il sentit son regard sur sa nuque pendant qu'il fixait la gouttière au toit du porche. Il avait réparé le châssis de quelques fenêtres, réparé le battant de certains box, entassé de l'engrais réservé aux fermiers du coin, tout cela dans le silence. Oh, ils avaient bien échangé quelques mots, paroles convenues et banalités sans danger, évitant cependant soigneusement le sujet tabou de leurs sentiments. Il leur faudrait bien l'aborder néanmoins, Kyle le savait, mais il rechignait à allumer la mèche. Surtout après avoir surpris Maxie en larmes, ce matin. Mais il brûlait de crever l'abcès.

— Le repas est prêt. Si tu as faim...

Il était affamé, mais de bien autre chose que de

nourriture. Il se tourna et la regarda. Elle se tenait sur le seuil, une éponge à la main, une petite tache de farine sur la joue. Et, avec la sensibilité à fleur de peau, il s'émut de l'image qu'elle projetait, image de la paix domestique et d'un bonheur simple.

— Merci, marmonna-t-il en posant le marteau.

A cet instant, la radio à ses pieds crépita. Fronçant les sourcils, il saisit l'appareil et répondit. Quelques secondes plus tard, il coupa la communication et dit :

— Le repas devra attendre. Il faut que j'y aille.

Après avoir rangé les outils, il emporta la trousse dans l'abri de jardin, laissant Maxie sous le porche. Elle n'avait pas bougé lorsqu'il revint. L'air désemparée, debout dans le froid. Il croisa son regard puis doucement baissa les yeux sur sa main. Son carnet de vol et sa casquette des marines. Il prit le carnet.

— C'est celle de Mimi, dit-il en désignant la casquette.

— Non, la sienne, celle que tu lui as offerte, se trouve dans sa chambre, répondit Maxie en faisant un pas vers lui. Celle-ci, c'est celle que tu m'as donnée à moi.

Les traits de Kyle se durcirent. Sans un mot, il prit la casquette, la tourna et la retourna dans ses mains. Sa casquette. Celle-là même dont il l'avait coiffée, la veille de leur mariage. Elle était toute neuve, alors. Mais aujourd'hui, on aurait dit celle qu'il avait donnée à sa fille tellement elle était usée. Maxie avait dû la porter souvent pour qu'elle soit dans cet état. Mais pourquoi ? Pourquoi avoir porté des années durant cette casquette si elle voulait le rayer de sa vie ? Il regarda Maxie. Elle était au bord des larmes. A cause de l'émotion ou du blizzard ?

— Tu l'as gardée ?

— J'ai tout gardé, Kyle, chuchota-t-elle avec un triste sourire. Même la pacotille que nous tirions dans les machines à chewing-gum…

Il tressaillit.

— Nous étions si jeunes…

— C'était pour moi les trésors les plus précieux…

Kyle ricana tout en se massant la nuque, les yeux rivés sur ses bottes. Il aurait voulu dire quelque chose, revenir en arrière, effacer les malentendus, se rapprocher d'elle… Mais le devoir l'appelait.

— Sois prudent, dit-elle d'une voix douce.

Il plongea ses yeux dans les siens.

— Tu t'inquiètes donc pour moi ?

Elle lui sourit avec une infinie tristesse.

— Ne doute jamais de ça, Kyle. Jamais.

Elle semblait sur le point d'éclater en sanglots et il s'approcha d'elle, tendit la main, effleura sa joue puis caressa ses cheveux. Elle tremblait à présent et il comprit soudain à l'éclat de ses yeux qu'elle avait peur.

— Il faut que nous parlions, Maxie.

— Oui, je sais…

— Mais je dois y aller.

— Oui, je sais.

Il resta planté devant elle.

— Puis-je t'embrasser ?

Elle sourit, et posa la main sur son cœur.

— C'est bien la première fois que tu demandes l'autorisation.

Kyle se pencha et Maxie avança les lèvres. Il l'embrassa, un baiser soupir, aérien et retenu. Puis le désir le submergea et sa bouche se fit plus pressante. Maxie laissa échapper un petit cri et agrippa son blouson, s'abandonnant à la passion de ce baiser. Lorsqu'il s'écarta, elle le retint, ses yeux verts scrutant les siens. Puis une larme scintilla…

— Ne pleure pas, Max, je t'en prie. Je suis désolé de t'avoir parlé comme je l'ai fait, l'autre jour. Je n'avais pas le droit de…

— Chut, dit-elle. Ne dis rien… pas maintenant.

Plus tard ? Et comment trouverait-il la force d'attendre, lui ? A cette seconde, la radio crépita. Aussitôt, elle le lâcha et recula.

— Vas-y, dépêche-toi. Ils ont besoin de toi, murmura-t-elle.

Il la dévisagea un long moment.

— Dis-moi seulement… Je voudrais juste savoir… Est-ce que tu as besoin de moi, Max ? Parce que je sais, moi, que j'ai besoin de toi…

Elle tendit la main, épousseta sur son blouson la neige qui commençait à tomber puis elle caressa sa joue.

— Oui, Kyle, chuchota-t-elle en le dévisageant,

comme pour mémoriser ses traits burinés. Plus encore que je ne l'imaginais…

Un silence s'ensuivit, chargé d'émotions. Et de sentiments non dits. Maxie voulait tellement changer les choses… sa vie… celle de Kyle. Mais pouvait-elle risquer de se tromper, de souffrir… de faire souffrir Mimi ?

— Pars, à présent. Je t'attendrai, dit-elle en reculant.

— Je ferai le plus vite possible, promit Kyle.

Il dut se faire violence pour lui tourner le dos, descendre les marches du perron. Sentant son regard rivé sur son dos, il résista à l'envie de revenir sur ses pas. Une profonde angoisse le saisit quand il grimpa à bord de l'hélico et mit les gaz. Une sorte de mauvais pressentiment…

Maxie regarda l'hélico prendre de l'altitude et, après un ballet aérien complexe, disparaître vers l'est. Le cœur serré, elle pensa alors à Mimi, si fière de voler avec lui. Au début, leur amitié l'avait un peu agacée, puis elle s'en était au contraire réjouie. Après tout, l'attachement qu'ils avaient l'un pour l'autre était naturel. Autant qu'était naturel pour elle d'aimer Kyle.

Aimer Kyle. C'était là une évidence difficile à admettre. Qu'elle avait refoulée des années durant, s'inventant des alibis, se protégeant derrière des mensonges, comme de retrouver chez Mimi ses traits à elle plutôt qu'une quelconque ressemblance avec Kyle. Comme de refuser de parler de lui avec ses parents, ses sœurs et elle-même. Le retour de Kyle ramenait ces sentiments à la vie. Les libérait, mais ne les ravivait pas. Car elle n'avait jamais cessé de l'aimer. Jamais.

Elle entra dans la maison, effectua un rapide ménage puis se rendit dans l'écurie. Elle en avait assez de toujours se tenir sur ses gardes. Par rapport à Kyle. A sa famille. Et même par rapport à Mimi. Mimi. C'était pour elle, et uniquement pour elle, qu'elle avait refusé de donner libre cours à ses émotions. Jusqu'à ce qu'elle les voie, tous les deux, si proches. Jusqu'à ce qu'elle découvre la casquette qu'il avait donnée à son bébé.

Kyle posa l'hélico en douceur et coupa le moteur puis, une fois les pales immobiles, il fit signe aux randonneurs de descendre de l'appareil. Ils s'exécutèrent, non sans l'avoir remercié, laissant les sièges de l'hélico maculés d'une neige à moitié fondue. Excédé, il maudit en silence leur imprudence. Qui l'avait obligé à abandonner Maxie. Et maintenant, à la maison !

La maison. Ah, l'ironie du destin ! Sept ans plus tôt, Maxie était prête à lui donner une maison et une famille. Et il avait laissé passer sa chance. Oui, c'était sa faute à lui, pas à elle. Des années passées à se lamenter sur lui-même, des années de rancœur, et voilà le résultat ! Mais ces quelques jours auprès de Mimi et de Maxie lui avaient fait comprendre ce qu'il avait perdu. Pas uniquement le fait d'être ensemble, de vivre avec elle, mais aussi d'avoir une famille, cette famille dont il rêvait depuis l'enfance. Indifférent à ce qu'il y avait eu entre Max et lui, il avait tourné le dos à ses sentiments pour elle. Les regrets l'assaillirent. Il retira ses lunettes et se massa doucement la nuque.

Tous ceux qu'il avait aimés l'avaient un jour ou l'autre rejeté, abandonné. Maxie. Pourquoi n'avait-il pas cherché à la retrouver ? Il n'avait pas même ouvert les lettres qu'elle lui avait envoyées. Que ne donnerait-il pour les lire aujourd'hui ? Ah, sa fierté, quelle plaie ! L'heure avait sonné de la ravaler.

« Allez, camarade, pleins gaz, direction la maison ! »

Il sentit ses mains moites sous les gants. Ils allaient parler, oui. Mais il ne s'imaginait pas la quitter, une fois tout malentendu éclairci. Et lui souhaiter d'être heureuse, sans lui ! Il ne lui restait que quelques jours de mission avec l'équipe de secours du parc. A peu près remis de sa grippe, l'un des pilotes avait repris son poste plus tôt que prévu. Il n'y avait plus de temps à perdre.

Un coup frappé à la vitre le fit sursauter. Il se tourna et ouvrit le hublot à Jackson, tout sourires.

— Alors, mon gars, contre qui rumines-tu ainsi ?

« Contre moi-même, pensa Kyle, parce que je me suis comporté en parfait idiot. »

— Pas d'autres interventions ? demanda-t-il.

— Non, tout est calme. Pour l'instant, répondit Jackson en regardant le ciel bas. Reste prêt, néanmoins.

Nous nous efforçons de décourager les randonneurs à s'aventurer dans le canyon aujourd'hui. Mais tu connais les touristes…

— Mmouais, ils sont mon fonds de commerce.

— Je te remercie en tout cas d'être venu. Notre budget est serré et rares sont les pilotes qui acceptent de travailler pour si peu. Oui, merci…

— Oh, ça va, marmonna Kyle. C'est normal…

— Ne sois pas si modeste, renchérit Jackson. Tu es un chic type, Kyle. Je suis content d'avoir fait ta connaissance… Et, euh… comment ça se passe au Wind Dancer ?

— Bien…

— Que penses-tu de Mimi ?

Kyle sourit. Pour la première fois depuis des heures.

— Adorable.

— Comment résister à ces yeux-là, hein ?

— Je n'essaie même pas, répondit Kyle en imaginant la fillette.

Jackson éclata de rire.

— Tu l'as emmenée en balade ?

— Oh oui, deux ou trois fois déjà ! Elle en raffole. Elle veut devenir pilote d'hélico, plus tard…

— Tssst, je doute que Maxine soit d'accord.

— Mimi ne pense pas lui dire avant d'avoir seize ans.

— Sage décision. Et sa mère ? Elle a eu les honneurs de la machine ? continua Jackson.

— Je ne pense pas que cela l'intéresse.

— M'étonne pas. Elle a le vertige.

Kyle fronça les sourcils. Il ignorait ce détail.

— Fais comme si je ne t'avais rien dit, d'accord ? dit Jackson tout en s'éloignant. Laisse ta radio allumée, que je puisse te joindre, si besoin. Le téléphone ne fonctionne pas bien, en ce moment. Allez, va prendre l'air, mon garçon.

Kyle mit les gaz et, quelques minutes plus tard, l'hélico s'élevait. Il prit alors la direction du canyon, avec dans l'idée de tenter d'apercevoir le groupe de Mimi avant de retourner au ranch. Pour y mener le combat de sa vie.

Debout face au précipice, Maxie se pencha légèrement pour regarder tout en bas avant de reculer précipitamment de plusieurs mètres. Elle s'assit dos à un rocher, le souffle court. « Encore raté », se dit-elle. Tous les jours ou presque, elle tentait ainsi de vaincre sa peur du vide. Mais l'expérience n'était guère concluante. Coudes sur les genoux, elle pencha la tête. Derrière elle, l'étalon broutait les quelques rares touffes d'herbe rescapées de l'hiver. Transperçant sa parka, les rafales cinglantes du blizzard dévalaient en cascades les parois du canyon. Le froid engourdissait peu à peu ses membres.

Elle se repassa encore et encore dans sa tête ce qu'elle allait dire à Kyle. Rien en tout cas à propos de Mimi.

Pas encore. Elle n'avait pas pris cette décision à la légère. Et elle ne cherchait pas un moyen d'atténuer sa culpabilité. Cela lui semblait prématuré, simplement. Elle voulait d'abord que les choses soient claires avec lui… et avec elle-même, par la même occasion.

« Je n'ai plus l'âge pour ces choses-là », pensa-t-elle tout en se projetant, d'ici quelques années, seule, Mimi partie au bras de son petit copain ou en pension au collège. La solitude. Sa confidente, depuis tant d'années. Elle ne voulait plus vivre ainsi, recluse, refermée sur elle-même… Il y avait si longtemps qu'elle tenait ses sentiments enfouis au plus secret d'elle-même. Trouverait-elle le courage de les libérer, de les ramener à la vie ?

Elle ferma les yeux, indifférente au froid, au vent, comme au hennissement de son cheval. Perdue dans ses pensées. Perdue, c'était le mot. Depuis l'instant où elle s'était réfugiée dans cette chambre d'hôtel, à attendre la fin de la cérémonie, l'horrible sensation d'étouffement ne l'avait en réalité jamais quittée. La gorge nouée, Maxie refoula ses larmes. De qui s'était-elle défiée, alors ? Quel but valait-il qu'elle rompe de cette manière avec lui ? Ni Kyle ni elle n'avaient connu le bonheur, depuis.

« J'ai gâché bien plus que ma vie… » Elle revit soudain son visage, à l'instant de leurs retrouvailles, quelques jours plus tôt. La colère, le ressentiment. Puis ce souvenir fut balayé par la vision de son sourire, par la mémoire de ses baisers, de ses regards, de leurs étreintes dans l'écurie. A bout de souffle, Maxie se pelotonna contre le rocher, la neige saupoudrant son chapeau, le dos de sa parka. Elle tenta d'imaginer la réaction de Mimi, si…

« Mais quand vas-tu cesser de te retrancher derrière elle ? »

Tête sur les genoux, bras croisés contre le vent, Maxie ne prit pas garde au bruit… Trop tard. Elle se redressa subitement et fixa stupéfaite l'hélico surgi du canyon à une dizaine de mètres, juste face à elle. L'étalon se cabra tandis qu'elle bondissait sur ses pieds, ébahie, regard braqué sur le pilote. Faisant demi-tour, elle courut après le cheval… Zut. L'étalon était loin déjà. Ralentissant le pas, Maxie prit le chemin du ranch, marchant d'un pas rageur. Ignorant l'hélico au-dessus de sa tête, la poussière tourbillonnant autour d'elle. Zut et zut ! Plusieurs kilomètres la séparaient de la maison. Encore heureux que Mimi fût au centre aéré, pensa-t-elle, sachant qu'elle ne serait rentrée que tard.

— Une promenade ? hurla soudain le haut-parleur, la faisant sursauter.

Elle leva les yeux. Aperçut son sourire dans la bulle. Une minute plus tard, Kyle avait posé l'hélico. Le moteur coupé, et alors que les pales fendaient encore l'air, il bondit de l'appareil. Regardant par-dessus son épaule, Maxie accéléra le pas. Il se mit alors à courir après elle. En une seconde, il fut à son niveau, saisit son bras. Instantanément, elle le repoussa, frappa du poing contre son torse, et frappa encore.

— Ne refais plus jamais ça ! J'ai cru mourir de peur !

— Tu m'as l'air pourtant bien vivante ! répliqua-t-il.

Elle leva le poing une fois de plus, visa son menton et... Kyle esquiva le coup. Excédée, Maxie tambourina de nouveau sur son torse.

— Bon sang, Kyle Hayden ! Toujours tes bêtises ! A croire que tu adores me faire peur ! Plus que tu ne m'aimes !

Il fit un pas vers elle, l'air grave.

— Ce n'est pas vrai, et tu le sais.

— Vraiment ? Tu ne t'es jamais soucié de ce que je pouvais ressentir lorsque tu jouais avec ta vie ! Tu as toujours préféré prendre des risques... tant pis pour notre avenir, hein, c'est bien ça ?

— Je... je ne savais même pas ce qu'était l'avenir, en ce temps-là. J'étais naïf et fou. Jeune et stupide.

— Et prêt à mourir. Dieu, comme j'ai pu te détester pour cela, parfois ! dit-elle entre ses dents. Je te détestais, oui, parce que tu étais un marine, que la guerre nous menaçait...

Elle avança vers lui, prononça chaque mot avec rage :

— Et comme je t'ai détesté de ne pas penser que je pouvais m'inquiéter pour toi ! Je ne savais même pas si tu étais vivant ! Oui, comme je t'ai détesté quand tu me renvoyais mes lettres non ouvertes ! Que tu ne prenais même pas la peine de me parler, faisant intervenir ton frère…

Et elle martela encore une fois son torse. Doucement, Kyle la prit dans ses bras. Elle voulut le repousser, mais il ne la laissa pas faire.

— Et qu'as-tu détesté d'autre, mon trésor ?

Levant la tête, elle plongea ses yeux dans les siens. Des yeux emplis de larmes.

— Que tu m'aies rayée de ta vie, si rapidement, si facilement ! Car je ne voulais pas rompre, Kyle, mais simplement attendre. Je voulais que nous réfléchissions à nous. Mais tu n'es jamais revenu, tu n'as jamais téléphoné, tu…

Sa voix se brisa. Elle se mit à trembler. Submergé par un sentiment de profonde injustice, Kyle prit son visage entre ses mains.

— Bon sang, Max. Ne me mets pas tout sur le dos ! Tu as fui, tu as choisi la solution de facilité… comme toujours.

— Tu disais que tu m'aimais, et je le croyais !

— Je t'aimais, cria-t-il presque, brûlant de rajouter : « Et je t'aime encore », mais était-elle prête à entendre cela ?

— Pas suffisamment pour venir vers moi, dit-elle en se libérant.

— Parce que je n'étais pas sûr que tu veuilles de moi, répliqua-t-il. Je ne pouvais imaginer ne plus faire partie de ta vie. Cela m'était plus facile de te détester.

A bout de souffle, il s'interrompit puis lui ouvrit les bras en avouant :

— J'ai même fait croire à des camarades que je t'avais plaquée. Ma fierté en avait pris un sacré coup, Max…

De nouveau, il se tut, évitant soigneusement de la regarder, et lorsque enfin il le fit, elle sentit son cœur se briser en prenant la mesure de son désespoir.

— J'étais perdu… Je ne comprenais pas. Pourquoi étais-je incapable de garder auprès de moi ceux que j'aimais ? Qu'y avait-il de si repoussant en moi que personne ne pût m'aimer ?

Elle gémit, souffrant pour lui, autant que lui.

— Je sais que je te semble pathétique, puéril même, mais bon sang, Max, avant de te rencontrer, jamais je n'avais eu le sentiment d'appartenir à quelqu'un… Tu étais la première, le premier être sur cette terre à te soucier de moi…

— Oh, Kyle…

— Non, chut. Ces derniers jours ont été difficiles pour moi, mais salutaires. Je fuyais mes responsabilités. Admettre que mon égoïsme m'a coûté un avenir n'a pas été des plus aisé, mais je dois aller jusqu'au bout.

Elle opina, silencieuse, en pleurs.

— Je ne voulais rien voir, rien entendre… parce que j'étais terrorisé. J'avais une telle peur que tu ne m'aimes pas… que tu ne me croies pas suffisamment digne de toi pour devenir ton mari…

Elle agita la tête, essuya avec fébrilité ses larmes.

— Je ne défiais pas le danger pour l'adrénaline, mais pour ton regard lorsque je côtoyais la mort… pour la façon dont tu courais vers moi pour me serrer entre tes bras. Comme si tu voulais me garder contre toi, toujours… Tu étais là, lorsque je me réveillais à l'hôpital, cassé, après une de mes stupides cascades. Oui, tu étais à mon chevet, toujours…

Les yeux dans le vague, en sueur, il se massa la nuque puis reprit :

— Tu vois… J'ai tout fait de travers.

— Non, Kyle…

— Mais si, bien sûr ! lâcha-t-il en retirant rageusement son chapeau. Je n'ai pas su saisir cette chance qui m'était donnée. Les mois sont passés, et au lieu de ravaler ma fierté, de partir à ta recherche, je suis resté seul à ruminer mon malheur, ma rancœur. Au bout du compte, oui, je suis seul responsable de tout ça, Max…

Relevant la tête, il la regarda en face.

— Et pourquoi, pourquoi crois-tu que je ne sois pas venu frapper à ta porte ? Parce que j'avais trop peur que tu me la claques au nez ! Voilà. Cela, je n'aurais pu le supporter. Parce que je t'aimais tellement, tellement…

— Je t'aurais ouvert ma porte, Kyle.

Il soupira, rongé par les regrets.

— Oh, tu ne peux pas savoir comme je m'en veux !

— Si, je le sais, dit-elle.

Elle fit un pas vers lui avant de s'immobiliser, les yeux baissés. Kyle tressaillit. Elle doutait encore de lui. D'elle ?

— Je t'aime, murmura-t-il.

Alors, lentement, elle releva la tête.

— Je t'aime et je ne veux pas partir, dit-il en s'approchant d'elle, la neige crissant sous ses bottes. Je te veux, toi, et Mimi, et la famille que nous pouvons être et…

Il stoppa à quelques centimètres d'elle.

— Et… ? demanda-t-elle du bout des lèvres.

— Et je veux que tu affrontes tes sentiments, que tu cesses de te réfugier derrière les reproches, dans ce trou perdu, en prétendant que c'est ta fille que tu veux protéger. Car, en réalité, c'est toi que tu redoutes. Tu as peur. Peur de m'aimer.

— Oui, oui et oui, tu es content ? s'exclama-t-elle. J'ai surtout peur de te faire souffrir, une fois de plus. Tu n'as pas la moindre idée de ce que cela m'a coûté, Kyle. Tu n'as pas la moindre idée de ce que j'ai fait…

— Et je n'ai pas envie de le savoir, la coupa-t-il, une main levée. Vraiment pas ! Un pas après l'autre.

Elle hocha la tête, laissant de côté ses secrets, pour l'heure.

— Mais dis-moi, Max, reprit-il : si je m'en allais, définitivement ? Y as-tu pensé ?

— Non, répondit-elle dans une plainte. Tu ne partiras pas.

— Pourquoi ?

Jouant avec la fermeture de son blouson, elle chuchota :

— Parce que tu es toujours là, malgré mon attitude détestable.

— Regarde-moi.

Elle obéit. Il regarda alors son visage séché par le grand air, les traces de larmes sur ses joues. Dieu, il aimait cette femme, plus que tout au monde !

— Viens vers moi, Max, dit-il, ému, en retirant son gant et en lui tendant la main. Donne-moi une nouvelle chance de t'aimer.

Maxie fixa sa main puis son visage, beau, vulnérable. Et soudain elle sentit son cœur vibrer, libéré. Enfin.

— Je t'aime, Kyle Hayden, dit-elle. Je t'ai toujours aimé.

L'émotion submergea Kyle et c'est d'une voix tremblante qu'il dit :

— Alors, fais-moi confiance. Je saurai préserver notre amour, cette fois.

Elle bondit littéralement vers lui et Kyle referma ses bras autour d'elle, en la serrant, en la berçant. Son visage blotti contre son cou, elle soupira sans fin. Il ferma les yeux et s'enivra de son parfum. « Merci, Dieu, pensa-t-il, merci. »

— Dis-le, encore, chuchota-t-il à son oreille.

— Je t'aime. Je t'aime, dit-elle en l'étreignant.

Kyle ravala les larmes qui brûlaient ses paupières. La neige continua de tomber, le vent de chuchoter. L'étalon enfui trotta jusqu'à eux, piaffant doucement, comme honteux d'avoir abandonné sa maîtresse.

Kyle déposa un baiser sur sa gorge puis murmura quelque chose à son oreille. Maxie s'écarta et rougit.

— Kyle ! Voilà donc à quoi tu penses !

— Eh bien, nous sommes seuls encore vingt-quatre heures. Si tu savais combien j'en ai rêvé au cours de ces sept années…

Elle pressa ses lèvres contre les siennes.

— Et puis il fait si froid, gémit-il. J'ai besoin de chaleur…

— Le premier arrivé ! s'exclama-t-elle avant de faire claquer sa langue pour appeler sa monture.

Kyle sourit.

— Tu n'as pas une seule chance…

Elle caressa sa joue avec tendresse.

— Nous verrons bien.

Elle s'arracha à ses bras et sauta en selle avant de s'éloigner au galop. Elle l'aimait, se dit-il, un large sourire se dessinant sur son visage. Elle l'avait toujours aimé.

Il se dirigea alors vers l'hélico, fronçant subitement les sourcils alors que des pensées confuses se bousculaient dans sa tête. Il tenta de se rappeler leurs récentes conversations. D'expliquer le malaise qui venait là le perturber. Mimi ? Puis il balaya cette sourde angoisse. Vite, à la maison ! La retrouver, la prendre contre lui, nue…

- 10 -

La porte bascula sur ses gonds lorsque Kyle, fou de désir, plaqua Maxie contre le battant. Son corps rivé au sien, au comble de l'impatience, il l'embrassa, sa langue s'enroulant à la sienne tandis qu'elle répondait à son baiser avec la même fièvre. Elle agrippa ses cheveux, l'attira de toutes ses forces contre elle, perdant son chapeau dans ce corps à corps. Comme elle s'en fichait ! Oui, elle se fichait de tout ce qui n'était pas lui. Elle voulait simplement lui montrer combien elle l'aimait, combien elle le désirait. Surtout, ne pas perdre une seconde, ne plus perdre une seule seconde. Elle tâtonna, lui arracha son blouson. Il en fit autant avec sa parka.

Mais trop de vêtements restaient encore entre sa peau et la sienne, cette peau qui lui avait tant manqué. Ils s'écartèrent de la porte, se ruèrent dans le couloir, enlacés, Maxie glissant ses mains sous sa chemise et enfonçant ses ongles dans son dos. Sans cesser d'avancer, ils se débarrassèrent de leurs bottes, puis ce furent les chemises, le soutien-gorge que Kyle dégrafa d'une chiquenaude avant de croquer avec avidité son sein et puis l'autre… Puis, de nouveau, il la poussa contre le mur, ouvrit avec fureur son jean.

— J'ai besoin de te toucher, dit-il dans un râle.

D'un geste vif, il fit descendre la fermeture Eclair et, sans attendre, enfouit sa main sous son slip.

— Oh, Kyle, gémit-elle en allant et venant contre sa main, ses yeux plongés dans les siens.

Il l'embrassa, profondément, brûlant de la prendre.

— Viens, lâcha-t-il soudain en l'entraînant vers sa chambre.

Pendue à son cou, lui toujours en elle, chaude, humide, Maxie l'attira vers le lit sur lequel elle se laissa tomber, l'entraînant dans sa chute. Puis elle se jeta sur lui, l'embrassa, ouvrit son jean. Quelques secondes plus tard, ils étaient nus, entièrement nus, Maxie caressant son sexe dur.

— Oh, chérie, non… Tu me tues…

— Déjà… à ton âge ? plaisanta-t-elle en le couvrant de baisers.

Il l'attira alors contre lui, supplia :

— Je veux venir en toi, maintenant…

Maxie roula sur le côté puis elle s'allongea, offerte, jambes ouvertes. Le souffle court, tremblant de tous ses membres, Kyle regarda ses mains le guider en elle. Aussitôt, il frissonna au contact de sa chair brûlante et crut mourir à cette caresse.

D'un coup de reins, il plongea en elle, lui arrachant un cri.

— Oh, chérie, tu es chaude, gémit-il.

— Viens, viens…

Il commença à bouger en elle, à aller et venir dans les méandres savoureux de ce corps aimé, adoré. Il vit alors la passion renaître en elle, sentit les vagues de son plaisir déferler sur lui.

— Je t'aime, chuchota-t-elle contre ses lèvres.

Il tressaillit et la prit, se perdit au plus profond d'elle, soudé à elle dans une succession de sensations torrides et intenses.

— Je t'aime, chérie…

Leur plaisir fut absolu, terrifiant, presque inhumain. Ensemble, ils furent emportés, ensemble ils furent happés par l'extase. Puis, alors que leur sang ralentissait sa course dans leurs veines, alors que leur cœur s'apaisait, qu'ils recouvraient leur esprit, Kyle, craignant de trop peser sur elle, voulut s'écarter. Instantanément, de tout son corps, elle le retint en elle, sur elle.

— Non, ne pars pas, dit-elle en enfouissant son visage dans son cou.

— Plus jamais, chuchota-t-il en l'enlaçant, une main tendrement posée sur ses reins.

Ils s'endormirent, à bout de force. Exténués par toutes ces années de frustration. Emerveillés par ces retrouvailles de la chair, du désir, intact, du plaisir, décuplé.

Et après quelques heures, d'éveils en étreintes, de cris en chuchotements, Maxie s'écroula entre ses bras.

— Je t'aime, Kyle.

— Je t'aime, chérie…

Plus tard, Maxie prise d'une fringale irrépressible, ils se précipitèrent dans la cuisine. Tout y passa, restes de fettucine, poulet et dessert. Le spectacle fascina Kyle. Et ce qui devait arriver arriva. La nourriture devint prétexte à caresses. Il nappa le bout de ses seins de chocolat et téta tel un enfant… tel un homme gourmand, gourmet. Ils roulèrent sur le tapis du salon, affamés de chair et de sucs, se poursuivirent jusqu'à la chambre où Kyle de nouveau lui fit l'amour. Elle était à lui. Il était à lui.

Lorsque, enfin, ils parvinrent à s'arracher l'un à l'autre, Maxie s'éclipsa dans la salle de bains. De retour dans la chambre, vêtue d'un simple peignoir, elle s'avança jusqu'au lit avant de s'asseoir dans le fauteuil. Kyle était profondément endormi. Si beau, si fort. Son corps nu alangui. Elle promena son regard sur son dos, couvert de cicatrices, sur ses jambes. Là aussi, une cicatrice, encore rose, courant de la cheville à mi-cuisse, encore douloureuse apparemment. Et brusquement, le souvenir de Kyle sautant de l'hélico, retenu simplement par un filin élastique, la submergea. Sa gorge se serra.

Tel était l'ancien Kyle, se rappela-t-elle. Le Kyle fou

d'adrénaline. L'homme qui l'aimait, et qui avait eu trop peur qu'elle le rejette pour oser revenir vers elle. Mais... était-il prêt à l'entendre ? Prêt à comprendre ce que l'aimer, vraiment l'aimer, voulait dire ? Fermant les yeux, Maxie s'enfonça dans le fauteuil. Elle ne pouvait décemment plus attendre. Elle devait lui parler. Elle était sûre de son amour pour lui, et tout aussi sûre de devoir se résoudre à le faire s'ils voulaient être heureux, vraiment heureux.

— Chérie ?

Sa voix rauque l'arracha à ses pensées.

— Oui, mon pilote, répondit-elle en lui souriant.

Il tendit le bras, tira sur la ceinture de son peignoir.

— Et si tu revenais te coucher près de moi ?

— Toujours pas repu ?

— De toi ? Jamais, chuchota-t-il en promenant sur elle un regard possessif. Epouse-moi, Max.

Les yeux écarquillés, elle retint son souffle.

— Epouse-moi, ce soir.

— Kyle, ne précipitons pas les choses.

Il se redressa sur un coude et la fixa.

— Précipiter les choses ? Bon sang, Max, tu ne trouves pas que nous avons suffisamment attendu ?

— Si, certainement, dit-elle, les yeux braqués maintenant sur l'armoire à deux pas d'elle.

Kyle se renfrogna. Il s'assit sur le bord du lit.

— Non, Max, pas ça. Ne t'éloigne pas de moi. Ton mariage a été une erreur. Le nôtre est la vérité.

— Je ne te fuis pas, Kyle… je veux même te faire face comme jamais. Et, cette fois, le choix t'appartiendra, à toi.

L'air maussade, il ouvrit la bouche pour parler mais elle posa un doigt sur ses lèvres.

— Et si tu allais prendre une douche ? Je vais préparer du café. Ensuite, nous parlerons.

Il hocha lentement la tête. Il n'en pouvait plus d'attendre, de l'attendre de l'épouser, de commencer auprès d'elle cette vie de famille dont il rêvait. Parler ? Mais de quoi ? Il l'aimait. Elle l'aimait. Au diable le passé ! Il se leva, lut sur son visage toute l'angoisse du monde. Alors, il l'attira contre lui puis l'embrassa, profondément, avec tout son amour. Baiser auquel Maxie répondit, avec tout son cœur. Puis il s'écarta d'elle et s'enferma dans la salle de bains. De son côté, telle une somnambule, Maxie alla prendre dans l'armoire une boîte en carton puis elle quitta la pièce.

Quand elle fut de retour, Kyle s'essuyait les cheveux, assis sur le bord du lit. Elle vint jusqu'à lui, une tasse dans une main, une enveloppe dans l'autre. Elle lui tendit le café. Il prit la tasse, avala une gorgée du breuvage fumant.

— Qu'est-ce que c'est ? demanda-t-il en désignant la lettre dans sa main.

— Mon… notre avenir.

Après une hésitation, il posa sa tasse sur le chevet. Un mauvais pressentiment le prit à la gorge quand elle lui tendit l'enveloppe froissée, jaunie, d'une main tremblante.

— Lis d'abord ceci, nous parlerons ensuite.

Il prit l'enveloppe, la tourna pour lire l'adresse. Une douleur fulgurante le transperça. Elle lui était adressée. Une lettre pour lui, envoyée par elle, il y avait sept ans. Et dessus un cachet avait été apposé, avec la mention : « Retour à l'envoyeur, refusée par le destinataire. »

Il tressaillit.

- 11 -

« Cher Kyle,

» Au moins, je sais maintenant que tu es revenu indemne de cette guerre puisque ton nom n'apparaît ni sur la liste des morts pour la nation, ni sur celle des disparus, ni enfin sur le registre des blessés. J'espérais que tu m'en informerais toi-même, mais je comprends que tu ne l'aies pas fait. Je sais que je t'ai fait souffrir et j'en suis sincèrement désolée. Je ne le voulais pas. Mais je suppose que tu t'en moques, n'est-ce pas ? Ton chagrin ne peut se satisfaire de paroles. Le mien non plus. Mais je t'aime, je t'ai toujours aimé et, malheureusement pour moi, je pense que je t'aimerai toujours.

» Des semaines entières, j'ai espéré que tu m'appellerais, qu'au nom de l'amour qui nous unissait tu me ferais savoir que tu étais en vie. J'ai attendu, attendu, puis, au retour de ton unité, j'ai essayé de t'avoir au téléphone, et chaque fois c'était ton frère qui me répondait. En me faisant sentir tout son ressentiment, en me faisant comprendre que l'on ne voulait plus entendre parler de moi. Alors, j'ai décidé de t'écrire, de tenter une approche, une dernière fois, à travers cette lettre.

» J'ai compris, je te rassure, que je ne devais plus espérer ton retour. Mais je crois que tu as le droit de savoir. Tu es père. »

Kyle écarquilla les yeux. Puis il relut ces derniers mots, encore et encore, avant de poursuivre :

« Je suppose que j'ai oublié de prendre cette satanée pilule, le stress prénuptial, sans doute. Mais cela n'a plus d'importance désormais. »

La gorge serrée, il regarda droit devant lui, dans le vide, les souvenirs affluant. Leurs discussions, dans l'écurie... Puis une déferlante d'émotions contradictoires le submergea, regrets, tristesse, joie... joie absolue. Puis la colère. Il se leva, sortit de la pièce, cria son nom. Pour comprendre la minute suivante qu'il était seul. Il courut jusqu'à la porte et se rua à l'extérieur, juste à temps pour l'apercevoir, juchée sur l'un de ses étalons, surgissant de l'écurie au galop. Poings serrés, Kyle la regarda s'éloigner, indifférent au vent et à la neige. Il resta là, sous le porche, jusqu'à ce qu'elle ait disparu, aspirée par l'horizon.

Pourquoi n'avait-elle pas essayé encore, puis essayé encore ? Il aurait fini par lui répondre. Oui, elle aurait dû insister. Il gémit, rendu fou par son impuissance. Au bout d'un long moment, il se décida à rentrer. Revenu dans sa chambre, il marmonna, pesta. Puis une petite voix s'éleva en lui. « Tu lui as tourné le dos. » Non, il ne pouvait lui en vouloir. Le cœur brisé, il n'avait pas trouvé meilleur moyen pour survivre que de la fuir. De ne pas ouvrir ses lettres, de ne pas répondre à ses appels. Ciel, quel idiot il avait été ! Triple idiot !

Il avait tout raté. Il s'était privé de tous ces instants précieux et magiques. Elle avait porté son enfant, seule. Affrontant les rumeurs, les quolibets — tout, toute seule ! Il tomba à genoux sur le parquet, implorant les dieux, au bord des larmes. Puis il trouva le courage de terminer la lecture de la lettre.

« Je sais que tu n'as que faire de moi, mais ton enfant a le droit de connaître son père, même brièvement. Notre fille a aujourd'hui huit mois, Kyle. Jamais je ne m'opposerai à ce que tu la voies, si tu souhaites la rencontrer. Sans aucune nouvelle de ta part d'ici quelques jours, je comprendrai ta réponse et, même si cela m'est difficile, je l'accepterai.

» Mes parents n'ont fait aucune difficulté, bien au contraire. Ils m'aident de leur mieux et sont ravis d'être grands-parents. Je dirai à ton enfant que je t'aimais et, qu'au moment de sa conception du moins, nous nous aimions. »

Kyle sentit une larme couler sur sa joue. Il l'essuya d'un geste las.

— Oh, ciel…

Sa colère s'était estompée, remplacée par des regrets si intenses qu'il peinait à respirer. Plongeant son visage entre ses mains, il pensa à Maxie, enceinte, seule. A sa grossesse, se sachant abandonnée, à l'accouchement, à l'instant où elle avait tenu leur enfant entre ses bras pour la première fois, aux premiers pas de Mimi, moments de joie partagés avec ses parents, ses sœurs. Sans lui.

Pas étonnant qu'elle fût si distante avec lui, si peu disposée à tirer un trait sur le passé. Elle l'avait exclu de sa vie parce que, autrefois, il lui avait tourné le dos. Il se maudit. Et se détesta de l'avoir cru capable de sauter dans le lit d'un autre sitôt qu'il était parti à la guerre. Pourrait-elle un jour lui pardonner ? Comment avait-elle eu la force de surmonter sa douleur pour l'aimer de nouveau ? Il n'avait pas la moitié de son courage.

Les yeux levés au ciel, il soupira puis son genou heurta le carton. Il s'assit et en sortit un boîtier de cassette vidéo. Il lut le mot qui y était scotché.

« Tant de choses se sont passées sans toi, mon chéri. Et j'en suis si triste. Regarde cette vidéo, pour commencer. »

Le carton sous le bras, Kyle se rua dans le salon, insérant avec fébrilité la cassette dans le lecteur. Le cœur battant, il fixa l'écran sur lequel une image apparut, flou d'abord, puis… Maxie. Elle était allongée sur un lit d'hôpital, les jambes repliées. Respirant bruyamment, par la bouche. L'accouchement, comprit-il en s'approchant de la télévision, fasciné. Elle mettait au monde son enfant. Sa mère et ses sœurs étaient présentes, l'encourageaient, épongeaient son front entre les contractions. Puis il entendit un médecin. Maxie gémit, Kyle serra les poings, son corps souffrant avec le sien. « C'est une fille ». L'annonce retentit, joyeuse, victorieuse. A bout de souffle, il tomba à genoux devant l'écran qu'il effleura. Regardant le médecin quand il déposa le nourrisson ensanglanté sur le cœur de sa mère. Il entendit des rires, des applaudissements. Puis Maxie sourit et tourna la tête vers la caméra tenue par son père. Et elle chuchota : *« Oh, Kyle, nous sommes là toutes les deux, nous vois-tu ? Oh, j'aurais tant voulu qu'il soit là, papa…*

— Je sais, ma chérie, je sais. »

Kyle sentit son cœur se briser. Tant de temps perdu, tant de bonheur gâché. Puis il nota qu'elle portait une casquette qu'il lui avait donnée autrefois. La même, délavée par les années, qu'elle lui avait offerte, ce matin. Elle l'aimait. Elle l'aimait, quand elle aurait dû le détester, le maudire.

La vidéo s'arrêta et aussitôt il la rembobina pour la regarder, encore et encore. Puis il s'intéressa au carton dont il sortit une petite boîte qu'il ouvrit délicatement. De minuscules chaussures blanches, un peu usées, un hochet et un adorable petit bonnet. Il essaya d'imaginer Mimi, ses boucles rousses, ses grands yeux verts. « Mon bébé, pensa-t-il, ma fille. » D'une main tremblante, il saisit le premier des albums, découvrit des photos de lui et de Maxie, au bal des marines, à Encinada, au marché, puis il trouva une photo de Maxie revêtue de sa robe de mariée, cliché pris quelques jours avant la cérémonie, destiné à la presse.

C'était la première fois qu'il voyait cette robe. Et Maxie était ravissante, si sexy, si pure. Il serra les dents. La photo suivante montrait Maxie, enceinte. Il se détendit et fit glisser son doigt sur son ventre. Elle souriait, mais ses yeux, eux, demeuraient voilés. Ce devait être à l'occasion d'un repas de famille, supposa-t-il avant de tourner la page. Mimi, à environ six mois, puis à huit. Auprès de sa mère. Toujours avec sa casquette. Et ne souriant apparemment que pour la forme.

Des babioles gagnées aux machines à chewing-gum et une bague de fiançailles, voilà tout ce qu'il avait été capable de lui donner. Et un enfant. Il tourna encore les pages, tombant sur des articles évoquant la guerre en Irak, la liste des morts au combat… Oh, ciel…

— Kyle ?

Il sursauta et se leva d'un bond, les yeux brillant d'un tel désespoir…

— Je ne t'ai pas vraiment laissé le choix, n'est-ce pas ? dit-il d'une voix douce.

— Oh, Kyle, ne sois pas dur avec toi-même, je t'en prie, gémit-elle.

Il se leva, vint à elle.

— Toutes ces épreuves, Max… Quel idiot, quel égoïste j'ai été !

Elle le regarda approcher, les yeux pleins de larmes.

— Tu m'as tellement manqué, Kyle…

— Oh, chérie, tu m'as tellement manqué toi aussi…

— J'ai voulu te haïr…

— Tu en avais le droit.

— Je n'ai pas pu et c'était si dur de continuer à t'aimer alors que tu ne voulais plus de moi… Mimi m'a donné la force. Oh, papa et maman ont été merveilleux, mais c'était de toi que j'avais besoin.

— Comme je m'en veux ! Tout ce temps gâché par la faute de ma stupide fierté.

— Chut…

— Mais, aujourd'hui… As-tu besoin de moi, aujourd'hui ? demanda-t-il, cherchant son regard.

Elle lui sourit et chuchota :

— Oui… Oui.

— Je t'aime, Maxie.

— Je t'aime, Kyle.

Ils firent un pas, un second puis se jetèrent dans les bras l'un de l'autre, s'étreignant avec toute la force de leur amour, de leur désir, de leur espoir. Puis, soudain, Maxie prit sa main et l'entraîna jusqu'à sa chambre. Ils firent l'amour, longtemps, intensément.

Plus tard, apaisés, ils restèrent un long moment silencieux, enlacés, goûtant au bonheur retrouvé. Puis, comme à son habitude après l'amour, Maxie se déclara affamée et Kyle courut vers la cuisine, entièrement nu, préparer un plateau, sandwichs hypercaloriques et tablettes de chocolat, repas gargantuesque qu'il rapporta dans la chambre, après un détour dans le salon pour récupérer le carton qui contenait tous leurs souvenirs.

Maxie éclata de rire quand il déclara qu'il allait accrocher les minuscules chaussures blanches dans son hélico, en guise de porte-bonheur. Elle sourit, émue, en le regardant caresser les photos d'elle enceinte, d'elle tenant Mimi venant de naître. Puis elle tressaillit lorsqu'il trouva, caché sous les albums et les jouets de Mimi nourrisson, un écrin de velours noir. Sa bague de fiançailles… Kyle ouvrit l'écrin, l'effleura et prit l'anneau qu'il passa à son doigt.

— Je t'aime, chuchota-t-il.

— Je t'aime aussi.

— Et cette fois, c'est pour la vie.

De nouveau, ils firent l'amour, partagèrent des étreintes passionnées toutes en tendresse, le temps s'écoulant sans qu'ils y prennent garde. Ils en avaient tant à rattraper !

Longtemps après, ils se levèrent et prirent un repas décent puis ils firent une balade à cheval, Maxie à leur retour massant sa jambe blessée et lui reprochant ses acrobaties. Allongé sur le canapé, Kyle l'écouta sans broncher, se contentant de l'aimer.

Cet après-midi-là, il téléphona à son frère. Au comble du bonheur, il lui annonça son mariage prochain avec Maxie, et lui apprit, ému, sa paternité. Ils parlèrent ainsi tous deux une bonne heure et Mitch s'excusa même pour la part qu'il avait eue dans son malheur.

— Père, je suis père, chanta-t-il après avoir raccroché en se laissant choir sur le canapé.

— Oui, tu es père…, dit Maxie en se blottissant contre lui.

— Allons lui apprendre la nouvelle.

Elle se redressa avec vivacité.

— Non.

— Max…

— Je sais qu'elle t'adore, mais… Il ne faut pas brusquer les choses. Mimi est fragile, ce n'est qu'une enfant.

Kyle rumina une bonne minute cette mise en garde. Certes, il ne fallait pas traumatiser Mimi. Bah ! il n'empêche, il avait envie de la prendre dans ses bras, de la regarder, en tant que père.

— D'abord nous marier, c'est cela ?

Elle sourit en faisant tourner la bague à son doigt.

— Oui.

Kyle se renfrogna et soudain demanda :

— Je n'aurais quand même pas à adopter ma propre fille ?

— Non. Ton nom est inscrit sur son acte de naissance.

Et il était seul fautif s'il n'avait jamais eu cet acte entre les mains. Trop occupé alors à se lamenter sur lui-même, à tenter de panser sa fierté blessée. Saurait-il faire oublier ses erreurs à Maxie. Et à Mimi ?

— Je t'aime, chuchota-t-il après qu'il l'eut interrogée des heures sur ces années de séparation, sur sa grossesse.

— Je t'ai toujours aimé, Kyle.

Il rit, la couvrit de baisers et, repoussant les coussins, ils s'étreignirent sur le canapé, le désir de nouveau guidant leurs gestes quand la radio crépita. Ils s'immobilisèrent, l'oreille tendue. Puis Kyle comprit qu'on cherchait à le joindre. Il se leva d'un bond et courut répondre. La voix de Jackson retentit.

— On a un problème. Une personne en détresse, sur un à-pic. Trop apeurée pour bouger.

— Elle doit être transie de froid, dit Kyle en regardant la neige tomber au-dehors. J'arrive.

— Entendu. Euh, dis à Maxine de venir, aussi…

Kyle surpris regarda Maxie qui aussitôt fronça les sourcils.

— Pourquoi ? Besoin de chevaux ? demanda Kyle, pris d'un mauvais pressentiment.

— C'est-à-dire… oui, possible, hésita Jackson avant de rajouter, d'une voix presque inaudible : Kyle, il s'agit de Mimi…

Parcouru d'un long frisson, Kyle de nouveau se tourna vers Maxie qui, le premier moment de stupeur passé, se rua dans l'entrée, affolée, et s'empara de sa parka.

— Vite, dépêche-toi Kyle ! cria-t-elle.

— Maxie, chérie, pas de panique…

— Pas de panique ? Elle est coincée dans ce satané canyon, seule, dans le froid et…

Il saisit son bras, la força à le regarder.

— Il est inutile de l'apeurer.

— C'est notre fille, Kyle.

Une profonde émotion le submergea.

— Nous allons la ramener à la maison, Max. Je te le jure.

Il y laisserait la vie s'il le devait, mais Mimi retrouverait sa mère. Sa fille avait besoin de lui. Il devait rester calme, garder son sang-froid. Méthodiquement, il rassembla ses affaires. Si le vent était fort, si la neige tombait en rafales, il risquait de rencontrer des problèmes avec l'hélico. Les pales pouvaient geler. Déterminé, il dit à Maxie de faire chauffer la Range Rover puis il l'aida à faire monter deux mules dans le van.

— Je prends les devants, lui dit-il ensuite après l'avoir embrassée. Conduis prudemment…

Installée au volant, elle hocha la tête, serra sa main très fort.

— Je vais la ramener, je te le promets.

— Je sais.

*
* *

Une fois parvenus au centre de secours du parc, ils retrouvèrent le groupe de Mimi. La majorité des parents était là auprès des fillettes qui se tenaient au chaud, dans la salle d'accueil. A bout de nerfs, Maxie interpella avec véhémence l'un des guides accompagnateurs :

— Pourquoi l'avez-vous laissée toute seule ?

— Max..., dit Kyle.

Elle s'écarta vivement de lui et se plaça sous le nez du guide, avec toute la rage d'une mère.

— Je devais ramener les autres petites filles. Elles avaient peur... et froid. Deux de mes hommes ont voulu tenter quelque chose... Elle n'a pas voulu qu'ils approchent.

— Je vais la chercher, dit Kyle en s'adressant à Jackson.

— Pas sans moi, s'interposa Maxie.

— Laisse-moi d'abord aller faire une reconnaissance en hélico. Elle va reconnaître l'appareil. Elle saura que nous sommes là. Qui sait, je pourrais peut-être l'hélitreuiller... ?

Trois minutes plus tard, l'hélico s'éleva et Kyle commença les recherches. Le vent soufflait fort et l'appareil tanguait parfois dangereusement. Il redoutait le crash — oui, lui, le casse-cou, il avait peur ! Oh, pas pour lui, non, bien sûr que non, mais pour Mimi. Une seule erreur et c'était sa fille qui risquait le pire. Puis, soudain, il l'aperçut. Il cabra sa machine et elle agita faiblement la main dans sa direction. La situation était plus grave qu'il ne l'avait cru. Elle se trouvait au bord d'un précipice. Comment était-elle arrivée là, il l'ignorait. Un instant, elle fit mine de se lever mais glissa. Impossible de l'hélitreuiller en pareil endroit. Bon sang. Vite, lui parler, apaiser la terreur qui se lisait sur son petit visage. Il saisit le micro.

— Hé, mademoiselle. Je vais descendre te chercher, d'accord ?

Elle hocha la tête. Elle avait perdu son chapeau, le vent fouettait ses cheveux. Après un dernier passage, Kyle s'éloigna en direction du parc. Dès qu'il fut posé, Maxie courut vers lui. Il lui expliqua la situation en quelques mots. De son côté, elle avait déjà sellé les mules, les chevaux étant trop craintifs pour ce type d'expédition.

— Je tiens à venir, répéta Maxie.

— Max c'est de la folie ! protesta Jackson. Tu n'as pas l'habitude de ces conditions extrêmes et…

— Je monte mieux que vous tous réunis, le coupa-t-elle. Il s'agit de ma fille et je connais toutes les pistes des environs. Je viens !

Kyle l'attira contre lui et implora Jackson du regard.

— Calme-toi, calme-toi.

— Allez, en route, vous deux.

Maxie et Kyle ne se firent pas prier. Moins de deux minutes plus tard, ils étaient en selle, Kyle se retenant d'éperonner sa monture pour presser l'allure, courir au galop vers sa fille. Croisant le regard angoissé de Maxie, il prit sur lui et lui offrit un sourire rassurant. Alors qu'une anxiété comme il n'en avait encore jamais éprouvé le rongeait.

Tout allait rentrer dans l'ordre, ne cessa-t-il de se répéter au rythme de leur trot, parce qu'il ne pouvait en être autrement.

- 12 -

Ce fut Kyle qui, le premier, l'aperçut. En moins d'une seconde, il bondit de sa selle, les yeux rivés sur le bord du précipice, en cet endroit battu par le blizzard où se tenait recroquevillée sa fille, une vingtaine de mètres au-dessus de lui.

— Le guide m'a dit qu'elle semblait un peu triste, depuis le début de la sortie, confia Maxie d'un air coupable.

— Elle a surpris notre conversation et t'a entendue pleurer, l'autre jour, dans l'écurie, expliqua Kyle le regard sombre. En fait, elle m'a fait promettre de ne plus jamais te faire pleurer…

— Oh, Kyle…

— Dis-moi, l'interrompit-il, je voudrais savoir… Prévois-tu de t'habiller de blanc, le jour de notre mariage ?

Décontenancée, elle ravala ses larmes.

— Parce que, après ces deux journées en tête à tête, reprit-il avec un air exagérément préoccupé, la morale voudrait que tu optes pour le rouge vif, non ?

Elle sourit, lui enfonça le coude dans les côtes. Comme elle l'aimait ! Tout le long du trajet, ayant conscience de sa peur, il n'avait cessé de lui parler avec désinvolture, l'obligeant à se projeter dans le futur plutôt que de se laisser aller à la terreur.

Elle le regarda s'affairer, attraper sur la mule son harnachement : cordes de Nylon, pitons et mousquetons. Puis il se tourna vers elle.

— Allons la récupérer.

Il aida Maxie à descendre de sa monture puis il l'encorda, bien qu'il fût hors de question de lui permettre d'escalader. Mimi n'était pas si loin d'ici. Kyle se chargerait de grimper, Maxie, elle, resterait au pied de la falaise avec les cordes, pour l'assurer.

Il espérait seulement que Mimi n'était pas blessée.

Kyle commença l'ascension, le bout de ses bottes se calant dans les interstices du granit, ses mains cherchant appui. Quelques minutes plus tard, il avait franchi plus de la moitié de la distance. Il se força néanmoins à vérifier mètre après mètre la fixation de chaque piton. Puis il fut au sommet… face à sa fille, et à sa peur.

— Hé, bonjour mademoiselle ! la salua-t-il sur un ton léger.

— Hello, monsieur Hayden !

Un jour viendrait où elle l'appellerait papa.

— Prête à rejoindre maman ?

Elle hocha la tête avec fébrilité.

— Alors tu vas devoir venir avec moi, dit-il.

Le sol autour d'elle risquait de céder sous son poids. Un faux pas, un seul, et…

— Voilà ce que tu vas faire, reprit-il. Saute dans mes bras.

Mimi agita frénétiquement la tête. Il fit un nouvel essai et, de nouveau, Mimi refusa de bouger. Kyle saisit alors la radio dans sa poche et s'adressa à Maxie.

— Elle ne veut pas venir avec moi.

Levant la tête, Maxie tenta de les apercevoir.

— Mimi, mon trésor. Fais ce que M. Hayden te demande. Il t'aime tant, ma chérie… Il ne t'arrivera rien avec lui.

Kyle croisa le regard de Mimi, regard plein d'amour, puis il tendit les bras.

— Allez, mademoiselle, viens avec moi. Tu ne vas pas tomber, je te le promets.

Indécise, Mimi se mordilla la lèvre, puis enfin elle se pencha prudemment, cherchant son équilibre et soudain elle bondit entre ses bras. Sous le choc, Kyle glissa légèrement, mais le piton tint bon et, serrant sa fille contre lui, il resta quelques secondes plaqué à la paroi.

Les yeux fermés, il remercia le ciel puis, au bout d'une minute, il caressa ses cheveux, la berça doucement. Mimi leva les yeux sur lui.

— Merci, chuchota-t-elle en nouant les bras autour de son cou.

Un roi. Tel se sentit alors Kyle : un roi.

Le geste sûr, il prit la radio, appela Maxie pour qu'elle assure la cordée puis ils entamèrent la descente. Lentement, d'abord. Kyle parlant gentiment à Mimi qui, de son côté, s'excusa pour le dérangement. Elle expliqua qu'elle regrettait de s'être écartée de la piste puis soudain gémit en se plaignant du froid.

Les bras tendus vers eux, au pied de l'à-pic, Maxie saisit sa fille avant même que Kyle l'ait déposée sur le sol. Elle serra la fillette sur son cœur, couvrit de baisers ses joues rougies par le vent et le froid puis elle attira Kyle contre elles, le joignant à cette étreinte.

— On rentre à la maison, maintenant ? demanda Mimi en les dévisageant tour à tour.

— Oui, mademoiselle, on rentre. Et vite ! J'ai une de ces faims… Pas toi ?

Le stress et le bonheur finirent par avoir raison de la petite fille, riant aux larmes avant de tomber entre les bras de Kyle qui la berça et embrassa tendrement son front. Une fois Maxie en selle, il installa la fillette sur la mule, devant sa mère. Puis, après avoir rangé l'équipement, il grimpa à son tour sur sa monture et tous trois se mirent en route.

A plusieurs reprises sur le chemin du retour, il regarda derrière lui. Maxie et Mimi pelotonnées l'une contre l'autre avançaient bravement contre le blizzard. Que n'aurait-il donné pour réchauffer de son amour les deux êtres les plus précieux à son cœur ?

*
* *

Deux heures plus tard, ils quittèrent enfin le parc à bord de la Range Rover, après qu'un médecin eut examiné Mimi, les rassurant sur son état. Ne pouvant se résoudre à se séparer d'elles un seul instant, Kyle renonça à prendre l'hélico.

Une fois rentrés, ils s'empressèrent de dorloter Mimi. Sa mère l'obligea à prendre un bon bain chaud puis sécha ses cheveux et l'habilla d'un pyjama de pilou. Puis, après que la fillette eut dévoré un sandwich, ils la couchèrent avec un grand bol de chocolat chaud préparé par Kyle.

Allongée sous une couette en duvet et deux couvertures, Mimi sourit à Kyle. La pauvre chérie tombait de sommeil. Il déposa un baiser sur son front et s'éloigna. Maxie alors s'avança et borda sa fille avant de s'asseoir sur le lit, un livre de contes et légendes dans les mains.

— Bonne nuit, monsieur Hayden.

— Bonne nuit, mademoiselle.

« Je t'aime. »

Maxie se tourna vers lui et lui sourit puis elle commença sa lecture, Kyle les regardant, appuyé au chambranle. Apparemment peu intéressée par le conte de fées, Mimi les observa longuement, d'abord lui, puis sa mère.

— Vous n'êtes pas pareils…

Levant les yeux du livre, Maxie dévisagea sa fille. Mimi était très observatrice et cela ne la surprenait pas qu'elle ait noté un changement entre elle et Kyle.

— Pourquoi dis-tu cela ?

Mimi eut un large sourire.

— Vous vous regardez plus gentiment… Vous vous souriez un peu plus…

Elle s'interrompit et, fronçant les sourcils, demanda soudain :

— Tu l'aimes, hein, maman ?

Maxie retint son souffle.

— Oui, je l'aime.

Quelque chose alors submergea Mimi qui fixa sa mère, les yeux voilés, comme si elle portait en elle tout le poids des non-dits. Puis, brusquement, elle bâilla et s'enfonça sous les couvertures en fermant les yeux.

— C'est bien, maman, c'est bien…

Maxie sourit avec tendresse puis elle embrassa sa fille et s'éloigna doucement du lit. Kyle se tenait toujours sur le seuil, bras croisés. Elle vint contre lui, glissa son bras autour de sa taille et laissa reposer sa tête sur son torse. Il l'enlaça.

— Je suis si heureuse que tu sois là.

— Moi aussi, dit-il en caressant son dos.

Elle leva alors les yeux vers lui.

— Je crois qu'elle sait.

— Je le voudrais tant.

— Allez, viens, dit-elle. Allons manger quelque chose… et parler un peu.

Kyle lui sourit et effleura ses fesses.

— Aurai-je droit à une récompense pour l'avoir sauvée ?

Maxie l'embrassa.

— Oh oui, une belle récompense !

Ils fermèrent la porte avant de se raviser, préférant la laisser entrouverte.

Ils bavardèrent, légèrement, gravement, ils mangèrent avec appétit, puis ils s'aimèrent, Kyle lui faisant l'amour devant une flambée, lui donnant, encore et encore. Elle avait attendu si longtemps…

Le lendemain matin, dans la cuisine, Kyle, perdu dans ses pensées, fixait la porte du réfrigérateur depuis cinq bonnes minutes déjà. Fasciné, il regardait, clippée par des magnets en forme de légumes, la carte scolaire de Mimi. Quand le présenterait-elle à ses petits camarades en disant « mon papa » ? Irait-il un jour la chercher à l'école ? Non, il était encore trop tôt. C'était du moins ce que Maxie prétendait. Même si lui avait le sentiment qu'il ne fallait pas attendre.

Ils avaient passé la moitié de la nuit à discuter de la meilleure manière d'apprendre à Mimi qu'il était son père. Kyle était pour dire les choses sans tarder et pour résoudre les problèmes à mesure qu'ils se présenteraient. Il avait en outre la conviction que la nouvelle devait être annoncée par lui, et lui seul. Malheureusement, il était encore un inconnu pour Mimi, avait fait remarquer Maxie, qui connaissait sa fille mieux que lui. Il avait encaissé, ravalé son sentiment de culpabilité. Oui, tout cela était sa faute.

Bah puisqu'il devait attendre, il attendrait ! Et puis, il était temps de penser aux affaires, quelque peu délaissées depuis deux semaines, tout absorbé qu'il était par ses retrouvailles avec Maxie.

A cet instant, celle-ci pénétra dans la cuisine et vint se glisser entre ses bras.

— Elle dort encore ?

— A poings fermés.

Il sourit et déposa un baiser sur son front. Puis sur ses lèvres.

— Je sais que tu souhaites prendre le temps, mais…

— Oh oui, quelques jours au moins, Kyle, je t'en prie.

— Oh, Maxie… Entendu, quelques jours, puisque c'est ce que tu veux…, soupira-t-il, résigné. J'aimerais tant pouvoir me réveiller auprès de toi, chaque matin…

Mais cela leur était impossible. Pas sans avoir au préalable révélé la vérité à Mimi. Il serra Maxie contre lui, ce corps qui l'avait toujours fasciné et qu'il désirait…

— Je t'aime, chuchota-t-il à son oreille.

— Je sais…

Et elle l'embrassa, avec une certaine nostalgie en elle. Kyle, un bras autour de sa taille, se dirigea ensuite vers la porte. Ce serait difficile de se passer de lui durant les deux prochains jours, se dit-elle. Comment, comment avait-elle pu vivre sept longues années sans le voir, sans respirer son parfum, sans plonger ses yeux dans ses yeux, sans son corps contre son corps…

Kyle l'embrassa une dernière fois, puis il s'éloigna, rejoignit rapidement son hélico que l'équipe du parc avait eu la gentillesse de ramener chez Maxie. Il se mit aux commandes puis prit de l'altitude, s'interdisant de regarder en arrière. Sous le porche, Maxie suivit des yeux l'appareil jusqu'à ce qu'il ne soit plus qu'un point à l'horizon…

Un peu plus tard, Maxie s'affairait dans l'écurie quand Mimi surgit telle une furie.

— Où c'est qu'il est ? l'apostropha-t-elle, mains sur les hanches.

Notant l'agressivité du ton de sa fille, Maxie se garda néanmoins de relever. Mimi avait été durement secouée, la veille…

— Pourquoi il est parti ? C'est ta faute… Tu lui as dit…, enchaîna sa fille, les joues écarlates.

Se renfrognant, Maxie observa Mimi. Comme beaucoup d'enfants, elle était sujette à de grosses colères, mais jamais empreintes d'une telle violence, cependant.

— Mais… de quoi parles-tu ?

— C'est mon papa !

Stupéfaite, Maxie resta muette. Oh, ciel…

— Je t'ai entendue parler avec grand-mère à propos de mon papa. Je t'ai entendue crier son nom quand tu pleures… C'est mon papa… Et, de nouveau, il est parti ! Par ta faute !

— Mimi, mon trésor, calme-toi. Tu ne comprends pas…

— Je te déteste ! hurla Mimi, des larmes plein les yeux.

— Une petite minute, jeune fille, protesta sa mère. Pas ce genre d'attitude avec moi…

— Je m'en moque. Il est parti à cause de toi. Je te déteste ! répéta Mimi en tapant du pied.

Puis elle lui tourna le dos et s'enfuit en courant vers la maison. Maxie lui emboîta le pas, avant de se raviser. Mimi devait d'abord se calmer. Elle se laissa choir sur une botte de foin, prit son visage entre ses mains.

Une demi-heure plus tard, elle prit la direction de la maison, prête à un nouvel affrontement avec sa fille. Mais ce fut une maison vide qu'elle trouva.

Kyle pénétra dans le hall d'accueil de son bureau et se dirigea aussitôt vers le planning des rendez-vous de la semaine à venir. Pas vraiment l'affluence, se dit-il, morose.

— Randy ! appela-t-il. C'est tout ?

— Eh oui, répondit son assistant et comptable en venant le saluer. J'ai eu quelques appels ce matin… Des concurrents, intéressés pour te racheter ton hélico… Oh, tu as une visite !

Kyle fixa Randy. Le jeune homme fit un signe de tête en direction de la pièce du fond.

— Une dame. Plutôt mignonne…

Maxie. Il s'empressa jusqu'à son bureau, entrouvrit la porte, vaguement anxieux, et… découvrit Mimi. La fillette était installée dans son vieux fauteuil en cuir, devant ses dossiers. Mais… comment était-elle arrivée jusqu'ici ? Il regarda autour de lui. Apparemment, elle était venue seule. Voilà qui ne laissait rien présager de bon, se dit-il en essayant de ne pas paniquer. Il referma doucement la porte, gribouilla le numéro de Maxie sur un bout de papier et demanda à Randy de l'appeler et surtout de lui dire où se trouvait sa fille.

— Hé, petite mademoiselle !

Mimi leva les yeux et Kyle sentit son cœur se briser en découvrant ses yeux emplis de larmes.

— Hello, répondit-elle d'un ton maussade.

— Que fais-tu ici ? enchaîna-t-il en s'asseyant sur un coin du bureau. Où est ta maman ?

— Je m'en moque, déclara Mimi en croisant les bras. Je la déteste.

Perplexe, Kyle chercha le regard de la fillette.

— Tssst, jeune fille. Est-ce ainsi que l'on parle de sa maman ?

— M'en moque… C'est sa faute si tu es parti.

— Qu'est-ce qui te fait dire cela ?

— Tu es parti, non… ?

— J'avais des affaires à régler.

Mimi le dévisagea, l'air boudeur.

— Mimi, dit-il en se massant la nuque, comment es-tu venue jusqu'ici ?

— J'ai marché.

Bon sang. C'était impossible…

— Si loin ?

— Non, répondit la fillette. J'ai fait du stop et une dame m'a amenée…

Kyle bondit sur ses pieds, s'agrippa au bureau.

— Tu es montée en voiture avec une inconnue ?

Mimi baissa les yeux, se tordit les mains avec nervosité.

— Mmoui, répondit-elle d'une voix à peine audible.

— Bon sang de bonsoir, Mimi ! Tu aurais pu être enlevée, ou pire ! Comprends-tu ?

— Mais… je voulais te voir !

— Ce n'est pas une excuse. Il ne faut pas faire ce genre de choses…, dit-il, abasourdi.

— Tu étais parti… Tu étais parti, répéta Mimi en pleurnichant.

— Mais…

— Tu nous as laissées toutes seules…

— Je… J'ai une affaire à gérer, tu comprends, et…

Elle agita énergiquement la tête, se laissa glisser du fauteuil et vint se planter devant lui. Il baissa les yeux, la dévisagea. Alors, soutenant son regard, elle chuchota :

— Tu es mon papa… Dis, c'est vrai ?

Kyle sentit ses jambes se dérober sous lui.

— Ce… C'est maman qui te l'a dit ?

— Non, répondit Mimi qui lui raconta avoir surpris des conversations entre sa grand-mère et Maxie. Alors, c'est bien toi, dis ?

Il hocha lentement la tête, fasciné par ce petit bout de lui. Cette petite fille, si intrépide, si volontaire. Oui, indubitablement la sienne.

— Pourquoi tu as abandonné ma maman ?

Ciel ! C'était l'heure de rendre des comptes.

— Oh, Mimi, trésor…

Il tendit la main, main que Mimi saisit, puis il prit la petite fille dans ses bras et l'assit sur ses genoux.

— J'étais un garçon stupide. Je ne savais que penser à moi… Et puis je voulais faire du mal à ta maman, parce qu'elle m'avait fait du mal.

— Comme moi quand je suis partie de la maison pour venir te retrouver ?

— Mmoui, j'ai fait des erreurs, soupira-t-il avant de se ressaisir, mais moi, je ne suis pas une petite fille et je n'ai jamais fait de stop.

De lourdes larmes coulèrent sur ses joues rondes et Mimi renifla.

— Je vais me faire gronder, dis ?

— C'est probable…

— Tu es fâché contre moi, hein ?

— Oh non, juste un peu déçu, répondit-il.

Et, devant son air désemparé, il s'empressa de rajouter :

— Mais ta mère ne t'a certainement pas appris à faire des choses pareilles. Imagines-tu dans quel état elle doit se trouver, en ce moment même ? Comme elle doit être inquiète ?

Elle baissa les yeux, visiblement prise de remords. Maxie ne manquerait pas de réprimander sa fille, mais, pour l'heure, Mimi avait certainement son lot d'émotions.

— Retourne t'asseoir, ordonna-t-il en désignant son fauteuil. Et ne bouge pas de là. Compris ?

Elle hocha la tête et fit ce qu'il demandait, l'air penaud, les yeux humides. Kyle toussota, s'interdisant de s'attendrir. Elle avait risqué le pire. Pour lui. Pour venir à lui.

— Euh…

— Oui, mademoiselle ?

— Tu aimes ma maman ?

— Oui, de tout mon cœur.

Mimi releva la tête, un sourire flamboyant aux lèvres.

— Tu vas te marier avec elle ?

— Si tu n'y vois pas d'inconvénient…

— Je suis d'accord.

— Tant mieux, parce qu'elle, elle a dit oui.

Il s'apprêtait à sortir pour téléphoner discrètement à Maxie quand celle-ci surgit devant lui. Elle regarda tour à tour Kyle et sa fille, puis ouvrit la bouche.

— Max, dit-il en prenant son bras avant qu'elle ne laisse libre cours à sa colère, je vais vous reconduire à la maison et nous parlerons de tout cela une fois au ranch.

Prenant sur elle, Maxie hocha la tête et Kyle fit un signe à Mimi. La fillette descendit du fauteuil et emboîta le pas à ses parents.

— Où est ton 4x4 ? demanda-t-il, une fois dehors, en regardant autour de lui.

— C'est Jackson qui m'a emmenée. Je ne pouvais pas conduire, j'étais trop tendue, expliqua Maxie en se tournant vers sa fille qui aussitôt se faufila derrière Kyle.

Il sourit et poussa la fillette devant lui, afin qu'elle affronte la colère légitime de sa mère.

— Bien, je vous offre le voyage, dit-il.

— En hélico ? s'écria Maxie, horrifiée.

Elle avait le vertige, se rappela-t-il.

— Tu dois apprendre à me faire confiance, Max.

— Mais j'ai confiance en toi.

— Mais oui, bien sûr, marmonna-t-il.

Il ouvrit la porte de l'engin et aussitôt Mimi bondit à l'intérieur pour s'installer sur le siège arrière, attendant d'un air digne que ses parents prennent place à leur tour.

— Maxie ? l'invita Kyle.

— Quand je pense que tu vivais là, si près de nous, de l'autre côté du canyon, chuchota alors celle-ci, accablée au souvenir de ces jours et de ces nuits de solitude et de désespoir.

— Mais nous sommes réunis aujourd'hui, la

réconforta Kyle. Et je veux faire partie de votre vie, pleinement. Et tout de suite.

Elle lui sourit.

— Mimi a parfaitement compris que j'étais son père, reprit-il en regardant la fillette, sagement assise à bord de l'appareil.

— Oui, je sais…

— Il n'y a plus la moindre raison de perdre encore du temps sous prétexte qu'elle doit se faire à cette idée. Nous formons une famille, désormais, et nous devons vivre comme une famille.

Il déposa un baiser sur son front puis prit place aux commandes de l'appareil.

— Tu viens ? lança-t-il en se penchant vers elle.

Un hélicoptère. L'altitude. Le vertige. Puis il coiffa son casque radio et tendit la main.

— Viens, Max. Fais-moi confiance…

— Allez, maman, C'est chouette, tu verras !

Pétrifiée, poings serrés, elle hésita encore. Sans que ni Kyle ni Mimi ne s'avisent de la brusquer. « Les deux êtres qui te sont le plus chers t'attendent », lui rappela alors une petite voix. Elle fit un pas puis, sans plus tarder, sans plus penser, elle se hissa sur le siège passager.

— Je t'aime depuis toujours, Kyle, et j'ai confiance en tes talents de pilote, dit-elle, déterminée soudain.

— Je suis fier de toi, Max.

— Moi aussi, maman.

— Bien, bien, allons-y ! Décolle tout de suite maintenant, et épouse-moi…

— Oui, épouse-nous, papa…

Emu aux larmes, Kyle se retourna vers sa fille et effleura sa joue, puis il regarda Maxie. Elles étaient toute sa vie. Il respira profondément, saisit le manche et mit les gaz, cabrant l'hélico à l'attaque du précipice qui marquait l'entrée du canyon.

— Ooooh, gémit Maxie à côté de lui.

Il retint un rire, comprenant qu'elle était réellement terrorisée. Mais elle avait fait l'effort de passer outre sa peur. Un quart d'heure plus tard, il posait l'appareil sur la piste aménagée aux abords du ranch. A l'instant où il toucha le sol, Maxie laissa échapper un soupir de soulagement.

— Et maintenant, je vais me dépêcher de publier les bans, au cas où tu changes d'avis, dit-il en coupant le contact.

— Pas cette fois, Kyle, pas cette fois, dit-elle, ses yeux plongés dans les siens.

Il l'attira contre lui et l'embrassa, profondément, intensément.

— Ouh, ouh ! les amoureux…, pouffa une voix rieuse derrière eux.

Kyle et Maxie s'écartèrent l'un de l'autre et se tournèrent vers leur fille.

— Allez, zou, mademoiselle ! lança-t-il en ouvrant la porte de l'hélico. File dans ta chambre maintenant… Tu es punie.

Mimi le regarda puis regarda sa mère.

— Eh bien, dit celle-ci. Tu as entendu ton père.

Sans un mot, Mimi descendit de l'hélico et se dirigea vers la maison, un drôle de petit sourire aux lèvres. Maxie et Kyle la suivirent du regard.

— Kyle ?

— Hmm ?

Elle le dévisagea, promena ses doigts sur son visage. Oh, comme elle aimait cet homme ! Il lui avait tant donné, son amour, un enfant. Il était venu la libérer du passé, de ses terreurs, de ses secrets…

— Merci, chuchota-t-elle.

Il fronça les sourcils.

— De t'aimer ?

— De cela et…

Elle caressa ses lèvres et rajouta :

— De m'avoir sauvée de cette solitude dans laquelle je m'étais enfermée.

— Oh, ma chérie… S'il y en a un qui devait être sauvé, c'était moi. Toi et Mimi m'avez ramené à la vie…

Il se pencha et l'embrassa. Oui, la vie. Comme elle était belle, la vie ! Et comme elle promettait d'être merveilleuse !

Épilogue

Dix ans plus tard

Kyle sortit d'un pas précipité de l'écurie et fixa sa fille aînée en pleine discussion, devant la maison, avec un jeune garçon. Un voyou, à n'en pas douter.

— Kyle chéri ?

Il se tourna vers sa femme et ses trois autres filles qui piétinaient d'impatience.

— Oui, Kyle chéri, qu'est-ce que tu attends ? s'exclama Christa en grimpant sur la clôture.

— Enfin, c'est vrai qu'est-ce que t'attends, papa ? fit mine de s'indigner Brianne en rejoignant sa sœur.

— Enfin, c'est vrai, fit écho Kate, neuf ans, en riant aux éclats.

— Cessez donc de taquiner votre père, les filles ! s'interposa Maxie en venant au côté de Kyle. Mais que regardes-tu ainsi ?

Il baissa les yeux sur elle, sa femme, et sourit en

l'attirant contre lui. Il l'aimait. Chaque jour un peu plus, chaque nuit davantage.

— Qui est ce garçon, avec elle ? demanda-t-il en désignant Mimi d'un signe de tête.

— Le neveu de Jackson.

Perplexe, Kyle fixa l'ado.

— Eh bien, il ne me plaît pas…

Maxie éclata de rire.

— Tu ne le connais même pas.

— Mais je vois bien comment il regarde ma fille, ça me suffit.

— Oooh, quel tyran tu fais !

— M'enfin, Max, regarde-le ! Ce garçon-là, c'est des tas de problèmes en vue, fais-moi confiance…

Maxie prit son visage entre ses mains.

— C'est exactement ce que mon père disait de toi, autrefois.

Kyle croisa son regard et le souvenir de ce père intransigeant et ultraprotecteur lui revint à la mémoire.

— Je m'entends très bien avec ton père.

— Oui, aujourd'hui. Et puis vous êtes tous deux des marines. Avec des idées bien arrêtées sur l'éducation des enfants…

— D'accord, d'accord, la coupa Kyle en glissant un bras autour de sa taille.

Quatre enfants et elle était toujours aussi séduisante, aussi désirable. Dix ans de mariage et il vibrait toujours autant quand elle portait ce jean. Il caressa le plus discrètement qu'il put ses fesses rebondies.

— Oh, Kyle, le gronda-t-elle.

Christa et Brianne rirent doucement, Kate frappa joyeusement des mains.

— Je t'aime, chérie, chuchota Kyle.

— Je t'aime aussi, Kyle.

Ils s'embrassèrent puis il écarta ses lèvres des siennes et tourna la tête en direction de Mimi. Elle tenait le bras de son petit copain et souriait. Lui souriait.

Alors, il hocha doucement la tête et sourit à son tour. A Mimi, à Maxie, à Christa, Brianne et Kate. Aux femmes de sa vie…

SHIRLEY ROGERS

Rêves brûlants

éditions Harlequin

Titre original : BUSINESS AFFAIRS

83/85 boulevard Vincent Auriol 75646 PARIS CEDEX 13.
Service Lectrices — Tél. : 01 45 82 47 47

- 1 -

— Et la gagnante de notre dernier tirage de ce soir pour le célibataire n° 10 est… Jennifer Cardon !

Hourras, cris et applaudissements retentirent dans la salle.

A l'énoncé de son nom, Jennifer fixa la maîtresse de cérémonie, bouche bée.

Elle avait gagné ? Oh, mon Dieu !

Cherchant sa respiration, elle commença alors à appréhender les conséquences de son acte insensé.

La fête de charité se déroulait dans un hôtel somptueux situé au bord de l'*Elizabeth River*, dans le centre de Norfolk.

Depuis qu'elle avait accepté d'assister avec Casey McDaniel, sa meilleure amie, à cette vente aux enchères de quelques-uns des célibataires les plus en vue de la ville, elle s'interrogeait sur sa santé mentale. Maintenant qu'elle avait gagné, le doute n'était plus permis : elle était bel et bien folle.

Elle venait véritablement de s'offrir un rendez-vous galant avec un homme !

Un homme qu'elle ne connaissait ni d'Eve ni d'Adam, un parfait étranger !

Lorsque le vacarme ambiant se fut un peu calmé, elle serra les dents et foudroya son amie du regard.

— Je vais te tuer, Casey.

En son for intérieur, elle regrettait les trois coupes de champagne consommées au cours de la soirée. Elle n'était pas une grande buveuse et, ajouté à l'insistance de Casey, c'est l'alcool absorbé qui l'avait conduite à cet instant ridicule.

— Me tuer ? Tu plaisantes ! C'est la meilleure chose qui pouvait t'arriver, rétorqua Casey, un large sourire retroussant ses lèvres pulpeuses. Toutes mes félicitations ! C'est fantastique !

— Je ne parviens pas à croire que j'aie pu te laisser m'entraîner dans cette histoire. Que j'aie pu te laisser me convaincre de faire monter les enchères.

— Celle qui veut un bébé, c'est toi, lui rappela sans ménagement son amie.

Jennifer fit la grimace. Il était exact qu'elle avait très envie d'un bébé.

C'était même devenu une obsession. Son trentième anniversaire approchant à grands pas, son horloge biologique tournait et le temps lui était compté. Mais sans personne pour partager sa vie et aucun homme ne se profilant à l'horizon, ses chances d'avoir un enfant étaient pratiquement nulles. Désespérée, elle avait commencé à se renseigner sur les banques de sperme et l'insémination artificielle. Mise au courant de ses projets, Casey lui avait suggéré d'avoir une brève aventure avec un inconnu. Celui-ci lui ferait à son insu cet enfant qu'elle désirait tant.

Pour bizarre que soit cette idée, elle lui avait donné à réfléchir. Au contraire de Casey, qui était un peu fofolle et peu farouche, elle ne se voyait pas faire quelque chose d'aussi irresponsable. Mais elle s'était surprise à fantasmer sur cette vente aux enchères de célibataires. Ce serait l'occasion idéale pour rencontrer quelqu'un, un homme dont elle pourrait s'éprendre. Peut-être un homme qui lui ferait ce bébé après lequel elle soupirait…

— Mais pas avec un *étranger* !

— Eh bien, s'envoyer en l'air avec un inconnu, c'est mieux que d'aller consulter dans une clinique aseptisée ainsi que tu l'avais projeté, la taquina son amie.

— Ce n'est pas drôle. Qu'adviendra-t-il, au bureau, si l'on découvre ce que j'ai fait ?

Si la nouvelle filtrait qu'elle avait payé plus de mille dollars pour un rendez-vous galant, elle serait montrée du doigt. Et peu importait qu'elle l'eût fait pour une œuvre de charité. Que l'argent fût destiné à une bonne cause n'empêcherait pas les gens de cancaner à son sujet.

— Amuse-toi, Jennifer. Et lâche-toi. Peut-être que ce type se révélera être l'homme de tes rêves ?

— Ben voyons, rétorqua-t-elle d'une voix presque rageuse.

C'était impossible, ça, elle le savait. Par exemple,

Alex Dunnigan, son patron et le directeur général de *Com-Tec*, la société informatique prospère où elle travaillait, n'appréciait *que* ses compétences professionnelles. Depuis cinq ans qu'elle travaillait avec lui, pas une seule fois il ne l'avait regardée comme un homme l'eût fait d'une femme désirable.

— S'il vous plaît, Jennifer, venez rejoindre les autres heureuses gagnantes sur la scène.

S'affaissant sur sa chaise, Jennifer se cacha le visage dans les mains.

— Oh ! non, ce n'est pas possible !

Casey éclata de rire.

— On t'appelle, Jennifer. Il faut que tu y ailles. Tout de suite !

— Je ne peux pas !

Elle laissa retomber ses mains et regarda son amie d'un air suppliant.

— Prends ma place, Casey ! *Je t'en prie !*

— Jennifer !

Casey lui attrapa le poignet et l'obligea à se mettre debout.

— On t'attend !

Le bruit ambiant s'amplifia encore lorsque Jennifer se leva. Les joues empourprées, elle balaya la foule du regard. L'euphorie qui régnait dans la salle de bal était incroyable. Les femmes poussaient des vivats et applaudissaient, le visage rouge d'excitation.

Elle sentit ses jambes flageoler et agrippa le bord de la table pour ne pas tomber.

— Vas-y ! intima Casey en lui donnant une bourrade.

— Très bien ! riposta-t-elle d'un ton sec avant d'écarter les mains de son amie.

Surgie de nulle part, la lumière d'un projecteur se posa alors sur elle et la suivit tandis qu'elle circulait entre les tables en direction de l'extrémité de l'immense et splendide salle de bal.

Les pommettes brûlantes, elle pria pour que le sol s'ouvre sous ses pieds et l'engloutisse et ralentit à l'approche de la scène. Si seulement elle pouvait revenir en arrière, au début de la soirée…

La maîtresse de cérémonie, une femme à la quarantaine séduisante, lui sourit.

Voilà ce qu'il en coûtait de vouloir rendre service ! songea Jennifer en lissant machinalement le lamé doré de sa robe du soir. Elle chercha des yeux Mary Davis, la tante de son patron, la charmante vieille dame qui l'avait convaincue de venir.

Elle avait été incapable de refuser lorsque celle-ci lui avait demandé d'assister à la soirée de charité et d'y apporter son soutien financier. Il fallait absolument qu'elle lui explique que toute cette histoire tournait au ridicule.

Elle frémit intérieurement à la pensée qu'Alex serait mis au courant.

Car il y avait fort à parier que sa tante lui relaterait l'épisode. Devoir lutter contre l'attirance qu'elle éprouvait pour un homme n'ayant jamais montré le moindre signe d'intérêt pour elle était déjà assez difficile comme cela, sans avoir de surcroît à subir ses sarcasmes et ceux des autres employés de la société... En vérité, mieux valait pour elle que leurs rapports fussent platoniques. Au vu du passé amoureux d'Alex, son cœur d'artichaut ne pourrait que souffrir avec lui. Alex Dunnigan ne croyait pas aux relations durables, et elle ne supporterait pas de n'être qu'un trophée de plus à son tableau de chasse.

Alors qu'elle arrivait au pied des marches, ses jambes se mirent à trembler. Elle aurait trébuché et serait tombée si un bras secourable ne s'était tendu dans sa direction et ne l'avait aidée à les monter. Celui d'un jeune homme qui devait avoir vingt-sept ou vingt-huit ans — l'âge de son frère — et qui lui adressa un large sourire accompagné d'un clin d'œil.

Les joues cramoisies, elle alla prendre place à côté des neuf autres femmes déjà sur la scène en gémissant intérieurement.

Mary Davis n'était visible nulle part. Super. Pour l'instant, elle était condamnée à endurer jusqu'au bout ce qui devenait pour elle un véritable supplice.

Le cœur battant à tout rompre, elle s'aligna avec les autres, et, un sourire de commande aux lèvres, fit de son mieux pour donner l'impression qu'elle était heureuse d'être là.

D'une façon ou d'une autre, et pour pénibles que

soient les quelques minutes à venir, elle tiendrait le coup. Ensuite de quoi, elle se mettrait en quête de Mary Davis et trouverait un moyen de se sortir de ce pétrin. Elle n'aurait qu'à remercier la vieille dame et faire directement don du montant de son enchère à la fondation caritative, et puis déclarer poliment qu'elle renonçait au rendez-vous galant qu'elle avait gagné. Et le tour serait joué !

— Très bien, mesdames. Le moment est arrivé de découvrir celui que le sort vous a destiné ! annonça la maîtresse de cérémonie d'une voix vibrante d'excitation.

A ces mots, l'assistance manifesta son enthousiasme avec force cris et tapements de pieds.

Elle leva la main pour réclamer le silence.

— Parfait, poursuivit-elle quand le calme fut revenu. Non, ne vous retournez pas, ajouta-t-elle comme deux femmes commençaient à pivoter sur elles-mêmes. Pas encore. Nous allons faire entrer vos chevaliers servants et placer chacun d'entre eux derrière sa chacune. Ils auront les yeux bandés et ne pourront donc pas vous voir non plus. A mon signal, vous vous retournerez et leur ôterez leur bandeau.

Jennifer entendit des bruits de pas traverser le parquet de bois, et sa respiration s'altéra lorsqu'elle perçut une présence derrière elle.

Des applaudissements crépitèrent et des rires fusèrent.

Tout ceci était d'un ridicule ! Et d'abord, quel

homme fallait-il être pour accepter de faire ainsi l'objet d'une vente aux enchères ?

Elle s'empourpra plus encore. Elle ne se berçait guère d'illusions quant à ce que devait penser d'elle l'homme qu'elle avait « gagné ». Nul doute qu'il devait avoir d'elle une bien piètre opinion. Après tout, c'était *elle* qui s'était offert une soirée avec lui.

Résignée, elle s'obligea à inspirer et expirer à fond. Alors qu'elle répétait l'exercice, une fragrance épicée vint lui chatouiller les narines.

Dieu, que l'homme que le tirage au sort lui avait dévolu sentait bon ! Merveilleusement bon.

Aussi bon que…

Elle plissa le nez. Non, c'était ridicule. Aucun des hommes de son entourage ne se prêterait à une telle mascarade. Et, cependant, l'odeur de cette eau de toilette lui était familière. C'était celle de…

Tout à ses réminiscences olfactives, elle n'entendit pas le signal de la maîtresse de cérémonie. Elle ne se retourna que parce qu'elle vit les autres femmes le faire — et se figea.

Alex !

Elle avait du mal à en croire ses yeux. Son patron se tenait devant elle, son grand corps musculeux sanglé dans un smoking noir à la coupe impeccable.

Oubliant le bandeau qui lui couvrait les yeux, elle laissa errer son regard sur les épais cheveux bruns qui encadraient son beau visage aux traits finement ciselés. Ses lèvres pleines esquissaient un sourire, mais la veine qui palpitait au creux de son cou était une indication de ce qu'il ressentait vraiment. Quelqu'un d'autre qu'elle aurait pensé qu'il s'amusait. Mais elle connaissait trop bien Alex. Il n'appréciait pas du tout d'être là.

Elle imaginait combien il serait gêné lorsqu'il découvrirait l'identité de la femme qui l'avait gagné. Eh bien, ils seraient deux !

Elle en fut un peu rassérénée. Si, comme elle, Alex regrettait de s'être laissé embarquer dans cette galère, il aurait à cœur de les en sortir. Que le sort les ait réunis était finalement une bénédiction. A eux deux, ce serait bien le diable s'ils ne trouvaient pas un moyen de s'extirper de ce guêpier.

Le regard de Jennifer descendit vers le torse large, les hanches étroites, puis remonta se poser sur le visage viril, et son rythme cardiaque s'accéléra. L'homme irradiait la sensualité. Des pieds à la tête. A défaut d'autre chose, elle devait un grand merci à Mary de lui avoir permis de reluquer Alex à son insu.

— On dirait que notre dernière gagnante est un tantinet timide, fit observer la maîtresse de cérémonie, déclenchant l'hilarité générale. Tout le monde attend que vous découvriez le visage de votre cavalier, ma chère.

Jennifer eut envie de rentrer sous terre lorsqu'elle s'avisa que, des dix hommes présents, Alex était le seul à avoir encore les yeux bandés. Consciente que l'heure n'était plus aux tergiversations, elle s'approcha de lui et, les doigts tremblants, entreprit de dénouer le bandeau.

— Jennifer ?

Avant que le bandeau ne tombe Alex avait reconnu la capiteuse senteur de sa plus proche collaboratrice à la seconde où l'homme qui les plaçait l'avait fait s'immobiliser derrière elle, mais il avait supposé qu'il s'agissait de quelqu'un portant le même parfum que la vice-présidente de sa société. Jamais, au grand jamais, il ne lui était venu à l'esprit que cette femme pût effectivement être Jennifer.

Il ne s'en plaindrait cependant pas.

Elle était splendide. La robe du soir en lamé or soulignait la minceur de sa silhouette, et le décolleté plongeant dévoilait une gorge en apparence parfaite. Une vague de chaleur le submergea, enflammant la partie basse de son anatomie.

— Bonsoir, dit-il en lui prenant les mains.

Jennifer le regarda droit dans les yeux.

— Je n'arrive pas à croire que vous soyez l'homme pour lequel j'ai surenchéri !

Les mains de la jeune femme toujours dans les siennes, Alex ébaucha un sourire. Au soulagement momentané qu'il avait éprouvé à la découverte de l'identité de sa partenaire succédait un sentiment d'euphorie.

Cette sortie ressemblait bien à Jennifer !

Sa Jennifer !

N'osant croire à sa bonne fortune, il regarda autour d'eux.

Chacun des neuf autres célibataires en lice se tenait à côté de son enchérisseuse. Donc, il ne rêvait pas ! C'était bien à Jennifer qu'il revenait, c'était bien lui qu'elle avait gagné.

Il reporta son regard sur elle et réalisa qu'elle lui parlait.

— Que disiez-vous ? cria-t-il, essayant de couvrir le brouhaha de la salle.

Jennifer se pencha vers lui, assez pour que l'odeur conjuguée de sa peau et de son eau de toilette mette ses sens en émoi.

— Que faites-vous ici ? demanda-t-elle, haussant le ton pour se faire entendre.

— Je le dois à ma tante, évidemment. C'est elle qui m'a embringué dans cette histoire.

Les yeux rivés sur Jennifer, le cerveau d'Alex passa en mode logique.

Plus d'une heure durant, alors qu'il arpentait la pièce dans laquelle on les avait enfermés, les autres célibataires et lui, il s'était demandé comment il avait pu laisser cette chipie de Mary le persuader de faire quelque chose d'aussi dingue. Bien qu'il dirigeât de main de maître une entreprise comptant parmi les cinq cents plus rentables du pays, il était dans l'incapacité totale de refuser quoi que ce fût à sa tante préférée.

Eh bien, il n'aurait pu rêver meilleure conclusion. Avec un peu de chance, Jennifer accepterait de n'en souffler mot à personne. Du moins cela lui éviterait-il d'être la risée de ses employés.

Jennifer cilla.

Aïe ! avait-il dit quelque chose de maladroit ?

— J'ignorais que vous deviez être des nôtres ce soir, ajouta-t-il précipitamment.

Jennifer essaya de libérer ses mains, mais il les tenait bien.

— Je m'en serais bien passée, croyez-moi. Je, euh, ne suis venue que pour faire plaisir à votre tante.

— Je vois, dit-il.

Mais, en réalité, il ne comprenait pas. Elle était la dernière personne qu'il aurait cru capable de faire ainsi monter les enchères pour s'offrir un rendez-vous galant avec un représentant du sexe opposé.

Malgré son mètre quatre-vingt-cinq, il ne la dépassait que d'une dizaine de centimètres. La masse sombre de ses cheveux, relevés en un chignon lâche sur le sommet de sa tête, découvrait un cou des plus graciles. Bien qu'il ait un faible pour les femmes aux formes voluptueuses, sa silhouette élancée moulée dans ce fourreau lamé le troublait. Et le décolleté généreux de sa robe n'était pas fait pour arranger les choses.

Des fourmillements le parcoururent de part en part.

Jennifer se mordit la lèvre.

Super. Elle ne s'était donc pas trompée. Comme elle, Alex aurait préféré être ailleurs. C'était tout aussi bien, parce que, étant donné qu'elle était déjà attirée par lui, elle ne pouvait sûrement pas abuser de la situation, n'est-ce pas ?

— Ce n'est pas ce que vous croyez, reprit-elle, ne voulant pas qu'il ait l'impression qu'elle en était réduite, pour qu'un homme l'invite, à payer ses services.

Alex sourit, et une petite fossette creusa sa joue gauche.

— Non ?

— Je n'avais absolument pas l'intention de prendre part aux enchères.

Oui, mais la pensée de sortir avec Alex était terriblement tentante. Beaucoup trop…

En même temps, elle connaissait sa répugnance à s'engager. Le nombre impressionnant des femmes qui avaient traversé plus ou moins brièvement sa vie témoignait de son goût marqué pour le célibat. Elle serait stupide de perdre son temps à espérer que l'attirance qu'elle éprouvait pour lui puisse déboucher sur quelque chose.

Non, le mieux était de le renvoyer au plus tôt à son papillonnage.

— Vraiment ?

— Oui.

Elle voyait bien qu'il ne la croyait qu'à moitié.

Se retournant, elle fouilla l'assistance du regard et finit par localiser son amie.

— Regardez là-bas, c'est Casey.

Tout sourires, la jeune femme leur adressa un petit signe de la main. Casey avait rencontré Alex à maintes reprises et n'ignorait rien de l'engouement de Jennifer pour son patron. Les voir ensemble sur la scène devait la combler d'aise.

— Vous vous souvenez d'elle, n'est-ce pas ?

Parvenant à libérer l'une de ses mains de la poigne d'Alex, Jennifer pointa un doigt dans sa direction.

— C'est elle qui est à l'origine de tout. Je veux dire…

Elle laissa sa phrase en suspens.

Comment expliquer pourquoi elle avait couru le risque de s'offrir un rendez-vous avec un inconnu ? Casey savait à quel point elle désirait un bébé, mais elle ne se voyait pas l'avouer à qui que ce fût d'autre — et certainement pas à Alex.

— Nous nous sommes en quelque sorte laissé prendre au jeu. Elle aussi a misé, mais quelqu'un a surenchéri sur elle.

Si ce n'était pas l'exacte vérité, du moins n'était-ce pas non plus un mensonge.

Alex fronça les sourcils.

— Oh. Qu'est-ce que c'est censé vouloir dire ? demanda-t-il. Que vous êtes déçue de vous retrouver avec moi ?

— Ecoutez, je ne pense pas que sortir ensemble soit une bonne idée, s'empressa-t-elle d'ajouter avant que la situation ne lui échappe complètement.

— Pourquoi ? s'enquit-il, apparemment un peu contrarié. Si le sort vous avait attribué l'un des neuf autres participants, vous auriez accepté, exact ?

— Peut-être, admit-elle à contrecœur, mais…

— Dans ce cas, quel mal y a-t-il à profiter de l'occasion qui nous est donnée de prendre un peu de bon temps ensemble, Jennifer ?

— Nous travaillons ensemble, Alex.

Réponse pertinente, songea Alex. Leurs rapports professionnels devaient primer. Il l'avait engagée parce qu'elle avait été employée dans quelques-unes des plus prestigieuses sociétés informatiques. Lors de son entretien d'embauche, il avait admiré son ambition, et plus encore son sens de l'intégrité.

Et elle s'était montrée à la hauteur de ses espérances. Mieux, elle les avait dépassées. Comme lui, elle était un bourreau de travail, et les résultats qu'elle obtenait étaient excellents. Il l'avait chargée de s'occuper de certains de ses clients les plus difficiles, et tous avaient été conquis. Son sang-froid, sa patience et son attention de tous les instants faisaient merveille.

— Ce n'est qu'un simple rendez-vous, Jennifer.

Avant qu'elle ait pu répondre, l'euphorie générale monta d'un cran et des cris se firent entendre.

— Un baiser ! Un baiser ! Un baiser !

Plusieurs couples s'exécutèrent sur-le-champ, à la grande joie de la foule à présent en délire.

Alex regarda autour de lui, vit leur réaction, puis se retourna vers Jennifer et sa bouche pulpeuse.

Il y avait des mois qu'il avait envie de connaître la saveur de ses lèvres. Ce soir, le destin lui en fournissait l'occasion.

— Un baiser ! Un baiser ! Un baiser !

L'attention de la foule semblait centrée sur eux, et il comprit soudain pourquoi : ils étaient le seul couple à ne *pas* s'être encore embrassés.

Attirant Jennifer à lui, il glissa un bras autour de sa taille cependant que, de sa main libre, il lui relevait le menton.

Elle le fixa, les yeux brillants.

Il s'était souvent imaginé en train de l'embrasser, mais aucun de ses fantasmes n'était comparable à cet instant exquis. Son impatience allant croissant, il se pencha vers elle.

— Alex, murmura-t-elle comme sa bouche n'était plus qu'à quelques millimètres de la sienne.

— Chut, intima-t-il sur le même ton avant de prendre ses lèvres.

L'assistance qui n'attendait que cela laissa alors éclater sa joie, et un tonnerre d'applaudissements assourdissants s'ensuivit, mais il n'avait conscience que de la douceur veloutée des lèvres de Jennifer sous les siennes.

Jamais, au grand jamais, il n'aurait imaginé qu'elle aurait cette saveur, que leur baiser serait à ce point merveilleux, parfait.

Ses mains fines se posèrent sur ses bras et s'y cramponnèrent, comme si elle avait besoin de se tenir à lui pour ne pas perdre l'équilibre. Ses lèvres s'entrouvrirent légèrement, et il sentit plus qu'il ne l'entendit son gémissement de plaisir.

Un désir inexorable monta en lui lorsque leurs langues se touchèrent, timidement d'abord puis avec plus d'assurance. Elle était douce, séduisante, et il resserra son étreinte, ce qui eut pour effet de lui provoquer une érection.

Stupéfait de sa réaction au seul contact de son corps élancé contre le sien, il poussa un grognement et rompit le baiser. Leurs regards se croisèrent et il inspira à fond, histoire d'essayer de recouvrer son souffle.

Que leur arrivait-il ?

Jennifer le regardait fixement, les yeux ronds comme des soucoupes, les lèvres encore humides de leur baiser. De *son* baiser.

Il lutta contre l'envie irrépressible de l'enlacer de nouveau et de l'embrasser à perdre haleine. L'attraction qu'elle exerçait sur lui s'était encore accrue, mais il parvint à refréner ses ardeurs.

Dieu sait pourtant que la faim qu'il avait d'elle n'était pas assouvie, loin s'en fallait. Bon sang. Quelques minutes allaient lui être nécessaires pour recouvrer un semblant de sang-froid. Il n'était même pas certain d'être capable de marcher.

Troublé, il demeura immobile, littéralement cloué sur place. Pour la première fois depuis leur rencontre, il était tenté de jeter toute prudence aux orties et de poursuivre Jennifer de ses assiduités comme il l'eût fait de n'importe quelle autre femme éveillant sa convoitise,.

Non. Si forte que soit son envie de la posséder, il

ne pouvait ignorer la pensée qui s'insinuait dans son esprit : il la ferait souffrir.

Il n'était pas le genre d'homme à se ranger. Il avait appris à ses dépens que mariage et engagement n'étaient que des mots vides de sens, des mots prononcés par deux êtres n'éprouvant l'un pour l'autre que du désir.

Ses propres parents en étaient l'illustration parfaite. Leurs douze années de vie commune s'étaient terminées par un divorce saignant. Jacqueline Dunnigan avait réclamé la quasi-totalité de ce que son père avait mis une vie entière à gagner, y compris l'imposante demeure familiale, la Mercedes et sa part de leur petite société informatique.

La seule chose dont elle n'avait pas voulu, c'était son fils.

Cela lui avait pris des années, mais il avait fini par se remettre de l'abandon maternel. Il s'était alors fait le serment de ne jamais laisser aucune femme, quelle qu'elle fût, avoir barre sur lui.

Embrasser Jennifer avait été une expérience stupéfiante. Maintenant qu'il avait goûté à la douceur de ses lèvres, il avait encore plus envie de lui faire l'amour. Mais il savait que, comme toujours, son engouement ne serait qu'un feu de paille. Il aimait les femmes, mais aucune de ses conquêtes, qui se comptaient pourtant par dizaines, n'avait jamais su retenir son intérêt très longtemps. Aucune.

Jennifer y parviendrait-elle ? Qui sait ?

Mais il ne voulait pas la faire souffrir. Et il n'était

pas question qu'il coure le risque de gâcher leurs relations professionnelles.

La maîtresse de cérémonie salua l'assistance, puis un grand rideau noir descendit lentement des cintres, isolant les dix couples toujours sur la scène du brouhaha de la salle.

« Super, le timing », songea Jennifer avec un petit frisson.

Qu'était-elle supposée dire à Alex, après la façon dont elle l'avait embrassé ? Que c'était juste pour la galerie ? Ouais, comme s'il allait croire qu'elle n'avait pas été affectée par leur baiser ! Si elle savait que l'embrasser serait merveilleux, elle n'aurait jamais imaginé, même dans ses rêves les plus fous, que ce serait aussi sensationnel. Aussi divin.

— Eh bien voilà ! déclara-t-elle, faisant un effort pour garder un ton neutre, en reculant d'un pas.

— Notre… prestation a dû leur donner satisfaction, répondit Alex d'une voix rauque.

— Oui.

Jennifer sentit son cœur se serrer. Elle ne s'était donc pas trompée. Pour plaire à l'assistance, il avait joué son rôle avec conviction, et à fond. Apparemment, il n'y avait qu'à elle que leur baiser avait fait de l'effet.

— Vous savez, reprit-elle, plongeant son regard dans le sien, je n'aurais pu rêver meilleure conclusion à toute cette histoire.

Alex la dévisagea.

— Que voulez-vous dire ?

— Eh bien, je ne voulais pas vraiment venir ce soir. Dans mon souci d'aider l'œuvre caritative de votre tante, et entraînée par Casey, je me suis en quelque sorte emballée en ce qui concerne ces enchères. Aussi, restons-en là et oublions le rendez-vous.

— En rester là ?

Alex fronça les sourcils. Il ne s'était pas attendu à une telle suggestion de la part de Jennifer. Mais il aurait dû. Il était probable qu'il l'avait effrayée lorsqu'il l'avait embrassée. Lui-même l'avait été par la réaction qu'il avait eue au seul fait de la tenir dans ses bras.

— Eh bien, oui. Je veux dire, vu les circonstances, je n'escompte pas que vous honoriez votre promesse.

— Vous avez gagné, non ? demanda-t-il, déconcerté qu'elle puisse aussi facilement l'éconduire.

— Certes, mais, Alex, entre vous et moi ce n'est pas possible.

Il n'aimait pas la façon dont elle avait dit cela, comme si l'idée de sortir avec lui lui répugnait. Il avait perçu ses frissons. A moins qu'elle ne fût une actrice consommée, il ne la laissait pas insensible.

— Vous avez offert une importante somme d'argent…

Il attendait dans une loge insonorisée lorsqu'il avait appris le montant de l'enchère et il en avait été abasourdi.

— Et j'ai pris un engagement envers ma tante et son

association, reprit-il. Je ne peux pas me défiler. Par ailleurs, ma tante serait horriblement vexée.

— Mais elle comprendra sûrement lorsqu'elle réalisera que vous m'avez été attribué.

— Quelle différence cela fait-il ?

— Nous travaillons ensemble !

— Et alors ? Je ne vois pas où est le problème. Il ne s'agit probablement que d'un dîner ou de quelque chose comme ça. Nous ferons en sorte que cela reste simple, ajouta Alex, essayant de réprimer son envie croissante d'embrasser de nouveau la jeune femme qui lui faisait face.

Jennifer croisa les bras pour cacher le tremblement de ses mains. Simple pour lui, mais pas pour elle, songea-t-elle.

Détournant les yeux, elle réfléchit à la situation. Bien sûr, sortir avec elle ne signifiait pas grand-chose pour Alex. Elle lui était indifférente. Mais lui, il l'attirait, et elle découvrait qu'elle avait de plus en plus de mal à juguler cette force qui la poussait vers lui. Et depuis qu'elle l'avait embrassé, eh bien, elle ne pensait qu'à une chose : recommencer.

Simple ? Non, c'était tout sauf simple.

Mais une sortie avec Alex ne pourrait-elle pas déboucher sur autre chose ? Pourrait-elle coucher avec lui, voire, qui sait, tomber enceinte de ses œuvres ?

Elle lui coula un regard à la dérobée et son cœur fit

un bond dans sa poitrine. Elle s'humecta les lèvres, et eut l'impression de sentir encore sa bouche sur la sienne, de sentir encore la chaleur de son baiser la traverser de part en part.

Sa conscience la taraudait, mais la tentation de le séduire se fit plus forte. Ce serait trop bête de ne pas essayer.

Pourtant, si elle décidait d'accepter de sortir avec lui, ne risquait-elle pas de commettre une erreur plus grande encore ? La plus grosse de son existence ?

- 2 -

— Jennifer ?

Au son de la voix d'Alex, Jennifer réalisa qu'il était en train de lui parler.

— Excusez-moi, j'avais la tête ailleurs. Euh, que disiez-vous ?

— Il ne s'agit pas d'un engagement à long terme.

Il allait poursuivre lorsque Mary Davis les rejoignit, un sourire radieux illuminant son visage parcheminé.

— Quel beau couple vous formez ! dit-elle, visiblement tout excitée. Etonnant comme le hasard fait parfois bien les choses, n'est-ce pas ?

Alex la foudroya du regard.

— J'ose espérer que vous ne lui avez pas donné un coup de pouce, tante Mary.

Mary prit un air offensé.

— Ne sois pas ridicule, Alex. Outre que je ne vois pas comment je m'y serais prise, tu me connais assez pour savoir que piper les dés n'a jamais été mon genre. Je suis la probité incarnée.

— Madame Davis, cela ne peut tout simplement

pas marcher, déclara Jennifer avec fermeté. Alex et moi travaillons ensemble.

— Qu'est-ce que cela peut faire ? interrogea la vieille dame, surprise.

— Jennifer croit qu'il serait déplacé de notre part de sortir ensemble, expliqua Alex sur un ton qui disait assez qu'il n'était pas totalement de cet avis.

Le regard de Mary alla de l'un à l'autre.

— Même en amis ? s'enquit-elle, perplexe.

Jennifer fronça les sourcils. Présenté ainsi, cela semblait raisonnable.

Elle essaya une autre tactique.

— Nous sommes débordés. Nous absenter en même temps est difficilement envisageable, pour ne pas dire impossible.

— Tellement débordés que vous ne pouvez pas lever un peu le pied ? insista Mme Davis avant de se retourner vers Alex. Tu es d'accord ? Vous êtes à ce point indispensables que l'on ne puisse pas se passer de vous un instant ?

Alex tira sur le col empesé de sa chemise.

— Comme le dit l'adage, les cimetières sont remplis de gens qui se croyaient indispensables. Il va de soi que nous pouvons nous libérer un peu.

— Ce n'est pas uniquement…

— Parfait, interrompit Mary, balayant d'un geste de la main le prétexte que s'apprêtait à invoquer Jennifer. Par ailleurs, la station de radio qui nous a aidés à organiser la vente aux enchères fait don d'un millier de dollars à chacun des couples gagnants à condition qu'ils jouent le jeu jusqu'au bout. En fait, je pense que les dirigeants de la station espèrent se voir accorder des interviews qui leur feront de la publicité, mais leurs dons signifient davantage d'argent pour l'hôpital pour enfants.

« Oh, génial », songea Jennifer, mal à l'aise. Si elle ne sortait pas avec Alex, ce serait elle que l'on tiendrait pour responsable du manque à gagner pour l'hôpital.

Le moral en berne, elle fit néanmoins une ultime tentative.

— Je suis sûre que vous avez prévu quelque chose de spécial, et jc ne veux certainement pas priver l'hôpital de ma contribution.

— Bien. Vous êtes tous les deux adultes, conclut Mary. Nul doute que vous pouvez passer quelques heures en compagnie l'un de l'autre. Vous le faites bien tous les jours au bureau ! Cette fois, le décor sera plus agréable.

Alex se tourna vers Jennifer.

— Je ne veux pas vous forcer la main, Jennifer, vous êtes tout à fait libre de vous désister, mais j'y mets une condition : si vous le faites, c'est moi qui débourserai l'intégralité de la somme que vous avez promise à l'œuvre caritative.

— Me désister ?

Contrariée, elle lui lança un regard noir.

— Je peux honorer cet engagement, lâcha-t-elle sans réfléchir.

— Formidable. Tout est donc réglé, dit Mary avec un sourire chaleureux.

— Que suppose ce rendez-vous ? demanda Alex à sa tante. Qu'attend-on de nous ?

— Ce sera différent pour chacun des dix couples. Vous allez recevoir une enveloppe contenant vos consignes. Certains détails de dernière minute sont encore à peaufiner, mais ne vous inquiétez pas, je ferai en sorte qu'elle soit sur votre bureau lundi matin. Merci à tous les deux d'avoir participé à cet événement. Cela a été une réussite !

Là-dessus, la vieille dame tourna les talons et s'éloigna sans laisser le temps à Jennifer de réagir. Mais qu'aurait-elle pu dire ? Elle était coincée.

Se mordillant la lèvre, elle regarda Alex et exhala un soupir.

— Nous voilà donc condamnés à nous supporter.

— Cachez mieux votre joie, riposta-t-il, maussade.

— Excusez-moi. Ce n'est pas que je n'apprécie pas votre compagnie.

— Je suis soulagé de l'apprendre ! Votre obstination à ne pas vouloir sortir avec moi finit par me donner l'impression désagréable d'être atteint de quelque maladie honteuse.

Jennifer ne put réprimer un petit rire.

— Telle n'était pas mon intention.

— Eh bien, j'en suis heureux, dit-il, un peu plus détendu. Mon amour-propre vient de passer un mauvais quart d'heure.

— Ça, je veux bien le croire.

Surtout lorsque, comme Alex, on avait l'habitude de voir toutes les femmes à ses pieds.

Celui-ci balaya la scène vide du regard. Les autres couples étaient partis.

— Avez-vous besoin d'un chauffeur ?

— Non, répondit vivement Jennifer. Casey m'attend.

Elle avait hâte de s'en aller pour réfléchir au pétrin dans lequel elle s'était elle-même fourrée.

— Vous êtes venue avec elle ?

Elle hocha la tête.

— Et elle ne serait pas partie sans moi.

Mais quand ils arrivèrent à la table que Casey et elle avaient occupée, son amie avait disparu. La veste et le sac de Jennifer étaient abandonnés sur la chaise.

Jennifer ne parvenait pas à croire que son amie l'avait laissée en plan. Elle jeta un coup d'œil à Alex et sentit son cœur s'emballer. Si elle voulait juguler l'effet qu'il avait sur elle, elle allait devoir trouver un moyen de se soustraire à leurs sorties.

— Je ne vois pas Casey, dit Alex en regardant autour d'eux.

— Moi non plus.

S'emparant de la veste, Alex la lui posa sur les épaules.

— Venez, je vous raccompagne.

— Je peux appeler un taxi, rétorqua-t-elle en prenant son sac.

— Ne soyez pas ridicule, dit Alex tout en lui décochant un regard empreint de frustration.

Résignée, elle le suivit jusqu'à sa voiture et, une fois dans la luxueuse berline, lui donna l'adresse de son appartement de Virginia Beach.

Se faire reconduire par Alex Dunnigan au petit matin était, et depuis longtemps, l'un de ses souhaits les plus chers. Seulement, dans ses rêves, ils finissaient la nuit dans les bras l'un de l'autre. Ses pensées la ramenèrent à toutes les sensations merveilleuses qu'elle avait éprouvées lorsqu'il l'avait embrassée un peu plus tôt dans la soirée.

« Arrête ça tout de suite ! » s'admonesta-t-elle. Alex ne s'intéressait pas à elle en tant que femme. D'accord, il l'avait embrassée avec fougue sur la scène, mais comme il l'avait reconnu après coup, ce n'avait été que pour la galerie.

— Je me demande où cette histoire va nous mener, dit-elle pour meubler le silence alors qu'ils quittaient le parking.

Non que cela ait vraiment d'importance. De toute façon, elle allait trouver un moyen de se sortir de cet imbroglio.

— Vous savez comment se passe ce genre de choses, lui répondit Alex. Ce n'est rien d'autre que du battage publicitaire. Probablement serons-nous conviés à dîner dans un restaurant à la mode et peut-être aurons-nous des billets pour aller au théâtre.

En ce qui le concernait, cela lui était égal. Tout ce qu'il voulait, c'était être seul avec elle, même si ces quelques instants privilégiés qu'ils s'apprêtaient à vivre ne débouchaient sur rien.

Au fil des mois, il s'était appliqué à ce que ses rapports avec Jennifer Cardon demeurent professionnels et uniquement professionnels. Or, il s'avisait aujourd'hui que, sur le plan personnel, il ignorait pratiquement tout d'elle.

Son refus de sortir avec lui tenait peut-être au fait qu'il y avait un homme dans sa vie ? Mais, dans l'affirmative, pourquoi se serait-elle « offert » un célibataire ?

— Vous n'avez pas de petit ami ?

La tête de Jennifer pivota vers lui.

— Quoi ?

— Je me demandais si un petit ami n'était pas l'explication à votre obstination à m'écarter.

— Non, je croirais plutôt que la faute en incombe au champagne. Les trois coupes que j'ai bues ont dû me monter à la tête, confessa-t-elle avec un petit rire nerveux.

— Ah…

Il réfléchit quelques secondes à ce qu'impliquait sa remarque.

— Donc, vous n'avez pas de petit ami ? répéta-t-il, voulant s'assurer que lorsqu'ils sortiraient ensemble, fût-ce une seule et unique fois, il ne marcherait pas sur les plates-bandes de quelqu'un.

— Euh, non, avoua Jennifer du bout des lèvres.

Alex quitta l'autoroute, songeur.

La réponse de Jennifer lui faisait plaisir, plus qu'elle ne l'aurait dû. Il savait que quelques mois plus tôt il y avait un homme dans sa vie. Il se demandait ce qui s'était passé entre eux. Mais comme elle ne semblait pas disposée à en parler et que cela ne le regardait en rien, autant ne pas la presser de questions.

Inutile d'entrer dans les détails, décida Jennifer, fixant la route devant elle. Moins Alex en saurait sur sa vie sentimentale ou plus exactement sur l'inexistence de sa vie sentimentale, mieux ce serait. Aucune de ses relations passées n'avait survécu aux exigences de sa profession, mais elle ne l'aurait pour rien au monde avoué à Alex.

Lorsqu'elle avait décidé de s'adresser à une banque de sperme, elle savait que, sitôt sa grossesse déclarée, elle devrait remettre sa démission. Les longues heures de travail et les nombreux déplacements étaient incompatibles avec l'éducation d'un enfant.

Elle connaissait les sentiments d'Alex à propos du mariage et de la famille. Il ne voulait ni de l'un ni de l'autre. A une ou deux occasions, elle l'avait entendu parler du divorce de ses parents, et elle avait senti son cœur se serrer devant son amertume évidente :

au contraire d'elle, dont les parents étaient toujours ensemble et aussi amoureux qu'au premier jour, Alex avait grandi dans un foyer désuni, où les disputes étaient fréquentes.

Si donc elle parvenait à le séduire et à avoir la chance de tomber enceinte, ce ne serait pas comme si elle l'avait piégé, n'est-ce pas ? Elle n'attendrait pas de lui qu'il l'épouse ou qu'il s'occupe de l'enfant. En fait, il n'aurait même pas besoin d'être au courant. Elle se contenterait de lui donner sa démission et de partir. Et, sachant que le bébé serait celui d'Alex, elle ne l'en aimerait que davantage.

Mais réussirait-elle à le séduire ? Le seul fait d'y penser, de s'offrir le luxe de caresser du regard ce corps ferme à côté d'elle, lui donnait envie de faire fi de toute prudence.

— Et qu'en est-il de Lisa Garretson ? interrogea-t-elle, songeant à l'actuelle petite amie d'Alex. Je doute qu'elle apprécie quand elle sera au courant.

— Cela ne lui fera ni chaud ni froid.

Elle le regarda.

— A qui espérez-vous faire croire ça ?

La jeune femme se montrait odieuse chaque fois qu'elle venait voir Alex au bureau. A tel point que Jennifer s'arrangeait toujours pour éviter de se trouver dans la même pièce qu'elle. D'accord, peut-être était-elle jalouse que Lisa sorte avec Alex. Mais pourquoi ne se rendait-il pas compte que Lisa était superficielle et prétentieuse ?

Probablement était-il subjugué par sa silhouette. Lisa avait des seins de toute beauté, pas des œufs au plat comme les siens. Mais ceux de Lisa étaient vraisemblablement siliconés ; aussi, selon elle, il y avait tromperie sur la marchandise.

— Nous avons rompu, précisa Alex.

— Vraiment ? fit-elle avec un haussement de sourcils.

Alex sortait avec Lisa depuis quatre mois, soit un mois de plus que la durée moyenne de ses autres aventures. Leur rupture devait être toute récente, car elle avait rencontré Lisa dans un restaurant la semaine précédente et celle-ci ne lui en avait rien dit.

— Vous semblez surprise, fit observer Alex avant de s'arrêter dans l'allée privée de l'immeuble de Hilltop où elle habitait, près du front de mer.

— J'ignorais que vous n'étiez plus ensemble.

Il coupa le moteur.

— Nous n'avons jamais été *ensemble*.

Il avait appuyé sur le dernier mot comme s'il voulait qu'il soit clair qu'il n'y avait jamais rien eu de sérieux entre Lisa et lui.

— Nous avons fait lit commun par intermittence… Elle devenait trop possessive, avoua-t-il. J'ai jugé préférable de rompre. Un soir que nous passions devant un bijoutier, elle m'a entraîné vers la vitrine où étaient exposées les bagues de fiançailles. J'ai mis un terme à notre liaison dès le lendemain. Lisa a été furieuse, mais je ne l'ai pas prise en traître. Elle connaissait depuis le début mon aversion pour le mariage.

— Oh, fit Jennifer, ne sachant trop quoi dire d'autre.

Elle aurait bien crié « youpi ! » mais c'eût été déplacé.

— Je vais vous accompagner jusque chez vous, dit Alex, tendant le bras vers la poignée de la portière.

— Je vous remercie, c'est inutile, répliqua-t-elle.

Elle avait déjà ouvert la portière. Mais, à sa grande consternation, il descendit et fit le tour du véhicule afin de l'aider à en sortir.

Comme on était vendredi soir, Alex s'interrogea sur les projets pour le week-end de la jeune femme. Il n'avait pas la moindre idée de ce qu'elle faisait de son temps libre.

— J'imagine que je vous verrai lundi, dit-il alors qu'ils remontaient l'allée.

— Oui. Nous avons une réunion à 8 heures avec les sœurs Baker, lui rappela-t-elle tandis qu'elle déverrouillait et ouvrait sa porte.

Elle se retourna pour le regarder droit dans les yeux.

— Et c'est à vous qu'en revient tout le mérite.

— Exact.

Les lèvres d'Alex se retroussèrent en un sourire.

Fleuristes de leur état, Mable et Dorothy Baker

étaient propriétaires de six petites boutiques qui marchaient bien. Jusqu'à il y a peu, les deux vieilles demoiselles refusaient catégoriquement toute ingérence de l'informatique dans la gestion de leur entreprise, mais plusieurs réunions avaient fini par avoir raison de leurs craintes. Un quart d'heure lui avait suffi pour les convaincre de faire un essai. Son charme — ce charme qui ne laissait jamais d'étonner Jennifer — avait encore une fois opéré.

Et si c'était le moment de pousser son avantage ?

— Ne vous ai-je pas dit que je vous trouvais très en beauté ce soir ?

Jennifer s'empourpra sous le compliment.

— Merci. Vous n'êtes pas mal non plus.

Elle fit courir ses doigts le long du revers de sa veste de smoking.

— Vous avez tout de l'agent secret.

— Un peu dans le style de l'agent 007, c'est ça ? demanda-t-il, arborant un grand sourire.

L'idée lui plaisait. Aucune femme ne résistait à James Bond.

Son regard descendit vers la bouche de Jennifer. Son envie de l'embrasser n'avait pas diminué pendant le trajet jusque chez elle.

Cependant, elle s'était montrée on ne peut plus claire : leurs rapports devaient rester strictement professionnels. Aussi n'avait-il d'autre recours que de se conformer à ses désirs.

Elle avait raison. Une aventure avec elle pourrait

être source de problèmes. Jennifer était une assistante trop précieuse pour qu'il coure le risque de la perdre. Il n'en demeurait pas moins qu'il avait du mal à ne pas céder à son envie de l'embrasser de nouveau. Savoir qu'il ne le pouvait pas le mettait au supplice.

Le regard de Jennifer croisa le sien.

— Merci de m'avoir reconduite, murmura-t-elle.

— Il n'y a pas de quoi.

Il s'empara de sa main, et lentement, avec douceur, il baisa le bout de ses doigts. C'était le seul moyen à sa portée pour éviter de la prendre dans ses bras.

Et puis il la lâcha, lui souhaita une bonne nuit et tourna les talons.

Jennifer attendit pour rentrer chez elle et verrouiller sa porte qu'Alex ait regagné sa voiture et démarré. Et c'est tremblante — la simple évocation du contact furtif de ses lèvres sur sa peau la mettait encore en émoi — qu'elle prit la direction de sa chambre.

Jetant un coup d'œil à sa montre, elle composa les deux premiers chiffres du numéro de Casey, puis s'arrêta.

Bien que cela la démangeât de réprimander son amie pour l'avoir laissée en plan, elle ne se sentait pas le courage de lui raconter ce qui s'était passé entre Alex et elle. Elle voulait garder pour elle et pour elle seule le souvenir de leur baiser.

Casey ne manquerait pas de lui demander un récit

détaillé de tout ce qu'elle avait ressenti et la presserait de questions quant à ses projets de grossesse, cherchant à savoir si le fait d'avoir « gagné » Alex ce soir avait changé quelque chose.

Elle n'avait pas envie de le reconnaître, mais elle était dans le pétrin. D'une façon ou d'une autre, il fallait qu'elle échappe à cette sortie avec Alex. Parce que maintenant qu'elle savait ce que cela faisait de l'embrasser, elle avait encore plus envie de lui.

Et Alex Dunnigan n'était pas pour elle.

Il était presque 10 heures lorsque, au sortir de la réunion qui avait duré plus longtemps que prévu, Alex retourna dans son bureau. Il vit tout de suite la grande enveloppe marron posée en évidence sur le plateau de chêne.

Sachant, sans avoir à regarder le nom de l'expéditeur, qu'il s'agissait des détails de sa sortie avec Jennifer, il décrocha le téléphone et composa le numéro de son poste.

Elle répondit immédiatement.

— Vous pouvez venir un moment ? lui demanda-t-il. J'ai du nouveau à propos de notre idylle médiatique.

Jennifer entra quelques secondes plus tard, le regard brillant de curiosité.

— Alors, que contient-elle ? interrogea-t-elle à la vue de l'enveloppe.

Il haussa les épaules.

— Je l'ignore, répondit-il. J'attendais pour l'ouvrir que vous soyez là. A vous l'honneur, ajouta-t-il en la lui tendant.

Jennifer s'exécuta avec un rien de nervosité. Elle prit les documents dans l'enveloppe et les parcourut rapidement.

— Oh, non ! gémit-elle.

Et puis elle releva la tête et le regarda.

— Les instructions qui nous sont données valent pour tout un week-end !

— Un week-end ? Où ça ? s'enquit Alex, étonné. Ma tante s'est bien gardée de me dire que je m'engageais pour un week-end lorsqu'elle m'a entraîné dans cette histoire.

En homme organisé qu'il était, il avait l'habitude de tout planifier, en particulier sa vie privée, et il n'avait pas projeté de passer plus d'une soirée avec la femme que le tirage au sort lui avait dévolue. Et, de plus, il en avait décidé ainsi avant de savoir que la femme en question serait Jennifer. L'idée de partager tout un week-end avec elle changeait tout. Il était capable de l'emmener dîner et de ne pas la toucher. Mais un week-end entier ? Il n'était pas certain de parvenir à se maîtriser.

— Oh, mon Dieu ! gémissait maintenant sa collaboratrice.

— Qu'y a-t-il ? Ma tante nous demande-t-elle d'escalader l'Everest ou quelque chose dans ce genre ?

— Non, mais c'est tout aussi ridicule, rétorqua

Jennifer d'une voix chevrotante. Nous avons gagné un week-end de ski dans le Vermont.

Elle lui tendit les photos d'un ravissant chalet sous la neige, avec des lits gigantesques et des cheminées dans toutes les pièces.

— Vraiment ? Quand ? s'enquit Alex, au comble de l'excitation.

Il adorait skier, mais vivre à Virginia Beach, où il ne neigeait que très exceptionnellement, constituait un sérieux handicap pour l'amoureux de la poudreuse qu'il était. Il fallait des heures de route pour rallier la première station. Il avait été si occupé l'hiver précédent qu'il lui avait été impossible de pratiquer, ne fût-ce qu'une journée, ce qui demeurait son sport favori.

La perspective de pouvoir s'y adonner tout son soûl, surtout en compagnie de Jennifer, transforma illico en impatience son agacement de s'être fait piéger. Il se voyait déjà dîner au coin du feu avec une Jennifer au regard incandescent de désir…

— *Ce* week-end, dit-elle, l'arrachant à ses pensées.

— Est-ce que vous skiez ?

Elle le dévisagea.

— Pardon ?

— Est-ce que vous skiez ?

— Hé, une minute ! s'exclama-t-elle. Si vous croyez que je vais…

— Ce n'est qu'une simple question, l'interrompit-il. A laquelle je vous demande juste de répondre.

Elle le regarda d'un air méfiant et secoua la tête.

— Non. J'ai toujours eu envie d'essayer, admit-elle à contrecœur, mais l'occasion ne s'est jamais présentée.

Alex écarquilla les yeux.

— En ce cas, vous êtes une sacrée veinarde ! Je suis un skieur émérite et je me fais fort de vous apprendre.

— Ce n'est même pas la peine d'y songer.

— Pourquoi ? s'enquit Alex qui s'imaginait déjà dévalant les pistes.

Et peut-être, entre deux descentes, parviendrait-il à lui voler un baiser ou deux ?

— D'abord, nous avons tous les deux beaucoup de travail, assena-t-elle, comme si la mention de leur emploi du temps surchargé devait suffire à le décourager.

Il baissa les yeux sur la carte jointe par sa tante afin d'étudier l'itinéraire, puis il releva la tête et fixa Jennifer.

— Nous ne serions absents que vendredi. Je pense que la société peut se passer de nous vingt-quatre heures ?

— Alex…

— C'est moi le patron, reprit-il d'un ton ferme. Et j'affirme que nous pouvons prendre tous les deux un jour de congé.

— Il ne s'agit pas uniquement de ça.

— Non ? Alors, de quoi s'agit-il ?

Elle étrécit son regard.

— Je pense tout simplement que passer un week-end ensemble ne serait pas convenable. Je ne voudrais pour rien au monde que nos relations professionnelles en pâtissent. Et qu'en diraient les employés ?

Alex haussa les épaules.

— Rien ne nous oblige à les mettre au courant. Et pourquoi cela devrait-il affecter nos relations professionnelles ? Vous m'avez déjà accompagné à des séminaires, non ?

— Un week-end de ski en tête à tête est autrement plus intime qu'un voyage d'affaires, insista-t-elle.

— Cela n'a pas à être intime, Jennifer.

Se sentant un peu coupable en songeant au décor romantique du chalet, il feignit de s'absorber dans la lecture de la brochure. Celle-ci avait manifestement été conçue pour inciter les couples à ne pas bouger du chalet. Et il s'était déjà imaginé embrassant Jennifer au coin du feu… Il allait maintenant devoir faire en sorte de la convaincre qu'il ne tenterait pas de franchir les limites de leurs relations dans ce décor idyllique.

— Il est stipulé sur ce papier que nous avons deux chambres séparées. Il n'y a donc aucun problème.

En prononçant ces paroles, il n'était pas certain d'y croire lui-même.

Diable ! soupira intérieurement Jennifer, les choses se corsaient.

Entre son impatience de connaître le sort qui leur

avait été réservé et le souvenir du baiser d'Alex, elle avait à peine fermé l'œil de la nuit, et elle avait du mal à y voir clair. Qu'est-ce qu'il convenait de faire ?

Elle ne voulait pas profiter d'Alex, abuser de lui. Or, si elle passait tout un week-end avec lui elle serait tentée de transformer les relations platoniques qui étaient les leurs en tout autre chose.

Mais Alex serait-il d'accord ? Il l'avait embrassée et cela avait eu l'air de lui plaire, mais un unique baiser, fût-il passionné, ne signifiait pas grand-chose. Peut-être attachait-elle trop d'importance à tout ça. S'il n'était pas réellement attiré par elle, elle n'avait rien à redouter de ces deux jours en sa compagnie, non ?

Ou bien avait-elle tout simplement peur de passer du temps avec Alex ? Parce que si elle couchait avec lui et concevait son enfant, elle devrait le quitter.

Pour toujours.

- 3 -

Le jeudi, en dépit de ses efforts pour quitter le bureau à l'heure, Jennifer était en retard. Et lorsqu'elle songeait à tout ce qu'il lui restait encore à faire chez elle, la panique la saisissait. Elle n'avait même pas commencé ses bagages pour le voyage dans le Vermont, ce qui voulait dire qu'elle allait passer la moitié de la nuit debout.

Jusqu'à aujourd'hui, elle avait cru qu'elle trouverait un prétexte pour se défiler.

Tu parles ! Une fois qu'elle eut accepté de l'accompagner, Alex, tout excité à l'idée d'aller skier, avait insisté pour l'emmener faire des emplettes. Quand ils avaient quitté le magasin de sports, elle était complètement équipée pour le week-end.

Prise au piège — elle ne pouvait désormais plus faire machine arrière —, elle avait fait de son mieux pour chasser de son esprit sa tentation de le séduire. Elle y était plus ou moins parvenue, jusqu'à son déjeuner de la veille avec Casey.

Son amie l'avait encouragée à cesser de lutter

contre les sentiments que lui inspirait Alex et à vivre l'instant présent.

« Profites-en et amuse-toi. Et si tu as de la chance, un week-end passionné pourrait résoudre ton dilemme maternel », avait décrété son amie.

Elle avait immédiatement mis un frein à ces élucubrations : elle ne ressemblait en rien à Casey. Elle ne pourrait tout simplement pas faire l'amour avec Alex et puis oublier ce que ça faisait d'être avec lui.

Afin de se persuader qu'elle était sérieuse en disant vouloir que leurs relations restent professionnelles, elle avait aussitôt contacté une clinique pratiquant la procréation assistée.

Si elle était prête à reconnaître que c'était là une méthode bien impersonnelle de tomber enceinte, son désir de maternité serait satisfait avec un minimum de risques pour son job et pour son cœur. L'argent ne constituait pas un problème. Alex la payait bien, et comme ses loisirs étaient rares faute de temps, elle avait sagement fait fructifier ses économies. Le véritable obstacle n'était donc pas d'ordre financier, il était beaucoup plus difficile à surmonter.

Elle n'avait personne dans sa vie.

Depuis un an, elle éprouvait une sensation de vide intérieur, comme s'il lui manquait quelque chose de vital. Chaque jour, elle écoutait ses collègues parler de leurs conjoints et enfants respectifs. Elle les voyait raconter avec fierté les premiers pas du petit dernier, les parties de foot et les exploits sportifs des aînés.

Même lorsqu'ils parlaient des problèmes rencontrés, elle percevait toujours de l'amour dans leur voix.

Elle avait besoin de quelque chose comme cela. Pour avoir grandi au sein d'une famille aussi nombreuse que soudée, elle avait toujours eu l'impression d'avoir un point d'ancrage. Jusqu'à ces derniers temps. Le coup de fil de sa mère, plus tôt dans la journée, n'avait fait qu'ajouter un peu plus de pression : sa sœur était enceinte d'un troisième enfant. Si elle était heureuse pour Lil, elle était également jalouse. Sa sœur avait déjà un fils adorable qui, à cinq ans, montrait des signes évidents de précocité, et une magnifique petite fille de deux ans.

Jennifer repoussa une mèche de cheveux qui lui tombait dans les yeux. Elle voulait elle aussi un bébé bien à elle.

Sans homme dans sa vie, elle ne voyait pas comment elle pourrait devenir mère. De quand datait son dernier rendez-vous amoureux ? Ou son dernier rapport sexuel ? Cela remontait à tellement loin qu'elle s'en souvenait à peine ! Son travail lui prenait la majeure partie de son temps. Hormis au bureau, rares étaient les hommes qu'elle rencontrait.

L'insémination artificielle lui avait donc paru être LA solution.

Jusqu'à ce qu'elle embrasse Alex.

Depuis, bêtement, elle avait envie de plus. Beaucoup plus. Et pour toujours…

« Arrête ! Ce n'était qu'un baiser, pas de quoi en faire un plat ! »

Elle commençait à rassembler ses papiers et à les ranger dans son porte-documents lorsqu'il lui vint une idée : elle allait emporter son ordinateur portable en week-end.

Alex savait qu'elle travaillait sur un projet pour les sœurs Baker, il comprendrait. La date butoir qu'elles avaient fixée était dangereusement proche. Elle affirmerait être trop occupée pour l'accompagner sur les pistes. Il irait skier seul, et elle resterait dans sa chambre. Aussi loin de lui que possible.

Mais alors qu'elle sortait de son bureau, son porte-documents à la main, elle sut que le souvenir du baiser d'Alex ne la quitterait pas. Il serait toujours là pour l'obséder, lui faire regretter de n'être pour lui qu'une amie.

Au moment où elle appelait l'ascenseur, elle entendit une autre porte s'ouvrir au bout du couloir. L'immeuble était désert. Elle avait cru que tout le monde était déjà parti.

Tout le monde, à l'exception d'Alex.

Son cœur fit un petit bond dans sa poitrine quand elle l'aperçut qui venait dans sa direction. Prenant une profonde inspiration, elle s'obligea à sourire.

— Salut. Je pensais être la dernière.

Alex fixa Jennifer tout en enfilant son pardessus.

— J'ai eu un appel qui a duré plus longtemps que prévu, expliqua-t-il.

Il redoutait toujours qu'elle ne déclare forfait au dernier moment. En début de semaine, elle lui avait suggéré de partir seul, arguant qu'il n'avait nul besoin d'elle. Il avait répliqué que c'était hors de question. S'il avait hâte de chausser les skis, force lui était d'admettre que sa motivation première pour ce séjour à la montagne était de passer ce temps en compagnie de Jennifer, d'apprendre à la connaître.

Cette semaine avait été la plus longue de son existence. Fort de sa résolution de ne pas la toucher, il s'était appliqué à l'éviter. Peut-être y serait-il parvenu si... le destin n'en avait décidé autrement. Ils avaient eu des réunions tous les jours de la semaine ! Maintenant qu'il avait goûté à la saveur de ses lèvres, qu'il savait ce que ça signifiait de l'embrasser, il ne pensait plus qu'à lui faire l'amour. Et si ses étreintes étaient à moitié aussi intenses que ses baisers...

— Vous êtes fin prête pour demain ?

— Je n'ai pas commencé mes bagages, avoua Jennifer. Je vais en avoir pour une partie de la nuit.

Arraché à ses pensées, il avisa le porte-documents qu'elle tenait à la main.

— Ne songez même pas à prendre ça avec vous ! l'avertit-il. Ce n'est pas un week-end de travail.

Il voulait qu'elle s'amuse. Ce qui serait impossible si, une fois là-bas, elle ne pensait qu'à ses dossiers.

— Mais je...

— Il n'y a pas de « mais », Jennifer.

Malgré son ton enjoué, il n'y avait pas à se tromper quant au sens de sa remarque. C'était un ordre.

— Très bien, répondit la jeune femme à contrecœur.

— C'est un voyage d'agrément, lui rappela-t-il. Pour vous comme pour moi. Nous allons nous détendre, en profiter.

Encore que pas autant qu'il l'aurait souhaité.

Au cours de la semaine, il lui était arrivé à de multiples reprises d'imaginer ce que ce serait de sentir sa peau douce frémir sous ses doigts, de l'entendre crier son nom lorsqu'il pénétrerait la moiteur de son intimité. Chaque fois qu'il s'était ainsi abandonné à ces divagations, il avait eu toutes les peines du monde à se maîtriser. Néanmoins, un ou deux baisers volés n'avaient jamais fait de mal à personne.

Son regard descendit vers sa bouche, et il sentit son corps se raidir. Qu'adviendrait-il si elle acceptait ses baisers ? Si elle voulait davantage ?

L'arrivée de l'ascenseur le ramena brutalement à la réalité. Il avait passé la semaine à se persuader qu'il serait capable d'aller au bout de ce week-end sans la toucher.

Diable, il était dans le pétrin.

Lorsque la sonnette retentit à 5 heures précises, le lendemain matin, Jennifer se rua vers la porte et l'ouvrit toute grande, le cœur battant la chamade.

Vêtu d'un jean, d'une chemise et d'un épais blouson,

ses yeux sombres brillant d'excitation, Alex Dunnigan se tenait devant elle.

— Vous n'êtes pas du matin, fit-il observer à la vue de son regard endormi.

Evidemment. Lorsqu'elle arrivait au bureau, elle était toujours tirée à quatre épingles, ses cheveux emprisonnés en un chignon sage.

Elle poussa un grognement.

— Parce que vous, vous l'êtes ?

— Le lever du soleil sur un jour nouveau est un spectacle dont je ne me lasse pas, répondit-il avec entrain, laissant traîner son regard avec complaisance sur le jean et le pull-over blanc qu'elle avait enfilés.

— Moi non plus, riposta-t-elle, mais je l'apprécie plus encore de mon lit.

Alex s'éclaircit la gorge.

— Habituellement, j'organise presque toute ma journée entre 5 et 7 heures, pendant mon jogging.

Levant les yeux au ciel, Jennifer lui fit signe d'entrer.

Elle savait qu'il courait. Cela le maintenait en forme. Elle posa les yeux sur son corps d'athlète et sentit son sang s'accélérer dans ses veines.

— Je n'ai rien contre l'exercice physique, mais uniquement après avoir bu mon café. A ce propos, vous en voulez une tasse ?

— Euh, non, répondit Alex. Merci.

Il n'avait certes pas besoin de caféine. La seule

pensée de se retrouver en tête à tête avec elle suffisait à provoquer en lui une poussée d'adrénaline.

Il avait passé la nuit entière à chasser de son esprit toute idée de séduire Jennifer. Et ce pour que ses efforts se voient réduits à néant en quelques secondes. Il se la représentait étendue à côté de lui, nue, ses jambes fuselées encerclant les siennes…

— Très joli, dit-il, la suivant dans le salon.

La pièce, qu'il voyait pour la première fois, ressemblait bien à Jennifer. Le mobilier en était classique, d'une sobre élégance, et chaque chose y était à sa place.

— Ce sont vos parents ? interrogea-t-il en s'arrêtant devant l'un des cadres accrochés au mur.

Elle sourit.

— Oui. Cette photo-ci est plus récente, ajouta-t-elle, désignant un autre cadre.

D'âge moyen, l'homme et la femme qui y apparaissaient souriaient joyeusement à l'objectif.

— Vous êtes très proches d'eux ?

— Oui. Nous sommes une famille très soudée.

— Où habitent-ils ?

— A Norfolk.

— Vous les voyez souvent ?

— Nous nous téléphonons pratiquement tous les jours et je vais leur rendre visite deux ou trois fois par mois.

— Vous avez des frères et sœurs ?

— Oui, répondit-elle avec un sourire plus large

encore. J'ai deux frères et une sœur. J'étais un véritable garçon manqué.

Alex hocha la tête. Il avait du mal à se représenter la jeune femme raffinée qui se tenait devant lui en fillette turbulente se chamaillant avec ses frères. Il remarqua une photo de famille sur un mur et s'en approcha. Elle semblait avoir été prise récemment.

— Que font-ils ?

— Nous étions tous réunis pour l'anniversaire de mariage de nos parents, expliqua-t-elle en le rejoignant. Là, c'est Tony, mon frère aîné. Il est médecin. Celui-ci, continua-t-elle, c'est Greg. C'est le benjamin, et il travaille pour la télévision. Il est reporter. Il vit à Atlanta.

Elle cita la chaîne câblée qui l'employait.

— Greg Cardon est *votre* frère ? demanda Alex, faisant pour la première fois le rapport entre Jennifer et le célèbre journaliste qui couvrait les conflits au Moyen-Orient.

Jennifer hocha la tête.

— Oui. Nous sommes tous très fiers de lui.

— Et, à en juger par son air de ressemblance avec vous, j'imagine que cette jeune femme, là, est votre sœur ?

— Oui, c'est Lil. Elle est mariée et réside à Norfolk.

— Que fait-elle ?

Apparemment, Jennifer était issue d'une famille où l'on réussissait. Il se demanda si son ambition ne procédait pas d'un refus de se laisser distancer par ses frères et sœur. Ou était-elle poussée par autre chose ?

Elle esquissa un sourire.

— Eh bien, Lil était architecte.

Alex haussa un sourcil interrogateur.

— Etait ?

— Elle a rencontré l'homme de ses rêves, Robert, dit Jennifer en désignant l'époux de sa sœur. Elle a décidé d'arrêter de travailler au début de sa première grossesse. Ses enfants sont des amours. Voilà Brian, et cette adorable petite fille, là, c'est Kimberly. Je les vois souvent.

— Vous êtes donc très proche d'eux également ?

— Oui. Et Lil est de nouveau enceinte.

Il la dévisagea. Se faisait-il des idées ou avait-il bien perçu une pointe de mélancolie dans sa voix ?

— Grandir au milieu de frères et sœurs est une notion que j'ai du mal à appréhender, avoua-t-il. Moi, j'étais seul la majeure partie du temps.

— N'aviez-vous pas de cousins ? demanda Jennifer en prenant la direction de la cuisine.

— Si, mais je les voyais rarement. Et ça ne s'est pas arrangé après la séparation de mes parents.

Il la suivit et, s'immobilisant sur le seuil, s'appuya contre le chambranle de la porte.

Jennifer secoua la tête avec commisération.

— Et aujourd'hui, vous les voyez ?

— Guère plus qu'avant.

Lorsqu'il assistait à une réunion de famille, ce qui était rare, il avait l'impression de ne pas être à sa place. La plupart de ses cousins étaient mariés et avaient des enfants, et le célibataire qu'il était n'avait pas grand-chose en commun avec eux.

— Nous, nous nous retrouvons tous une fois par mois. C'est pour nous une grande joie, surtout depuis que Lil a des enfants. J'adore mes neveux. Je les prends parfois le week-end, afin de permettre à ma sœur et à son mari de souffler un peu et de se retrouver.

— Vraiment ?

Alex eut la vision de deux jeunes enfants grimpant sur les genoux de Jennifer pour lui faire des câlins. Etrangement, il en fut tout attendri.

— Ici ?

— C'est arrivé, répondit-elle avec un petit rire. Mais le plus souvent je vais chez eux, là où ils ont leurs jouets et leurs affaires.

A la façon dont elle en parlait et à l'éclat de son regard, il était évident qu'elle aimait ses neveu et nièce. Envisageait-elle d'être mère ? Comme lui, elle semblait ne vivre que pour son travail. Ou était-ce ce qu'il s'était toujours dit parce que ça l'arrangeait ?

— Pourquoi ne vous êtes-vous pas mariée ? interrogea-t-il.

Jennifer faillit en lâcher la tasse qu'elle était en train d'essuyer.

— Pardon ?

— Vous paraissez aimer les enfants. Pourquoi ne vous êtes-vous pas mariée et n'en avez-vous pas eu ?

Elle soutint son regard.

— Vous savez mieux que quiconque que le travail me prend pratiquement tout mon temps.

Cette remarque arracha une petite moue à Alex. Il croyait Jennifer aussi ambitieuse qu'il l'était lui-même, mais le manque de sincérité qu'il percevait dans sa réponse l'amenait à reconsidérer son hypothèse.

— Je ne m'étais pas rendu compte que la somme de travail que j'exigeais de vous empiétait à ce point sur votre vie privée.

Elle eut un sourire fugace.

— Vous n'y êtes pour rien, Alex. Si je travaille autant, c'est uniquement parce que je le veux bien. C'est un choix librement consenti. Et les beaux ténébreux sans attaches ne font pas précisément la queue devant ma porte.

— Et, à l'instar de votre sœur, vous voulez la totale ? Un mari et des enfants ?

Jennifer esquissa une curieuse petite moue.

— J'avoue y avoir songé. Je vais bientôt avoir trente ans et je ne veux pas me réveiller un matin et m'aviser que je suis trop vieille pour avoir des enfants.

Alex tressaillit à ces mots. C'était déconcertant d'apprendre que Jennifer songeait à se marier et à avoir des enfants.

Elle n'avait personne dans sa vie pour l'instant, mais si elle avait un petit ami ? Si elle rencontrait quelqu'un, l'épousait, puis démissionnait pour réaliser le rêve de toute Américaine d'avoir une maison entourée d'un jardin où joueraient des enfants, que ferait-il sans elle ?

— Et qu'en est-il pour vous ? contre-attaqua Jennifer.

Elle ne pouvait pas laisser passer si belle occasion de savoir ce qu'Alex pensait de la procréation. Même si, à en juger par le rythme auquel il enchaînait les aventures et par ses commentaires à propos de ses parents, elle le suspectait de ne pas en faire grand cas.

— Je suppose que ça peut marcher pour certaines personnes, énonça-t-il prudemment.

Elle le gratifia d'un long regard scrutateur.

— Mais pas pour vous ?

— Dans une autre vie, peut-être, mais pas dans celle-ci, répondit Alex avec un rire amer.

Ce qui, malheureusement, confirmait ses soupçons. Et qui aurait pu l'en blâmer après la façon dont il avait été élevé ? Elle ne comprendrait jamais comment certains adultes pouvaient à ce point ignorer les besoins d'un enfant.

— Je crois qu'il est temps de lever le camp, reprit-elle d'un ton léger, cachant de son mieux sa déception, ou nous allons rater l'avion.

Alex hocha la tête et lui emboîta le pas jusque dans l'entrée où étaient entreposées ses deux petites valises.

— Vous n'avez que ça ? interrogea-t-il, surpris, en

s'en emparant. Généralement, les femmes que j'emmène en week-end emportent le triple de bagages.

— Nous ne partons que trois jours, répondit-elle avant d'enfiler son manteau, de prendre son sac et d'ouvrir la porte. Après vous…

Cinq minutes plus tard ils étaient en route pour l'aéroport, et moins de deux heures après ils prenaient place côte à côte dans l'avion.

Jennifer se mit à feuilleter distraitement une revue.

Casey lui avait conseillé de se laisser porter par les événements et de voir comment les choses évoluaient entre elle et Alex.

A supposer qu'elles évoluent ! Peut-être la question de coucher ou non avec Alex ne se poserait-elle même pas ? Pour lui, ce week-end ne représentait certainement rien d'autre que l'occasion de savourer un repos bien mérité et de goûter aux joies du ski.

Mais… et si quelque chose se passait effectivement entre eux ? Et si elle avait l'opportunité de faire l'amour avec lui ? Serait-elle capable, s'il lui demandait de lui appartenir, de le repousser ?

Elle se mordit la lèvre, sachant que l'idée de faire l'amour avec Alex serait trop tentante pour qu'elle ne tente pas l'aventure. Elle le voulait. Et elle voulait aussi un bébé. Elle n'avait pas envie de dire non à ce qui serait probablement son unique chance de partager son lit.

Exact, mais vouloir un bébé d'Alex ne signifiait pas le duper. Elle s'y refusait.

Mais s'ils faisaient l'amour et que, par extraordinaire, elle se retrouvait enceinte ? Elle aurait un enfant d'un homme qui lui plaisait. Alex n'en souffrirait pas vraiment, puisqu'il ne le saurait pas. Et s'il l'apprenait ? Avec les idées qu'il professait sur le mariage et la famille, il était plus que probable qu'il ne voudrait plus entendre parler d'elle et de l'enfant. Pourquoi se torturait-elle ainsi ? Tout se terminerait bien si elle ne s'impliquait pas affectivement. Le tout était de préserver son cœur.

L'appareil venait d'atteindre son altitude de croisière lorsque son coude heurta celui d'Alex.

— Il n'y a vraiment pas beaucoup de place, dit-elle, les joues en feu.

Elle coula un regard dans sa direction et s'avisa qu'il l'observait.

— Qu'y a-t-il ?

— Rien, sinon que je vous trouve bien silencieuse. A quoi pensez-vous ?

— Euh, à mes dossiers.

C'était une bonne couverture. Le travail était toujours présent à son esprit.

— Pas de ça. Je ne veux pas que vous pensiez à autre chose qu'à vous amuser. J'ai l'intention de faire en sorte que vous en ayez pour votre argent.

— Que j'en aie pour mon argent ?

— Celui que vous avez déboursé pour sortir avec moi, lui rappela-t-il.

Elle qui s'efforçait d'oublier que, entre eux, tout avait commencé par cette fête de charité !

— Ce n'est pas réellement nécessaire, Alex. Sans doute me contenterai-je de paresser dans ma chambre.

Le sourire d'Alex s'évanouit.

— Vous ne viendrez pas skier avec moi ?

— Il me semble vous avoir déjà dit que je ne sais pas skier.

— Ah, mais je vais vous apprendre ! Vous avez payé cher ce week-end en ma compagnie. Ce n'est pas pour jouer les marmottes. Par ailleurs, skier seul est beaucoup moins drôle.

— Croyez-moi, cela vaut mieux que de m'avoir dans les pattes. Je ne ferai que vous gâcher votre plaisir.

— Votre refus d'essayer me le gâcherait plus encore.

Il la regarda d'un air implorant.

— Et ces tenues de ski que nous avons achetées ?

— Je me suis dit que même si je ne skiais pas, elles contribueraient à me donner de l'allure.

Alex se contenta de lever les yeux au ciel, comme s'il était entendu qu'elle n'avait pas besoin de ça pour avoir fière allure, puis il inclina la tête en la fixant.

— S'il vous plaît ?

C'était demandé si gentiment, comment aurait-elle pu dire non ?

— Bon, d'accord. Mais si je me casse une jambe, ce sera votre faute.

Il éclata de rire et se renfonça dans son siège.

— Si vous vous cassez une jambe, je promets de vous servir en tout. En un mot, d'être votre homme à tout faire.

Elle eut la vision d'Alex se mettant en quatre pour satisfaire ses moindres désirs et esquissa un sourire.

— Je vous le rappellerai, assura-t-elle comme l'avion amorçait sa descente.

La station de ski n'était en rien comparable à ce qu'elle avait pu imaginer. Le panorama était à couper le souffle, et le petit vent froid qui s'engouffrait dans les branches des conifères ployant sous la neige, enivrant.

— Je crois que je n'ai jamais rien vu d'aussi beau, avoua-t-elle après que la navette venue les chercher à l'aéroport les eut déposés devant l'énorme chalet aux volets peints de couleur vive qui servait d'hôtel.

— C'est encore plus excitant lorsque vous êtes sur des skis et que vous dévalez une piste, l'adrénaline faisant s'emballer votre pouls, renchérit Alex avec enthousiasme. Ça vaut tout le reste.

« A l'exception du sexe, bien sûr », ajouta-t-il à part lui.

En dépit de tous ses efforts, il n'arrivait pas à penser à Jennifer de manière purement platonique. Dans l'avion, elle était si près de lui que son parfum avait envahi ses sens, lui donnant envie d'embrasser chacun des endroits où elle en avait mis.

— Je vous crois sur parole, rétorqua celle-ci en riant, tout en le précédant à l'intérieur.

L'instant d'après, leurs fiches remplies, ils gagnaient le deuxième étage et les chambres qui leur étaient réservées.

— Pas mal, dit-il en s'arrêtant sur le seuil de celle dévolue à Jennifer.

De la couleur des murs bleus et ocres au lit gigantesque recouvert d'un épais édredon et jonché de nombreux coussins, tout invitait à la romance. La personne qui s'était chargée des réservations avait assurément espéré que les gagnants seraient sentimentalement compatibles.

— Pas mal ? Vous voulez rire ! Cette chambre est tout simplement magnifique ! Où est la vôtre ?

— Quelques portes plus loin, de l'autre côté du couloir.

Il lui indiqua le numéro.

— Cette chambre vous convient-elle ? s'enquit-il. Vous croyez que vous allez vous y plaire ?

— Il faudrait que je sois difficile !

— Parfait. Combien de temps vous faut-il pour vous changer ?

— Alex, je…

— Inutile de chercher une excuse pour ne pas skier, vous n'y n'échapperez pas. Je vous promets que, d'ici la fin de la journée, vous descendrez les pistes toute seule.

— Je ne m'engagerais pas trop à votre place. Mais je ferai de mon mieux. Cependant si je n'y arrive pas ou si cela ne me plaît pas...

— Alors, il sera toujours temps de trouver d'autres façons agréables de passer le week-end.

Il jugea préférable de ne pas entrer dans les détails. Les « autres façons » auxquelles il songeait n'avaient rien à voir avec les sports d'extérieur.

— D'autres façons ? répéta Jennifer en ouvrant des yeux comiquement écarquillés.

— Comme nous balader, aller manger une crêpe ou boire un verre au bar.

— Oh. Oui, bien sûr. Bon, je serai prête dans quinze minutes.

— Super. Je vous attendrai dans le hall.

Il referma la porte sur elle et se dirigea vers sa propre chambre, formulant en son for intérieur un souhait coupable — et hautement improbable : que le seul désir de Jennifer fût de passer d'agréables moments au lit avec lui.

- 4 -

Jennifer troqua son jean contre une combinaison de ski blanche, enroula une écharpe pourpre autour de son cou puis descendit rejoindre Alex.

Décidant de sauter le déjeuner — on leur avait servi des scones et un café dans l'avion —, ils allèrent louer des skis pour elle, Alex ayant apporté les siens. Il ne quitta pas d'une semelle l'employé qui s'occupait d'elle, posant des questions et donnant son avis sur ceux qui convenaient le mieux à sa taille et à son poids.

Une demi-heure plus tard, ses skis sur l'épaule, c'est sans enthousiasme qu'elle prit à sa suite la direction des pistes.

Mais peut-être Alex avait-il raison. Plus on est nombreux, moins il y a de danger. Et, d'autre part, l'accompagner sur les pistes, où ils croiseraient des tas d'autres skieurs, lui éviterait de penser à son grand lit de l'hôtel et à ce qu'elle pourrait y faire avec lui.

Très vite, elle chaussa les lunettes de soleil qu'Alex lui avait fortement conseillé d'emporter.

Sur le moment, elle s'était demandé pourquoi il

insistait à ce point. Maintenant, elle comprenait. La réverbération du soleil sur la neige était aveuglante.

— Allons là-bas où nous ne gênerons pas les autres, suggéra Alex.

Elle hocha la tête et le suivit sur une dizaine de mètres, vers une petite pente.

— Nous y sommes, dit-il, plantant ses skis dans la neige. Je vais d'abord vous aider à chausser, et ensuite nous ferons un essai. Vous verrez, c'est très facile, ajouta-t-il devant son air inquiet. Il suffit de pousser un peu sur les bâtons et de se laisser glisser.

— Que vous dites…

L'instant d'après, assise dans la poudreuse, elle avait les skis aux pieds.

— Qu'est-ce que vous faites ? interrogea-t-elle comme il se penchait vers elle et la prenait par la taille.

— Comment cela, qu'est-ce que je fais ? Je vous tiens, pardi ! Pour vous aider à vous lever et éviter que vous ne tombiez. Maintenant, si vous préférez, je peux vous lâcher et vous laisser vous débrouiller.

— Surtout pas ! Je ne me rappelle plus si je vous l'ai déjà dit ou non, mais je n'ai absolument aucun sens de l'équilibre.

Et qu'Alex soit si près d'elle n'était pas fait pour arranger les choses.

Prenant une profonde inspiration et essayant d'oublier les mains qui enserraient sa taille, elle se mit debout.

— Vous êtes douée, lui dit-il comme si elle avait réussi un exploit.

— Je n'ai encore rien fait, lui rappela-t-elle.

En son for intérieur, elle se félicita de garder la tête froide, quand elle n'avait qu'une envie : jeter Alex à terre et lui faire sa fête.

Alex gloussa devant l'excitation teintée de panique qu'il voyait dans ses yeux.

— Maintenant, je vais m'écarter.

— Pas encore !

— Tout ira très bien.

Ignorant sa supplique, il lui tendit ses bâtons.

— Prenez appui dessus. Dès que vous vous sentirez stabilisée, donnez une petite poussée…

— Je ne pense pas que me lâcher soit une bonne idée, lui dit-elle, alarmée.

L'un de ses skis avança tout seul et elle poussa un cri. La peur de tomber lui fit lever brusquement les bras et elle perdit l'équilibre. Ses pieds glissèrent plus encore et ses jambes s'écartèrent.

Elle hurla et s'agrippa à Alex.

Pris au dépourvu, celui-ci partit à la renverse, l'entraînant dans sa chute. Il atterrit sur le dos, puis les fixations de ses skis sautèrent et elle vint s'écraser sur lui avec un bruit sourd.

Il l'entoura de ses bras pour la retenir.

Des pieds à la tête, elle était plaquée contre lui, son corps aligné sur le sien. En dépit de l'épaisseur de leurs combinaisons, elle se sentait peser de tout son poids sur lui, et c'était fort agréable. S'ils avaient été nus, la vie aurait été parfaite.

En riant, elle leva la tête. Puis, consciente que les gens les observaient, elle détourna les yeux, gênée.

— Je suis réellement désolée.

Alex sourit de toutes ses dents.

— Je ne me plains pas.

— Oh, euh, eh bien…

Recouvrant un semblant de sang-froid, elle parvint non sans mal à se redresser. Ce faisant, ses hanches se pressèrent brièvement contre celles d'Alex, rendant le contact de leurs deux corps encore plus intime. Finalement, Dieu merci, elle retrouva la position verticale. Etre ainsi littéralement scotchée à lui la rendait folle.

Elle se débarrassa de la neige accrochée à sa combinaison tandis qu'Alex se mettait debout à son tour.

— O.K., recommençons.

Alex voulait parler de ski, mais il aurait tout aussi facilement pu faire allusion à autre chose, à des besoins plus basiques. L'avoir sur lui l'avait tellement excité qu'il avait un début d'érection — que par bonheur cachaient les vêtements matelassés.

— Si vous êtes prêt, je le suis aussi, déclara-t-elle en lui jetant un rapide coup d'œil. Je ne comprends pas pourquoi ça me paraît si difficile. D'ordinaire, je suis plus douée pour les activités physiques.

— Les activités physiques ? Comme quoi, par

exemple ? s'enquit-il en même temps qu'il ramassait leurs bâtons.

Celles auxquelles il pensait n'avaient rien à voir avec le sport.

— Quand j'étais enfant, je grimpais aux arbres comme personne, répondit Jennifer tout en se concentrant sur ses skis. J'adorais ça. J'étais un vrai garçon manqué.

— Vous plaisantez, n'est-ce pas ?

Il avait du mal à se représenter sa gracieuse et calme collègue en petite fille intrépide.

— J'étais maigre et nerveuse. J'atteignais la cime de notre magnolia plus vite que n'importe lequel de mes frères et sœur.

Alex éclata de rire.

— Quelle hauteur faisait-il ?

— Je serais bien incapable de vous le dire avec précision, mais je sais qu'il était immense. Mes parents vivent toujours dans la maison où nous avons grandi. Je vous y emmènerai un de ces jours et vous le montrerai. Et vous ?

Il se replaça derrière elle, les mains sur ses hanches.

— Comment cela, et moi ?

— Je vous ai dévoilé un trait de mon enfance. Maintenant, c'est votre tour, dit-elle avec légèreté. Racontez-moi quelque chose vous concernant.

Alex ne pipa mot pendant quelques minutes. Il

n'aimait pas parler de son enfance. Ce n'était pas une période heureuse de sa vie.

— Que voulez-vous que je vous dise ?

Jennifer tourna la tête et lui fit les gros yeux.

— Je ne sais pas, moi. Quel élève étiez-vous ? Comment étiez-vous physiquement ? interrogea-t-elle, tirant sur le bandeau qui lui couvrait les oreilles. A mon avis, toutes les adolescentes à vingt kilomètres à la ronde devaient vous courir après.

— J'étais le ringard de la classe, avoua-t-il, la bouche contre son oreille.

Son bandeau en tricot laissait apercevoir un petit bout de lobe finement ciselé auquel était accrochée une boucle d'oreille en forme de cœur. Il devait se faire violence pour ne pas se mettre à le mordiller.

— Vous me faites marcher ! s'exclama-t-elle, le regard rivé au sien.

— Absolument pas, assura-t-il de façon désinvolte. J'étais un véritable rat de bibliothèque et un fou d'informatique. Nombreux étaient ceux qui se moquaient de moi.

Elle le fixa, incrédule.

— Oh, Alex ! Je suis navrée de vous avoir contraint à évoquer des souvenirs aussi désagréables. En tout cas, s'ils vous voyaient aujourd'hui, ils ne riraient plus. Ils vous supplieraient de leur donner un job ou de l'argent ! dit-elle d'un ton empreint de mépris.

— J'ai survécu.

« Non sans en garder des cicatrices », songea-t-il avec tristesse.

— Il n'en demeure pas moins…

— Très bien, coupa-t-il. Vous sentez-vous prête pour une nouvelle tentative ? Avez-vous l'impression que vous parviendrez à garder votre équilibre sur ces planches ?

— J'y étais arrivée, protesta Jennifer.

Elle ne l'avait perdu que parce que Alex était trop près d'elle.

Cette fois, elle essaya de se concentrer davantage sur ses skis. Elle réussit à rester debout — jusqu'à ce qu'il s'avance vers elle.

— Je vous tiens, lui dit-il en la prenant par le bras. A présent, poussez doucement sur vos bâtons en pliant légèrement les genoux.

A sa grande joie, Jennifer glissa toute seule sur quelques mètres. Sans tomber.

— Oh, mon Dieu, Alex, j'ai réussi ! s'écria-t-elle d'un air triomphant.

Sans réfléchir, elle se retourna pour le regarder. Dans son impatience à lui faire partager ce qui était pour elle une prouesse, elle perdit une nouvelle fois l'équilibre.

Alex fit un bond dans sa direction. L'instant d'après, elle était de nouveau allongée sur lui, les jambes emmêlées aux siennes.

— Oh, je suis désolée, dit-elle, le souffle court.

Les bras d'Alex se refermèrent autour d'elle, la plaquant contre lui.

— Si nous devons passer la journée dans cette position, à mon avis nous pourrions nous livrer à un sport autrement plus intéressant que le ski.

— Un peu de tenue, le réprimanda-t-elle en même temps qu'elle le foudroyait du regard.

S'interrogeant encore une fois sur sa santé mentale — mais qu'est-ce qu'il lui avait pris d'accepter de passer ce week-end avec lui ? —, elle se dégagea et roula sur le côté.

— Jusqu'ici, vous ne pouvez pas dire que mon comportement n'a pas été irréprochable, protesta Alex.

Il se mit debout et lui tendit la main pour l'aider à se relever. Puis, le regard langoureux, il ôta ses gants et la débarrassa de la neige collée à ses cheveux.

Jennifer sentit son estomac se contracter. Jusque-là, elle était assez bien arrivée à garder ses distances. Mais s'il continuait de flirter ainsi avec elle, elle doutait de pouvoir résister bien longtemps à l'attraction qu'il exerçait sur elle.

— Que faisons-nous ? s'enquit-elle. Nous continuons ou nous rentrons ?

Il remit ses gants.

— La décision vous appartient.

— Skier est encore plus dur que je ne le pensais.

— Pas pour la sportive que vous êtes. Il suffit d'attraper le coup.

Cet encouragement la rasséréna. Elle prit une profonde inspiration.

— D'accord, je suis prête à réessayer.

Après plusieurs tentatives infructueuses ponctuées de chutes plus ou moins spectaculaires, ses efforts finirent par se révéler payants. Un sourire ravi sur son visage rosi par le froid, elle parvint à parcourir une bonne vingtaine de mètres.

Au bout d'une demi-heure, Alex lui suggéra d'essayer la piste réservée aux enfants et aux débutants.

— N'est-ce pas un peu prématuré ?

— Si je vous le propose, c'est que je vous en crois capable.

Si vous le dites… Allons-y.

A sa plus grande joie, elle descendit la piste verte sans tomber une seule fois. A mi-pente, Alex la dépassa pour aller l'attendre en bas. Elle ne tarda pas à le rejoindre, s'arrêtant à côté de lui en un chasse-neige presque parfait. Excitée comme une puce, elle leva la tête vers lui.

— C'était super !

Il la prit dans ses bras et l'étreignit brièvement en riant.

— Vous vous êtes débrouillée comme un chef ! assura-t-il avant de la lâcher.

Elle eut toutes les peines du monde à recouvrer son souffle. Il sentait si bon. Oh, Dieu, si bon.

— Le moment est venu d'aller tutoyer les sommets, reprit Alex en désignant le télésiège.

Jennifer hésita.

— Je ne suis pas certaine d'en avoir envie.

Il secoua la tête.

— Rester skier ici n'est pas une option.

— En ce cas, ne venez pas vous en prendre à moi si je me casse la figure et vous atterris encore dessus.

— Cela ne se produira pas, je vous le promets.

Cinq minutes plus tard, conseillée par Alex, elle prenait place sans problème sur le siège en métal.

— D'accord, je veux bien reconnaître que ce n'était pas compliqué.

Alex glissa un bras autour d'elle.

— Je savais que vous en étiez capable.

Elle lui adressa un sourire.

— Vous avez une patience d'ange.

— On dirait que cela vous étonne, rétorqua-t-il, une lueur amusée dans le regard.

Il tira sur ses cheveux, apparemment ravi qu'elle ait choisi de ne pas les attacher. Elle les portait rarement ainsi au bureau.

— Ce n'est pas cela. Mais vous êtes tellement dur lorsque vous négociez un contrat. Je n'ai jamais rencontré quelqu'un d'aussi concentré.

— Merci, dit Alex en lui faisant une grimace. Je suppose que je dois prendre ça comme un compliment.

— Vous savez ce que je veux dire. Vous êtes beaucoup plus détendu ici.

Le changement était notable. Jamais elle ne l'avait

vu à ce point insouciant. Elle ne l'en trouvait que plus attirant encore. Ce qui était loin d'être une bonne chose, attendu que son cœur lui était déjà tout acquis.

— Je sais aussi m'amuser.

— Vraiment ?

— Et je vais vous le prouver.

Il se pencha vers elle et effleura ses lèvres d'un baiser. Puis, comme la remontée mécanique ralentissait en cahotant à l'approche de l'arrivée, il s'écarta.

Bien que fraîche à cause de l'air, sa bouche avait la même douceur que dans son souvenir.

Jennifer descendit du télésiège dans un état second. Le baiser d'Alex lui avait coupé le souffle. A la seconde où ses skis reprirent contact avec la neige, elle tomba. Le perchiste arrêta le télésiège quand les deux adolescentes qui les suivaient vinrent la télescoper et s'affaler sur elle.

— Je suis désolée. Excusez-moi.

Les deux adolescentes se relevèrent en gloussant, rechaussèrent leurs skis et s'éloignèrent à toute allure, la laissant mortifiée.

Elle ignora la main secourable que lui tendait Alex et parvint, sans son aide, à recouvrer la station verticale. Le moment d'après, les skis de nouveau aux pieds, il lui était plus facile de prétendre que sa chute n'avait pas été provoquée par le baiser d'Alex.

— Je continue de me donner en spectacle, se plaignit-elle.

— Vous êtes mignonne comme tout lorsque vous rougissez.

— Arrêtez de vous moquer de moi, répliqua-t-elle d'un ton sévère. Pourquoi n'iriez-vous pas skier un peu de votre côté afin de me laisser m'entraîner ?

En fait, elle avait les jambes en coton. Elle avait besoin de quelques instants de solitude pour se remettre de son baiser.

Alex la dévisagea.

— Vous en êtes sûre ? Et si vous tombez ?

— Je me relèverai, exactement comme je viens de le faire. Je crois que ça ira.

Ne voulant pas qu'il puisse voir à son expression combien son baiser l'avait troublée, elle plongea la main dans la poche de son anorak où elle avait fourré ses lunettes de soleil lorsqu'elle avait pris place sur le télésiège et les chaussa.

Alex évalua la pente neigeuse qui s'étendait à leurs pieds puis reporta son attention sur elle.

— Bon, d'accord. Deux ou trois descentes ne me prendront pas bien longtemps…

— Ne vous pressez pas. Allez, fichez le camp ! ajouta-t-elle en le voyant hésiter.

— Vous n'allez pas abandonner et déchausser dès que j'aurai le dos tourné, n'est-ce pas ?

C'était exactement ce qu'elle avait en tête, mais elle fit un signe de dénégation.

— Je vais rester ici et m'exercer au chasse-neige jusqu'à votre retour.

Alex finit par s'éloigner en godillant.

Elle le suivit des yeux, admirative. Plus que jamais, elle avait envie de savoir ce que ça ferait de sentir son corps musculeux se presser contre le sien.

Essayant de ne pas penser à ce qu'avait pu vouloir dire son baiser, elle skia un moment sur la piste pour débutants. Au bout d'une quinzaine de minutes d'efforts plus ou moins fructueux, elle décida de faire une pause. Le baiser d'Alex avait annihilé sa concentration, ses pieds et ses jambes étaient douloureux et aspiraient au repos. Avisant un petit banc de bois qui semblait n'attendre qu'elle, elle déchaussa et alla s'y asseoir.

Elle n'était pas certaine de savoir ce qu'elle aurait fait si Alex avait insisté pour rester avec elle. Nul doute qu'ils auraient plaisanté sur le baiser qu'il lui avait donné. Mais elle n'y voyait rien de drôle, et des commentaires moqueurs l'auraient blessée.

Parce qu'elle y avait pris du plaisir ?

Et comment ! Elle n'avait qu'une envie : qu'il réitère l'expérience.

Ce week-end était une erreur, elle l'avait su dès le début. Il suffirait d'un rien pour que le petit quelque chose qu'elle éprouvait pour Alex se transforme en un sentiment dévastateur.

D'où le danger de rester seule avec lui.

La suggestion de Casey de coucher avec Alex pour se faire faire un enfant la travaillait. Une fois de plus, elle envisagea de faire l'amour avec lui.

La tentation était vive de l'attirer dans son lit, mais

elle ne s'imaginait pas tomber enceinte de ses œuvres sans qu'il soit au courant. Elle se sentait incapable d'une telle duplicité. Par conséquent, elle devait résister à l'attraction qu'il exerçait sur elle. Le week-end terminé et de retour au bureau, elle mettrait sagement ses sentiments dans la poche, et retrouverait la relation patron-employée qui était la leur.

Une fois prise sa résolution de maîtriser ses émotions, elle se sentit tout de suite mieux. Elle songea une nouvelle fois à renoncer à skier et à rentrer à l'hôtel, mais elle ne voulait pas décevoir Alex.

Exhalant un soupir, elle rechaussa ses planches, se redressa, et se figea. Une pente se dressait devant elle, qu'elle allait devoir gravir. Comme elle ne se voyait pas le faire les skis aux pieds, il ne lui restait plus qu'à redéchausser.

— Un coup de main ?

Un jeune homme blond à la carrure athlétique et aux yeux verts rieurs se tenait devant elle.

— Je vous remercie, répondit-elle poliment. Je pense arriver à me débrouiller.

— Pas facile quand on débute, hein ?

Elle haussa les sourcils.

— Comment savez-vous que je suis une débutante ? Ce n'est pas écrit sur mon front.

— La force de l'habitude, rétorqua-t-il avec un sourire révélant deux rangées de dents d'un blanc éblouissant. Je suis l'un des moniteurs de la station. Je m'appelle Craig.

— Oh…

Super. Non contente de s'être ridiculisée devant Alex, elle allait maintenant avoir l'occasion de montrer ses médiocres performances à un étranger.

— Salut. Moi, c'est Jennifer.

— Et si je vous montrais quelques trucs, vite fait ? A titre gracieux, cela va de soi.

— Merci, mais je suis persuadée que vous avez mieux à faire, rétorqua-t-elle en riant.

Il jeta un coup d'œil à sa montre.

— Mon prochain cours ne commence que dans un quart d'heure. Venez, ajouta-t-il, la main tendue, je vais vous aider à atteindre le sommet de cette colline.

L'idée de refuser ne l'effleura même pas.

Outre que ce garçon se montrait simplement amical, ses tuyaux seraient les bienvenus. Et ce serait amusant si, lorsque Alex la rejoindrait, elle parvenait à l'impressionner.

Glissant sa main dans la sienne, elle accepta son aide.

Ses skis fendant la neige, Alex s'arrêta au bord d'une petite corniche et balaya du regard la zone comprise entre la piste pour débutants et le chalet, à la recherche de Jennifer.

Il n'avait pas été dans ses intentions de s'absenter aussi longtemps, mais ces descentes en solitaire avaient eu l'effet escompté. Cela lui avait permis de mettre les choses au clair dans son esprit.

Embrasser Jennifer n'avait fait qu'accroître la soif qu'il avait d'elle. Il lui devenait de plus en plus difficile de ne pas la toucher. Ce week-end n'avait peut-être pas été une si bonne idée en fin de compte. Ce n'était pas comme s'il était en quête de l'âme sœur. Il aimait sa vie telle qu'elle était — simple. Les femmes avec lesquelles il sortait savaient à quoi s'en tenir. Jamais il ne leur laissait croire qu'il était intéressé par une relation durable. Le divorce de ses parents lui avait appris que lorsque deux êtres ne s'aimaient plus, ce pouvait être l'enfer.

Même si les torts étaient probablement partagés dans le cas de ses parents, il avait trop souffert du rejet de sa mère. Personne ne savait à quel point, car il n'en avait jamais soufflé mot à quiconque, mais il avait retenu la leçon : les femmes finissaient toujours par partir.

D'accord, peut-être y avait-il des exceptions, mais il n'allait certainement pas s'aventurer à vérifier cette hypothèse en exposant son cœur à une souffrance supplémentaire.

Si Jennifer l'attirait plus qu'aucune autre femme avant elle, il ne risquerait rien tant qu'il garderait le contrôle des sentiments qu'elle lui inspirait. Il profiterait du week-end pour apprendre à mieux la connaître, agrémenterait les moments passés en sa compagnie de deux ou trois baisers volés, et puis ils s'arrêteraient là. Ils retourneraient travailler lundi matin exactement comme si cette escapade n'avait pas eu lieu.

Convaincu d'avoir la situation en main, il la chercha des yeux.

Lorsqu'il l'aperçut enfin, il faillit basculer dans le vide.

Elle n'était pas seule. Un homme se tenait derrière elle, les mains posées sur ses hanches.

Alors que son regard s'attardait sur eux, le type se colla plus encore contre elle, le visage à quelques centimètres du sien.

Alex sentit son estomac se nouer et son sang s'accélérer dangereusement dans ses veines. Poussant un juron, il planta ses bâtons dans la neige et s'élança dans leur direction, en pestant contre lui-même de l'avoir laissée seule.

Il s'immobilisa à côté d'eux dans un nuage de poudreuse.

Jennifer leva la tête, visiblement prête, la bouche pincée, à réprimander l'importun. Son expression s'adoucit quand elle le reconnut.

— Oh, Alex ! Coucou !

Le regard s'étrécit.

— Qui est-ce ?

— Il s'appelle Craig, répondit Jennifer à l'adresse de son compagnon.

Craig arborait un large sourire.

— Bonjour.

Puis il croisa son regard et son sourire s'évanouit.

— Elle est avec moi, déclara Alex d'un ton sec.

Il pointa le menton en direction de Jennifer afin qu'il n'y ait pas de malentendu quant à sa revendication.

L'autre eut le bon sens de reculer d'un pas.

— Désolé, mon vieux. Je lui faisais juste quelques recommandations.

— Je vais prendre la relève.

— Certainement. A plus tard, ajouta-t-il à l'adresse de Jennifer.

A en juger par sa hâte à battre en retraite, il ne pensait pas le revoir de sitôt.

— Merci pour votre aide ! cria Jennifer tandis qu'il s'éloignait sans demander son reste.

La main sur la hanche, Alex foudroya celle-ci du regard.

— Si vous aviez envie d'une leçon de ski, pourquoi vous être débarrassée de moi en me suggérant d'aller faire quelques descentes de mon côté ?

— Je ne voulais pas vous ennuyer. Skier avec une débutante n'est jamais agréable, surtout lorsque l'on est un bon skieur.

Elle fronça les sourcils.

— Où était le problème ? s'enquit-elle, faisant allusion à son attitude envers Craig.

— Vous n'avez nul besoin qu'un minable petit moniteur de ski vienne vous tripoter.

— Il ne me tripotait pas, Alex.

— Non ? Pourtant, d'après ce que j'ai vu, il avait indéniablement les mains baladeuses.

— Craig se montrait juste prévenant.

— Vous aider n'était pas sa seule préoccupation, figurez-vous. Il est clair qu'il avait une idée derrière la tête vous concernant.

Elle ne répondit pas. Alex était un négociateur hors pair. Discuter avec lui ne servirait à rien.

— Craig n'est pas un minable petit moniteur de ski, rectifia-t-elle cependant. Il travaille en station pour payer ses études de droit. Ses parents, qui sont originaires d'un village des environs, n'ont pas les moyens de les lui offrir.

— Eh bien, ce type n'a pas perdu de temps ! Il fait votre connaissance et, hop, il vous raconte sa vie. C'est ce que l'on appelle un rapide.

— Il ne m'a pas raconté sa vie. Il m'a simplement confié qu'il avait dû prendre ce job de moniteur parce qu'il était désargenté… Quoi qu'il en soit, je ne comprends pas que vous en fassiez tout un plat.

— Je n'en fais pas tout un plat !

— Oh, que si ! insista-t-elle. La veine de votre tempe est gonflée. Comme chaque fois que vous êtes énervé.

Ah ? Il l'ignorait.

— Nous sommes venus ici ensemble. Je vous laisse une demi-heure, et vous ne trouvez pas mieux à faire que de mettre le grappin sur un mec.

A peine avait-il terminé sa phrase qu'il la regretta. Ce n'était pas comme si Jennifer lui appartenait. Il n'en demeurait pas moins qu'ils étaient censés être ensemble. Etre vue avec un autre homme pouvait faire mauvaise impression.

Consternée, Jennifer le dévisagea.

— « Mettre le grappin » ? répéta-t-elle. A vous entendre, on croirait que je suis une… dévergondée !

Furieuse, elle déchaussa et ramassa ses skis.

— Tout ce que je voulais, dit-elle, plantant son regard dans le sien, c'était faire assez de progrès pour que, à votre retour, vous soyez impressionné. Je n'aurais même pas dû essayer ! Venir ici avec vous était une erreur. Je savais bien que ce serait une source de problèmes.

Jennifer se détournait déjà pour regagner le chalet.

D'une main sur son bras, il l'obligea à s'arrêter.

— Attendez.

— Qu'y a-t-il ?

La déception se lisait sur son visage.

— Mon intention n'était pas de vous blesser.

Elle haussa les épaules.

— Cela n'a aucune importance.

Il était clair qu'elle mentait.

Alex pesta dans sa barbe. Quel idiot il était !

— Je n'ai réagi ainsi que parce que j'étais… sur la défensive.

Il avait failli dire « jaloux ». Mais ce n'était pas le cas. Grands dieux, non ! Pour être jaloux, il aurait fallu qu'il l'aimât, railla une petite voix intérieure.

Ce qu'il éprouvait pour elle n'était que du désir. Purement et simplement. C'était une femme séduisante.

Bon Dieu, elle était mieux que séduisante, elle était superbe. Et maintenant qu'il avait goûté à la saveur de ses lèvres, il ne pensait plus qu'à lui faire l'amour.

Mais jaloux ? Sûrement pas.

Jennifer planta ses skis dans la neige et se croisa les bras.

— Pourquoi ? questionna-t-elle, le visage indéchiffrable.

Il eut un haussement d'épaules.

— C'était une réaction réflexe.

— Je vois.

En fait, elle n'avait pas l'air de comprendre. Avait-elle espéré une autre réponse ?

— Je pense que j'en ai assez pour aujourd'hui, soupira-t-elle.

— Excusez-moi de m'être conduit comme un imbécile, dit-il. Je tâcherai de me faire pardonner.

— Rien ne vous y oblige. N'en parlons plus.

— Mais j'y tiens. Ecoutez, il est tard et nous n'avons pas déjeuné. J'ignore ce qu'il en est pour vous, mais en ce qui me concerne j'ai l'estomac dans les talons.

— Moi aussi.

— Que diriez-vous d'aller nous changer et dîner ?

— D'accord, acquiesça Jennifer, mais avant je veux prendre une douche.

Alex hocha la tête. Il aurait préféré qu'elle gardât pour elle cette dernière remarque. L'image de l'eau ruisselant sur son corps dénudé s'imposa instantanément à son esprit.

Déchaussant ses skis, il ravala le nœud qui s'était formé dans sa gorge.

— Je vous retrouve dans une petite heure, dit-il en s'emparant de ses skis. Cela nous laisse largement le temps de nous préparer.

Il la regarda s'éloigner, fasciné par le balancement de ses hanches sous la combinaison.

Pourquoi avait-il si violemment réagi à la présence de ce Craig ? Il lui avait dit que c'était parce qu'ils étaient venus ensemble, mais la vérité était tout autre.

Il aurait aimé pouvoir donner à Jennifer ce après quoi elle soupirait, mais il ne le pouvait pas.

Ce qu'elle voulait, ce dont elle rêvait, c'était un engagement à long terme. Un amour qui rimât avec toujours.

Et c'était là quelque chose qu'il était incapable de lui offrir.

- 5 -

Une heure plus tard exactement, Jennifer entendit frapper à sa porte.

Alex était sur le seuil, vêtu d'un jean et d'une chemise bleu nuit qui faisait ressortir ses magnifiques yeux bleus.

— Je suis prête, dit-elle, souriante. Je n'ai plus qu'à prendre mon sac.

— Vous pouvez le laisser, vous n'en aurez pas besoin. Le dîner est compris dans le week-end. Et, ajouta-t-il avec un sourire taquin, après le dîner nous ne reviendrons pas directement ici.

— Non ? Et puis-je savoir où vous comptez m'emmener ?

— C'est une surprise. Je vous avais dit que je me ferais pardonner.

— Alex…

— Prenez votre manteau, la coupa-t-il, levant le bras pour montrer qu'il avait le sien. Ainsi que votre chapeau et vos gants.

Elle le suivit dans le hall.

— J'en déduis que la surprise implique que nous sortions.

A l'idée qu'il s'était donné la peine de lui organiser quelque chose de spécial, elle sentit un frisson la parcourir.

Il glissa le bras autour de ses épaules.

— Vous verrez…

Après un dîner parfait en tout point, Alex l'entraîna au-dehors et adressa un signe de tête à un vieux monsieur qui attendait, immobile près d'un banc.

Quelques secondes plus tard, un bruit de grelots trouait le silence de la nuit, et un traîneau rouge et blanc à deux places vint s'arrêter devant eux.

— Oh, Alex ! s'écria-t-elle, rose de plaisir. Oh, mon Dieu, je ne peux pas croire que vous ayez arrangé une promenade en traîneau.

Alex sourit de toutes ses dents, ravi de l'avoir étonnée. L'instant d'après, ils étaient installés sur la banquette recouverte d'une peau de mouton, un plaid sur les genoux.

— Comment saviez-vous qu'ils proposaient des promenades en traîneau ?

— Pendant que je vous attendais, j'ai bavardé avec l'un des employés de la réception. Il m'a énuméré les différentes activités proposées par l'hôtel. J'ai choisi le traîneau parce que j'ai pensé que cela vous plairait. Et j'avais envie de vous surprendre.

— Eh bien, c'est réussi. C'est super, assura-t-elle,

les yeux brillants, essayant sans succès d'occulter le côté romantique d'une telle promenade.

— Je suis désolé de m'être montré désagréable avec votre moniteur de ski, reprit Alex. Je n'avais pas l'intention de gâcher votre après-midi.

— Vous n'avez rien gâché. Et n'en parlons plus.

— Je passerai toute la journée de demain avec vous.

— Vous n'y êtes pas obligé, Alex. Je sais que vous êtes venu ici pour skier.

— J'aime beaucoup le ski, mais j'apprécie plus encore votre compagnie. Je m'amuse bien avec vous.

Cet aveu prit Jennifer au dépourvu mais lui fit plaisir. Plus qu'il ne l'aurait dû.

Elle chercha le regard de son compagnon.

— Moi aussi, souffla-t-elle.

Et puis elle frissonna et se blottit plus étroitement contre lui.

— Vous avez froid ? s'enquit Alex. Je crois qu'ils ont même prévu du chocolat chaud.

Il ouvrit le récipient métallique posé à leurs pieds et en sortit une Thermos.

— Le voilà, dit-il.

Dévissant le bouchon qui faisait office de gobelet, il le retourna, y versa un peu du liquide brûlant et le lui tendit.

— A vous l'honneur.

— C'est délicieux, dit Jennifer après en avoir bu une petite gorgée.

Se léchant les lèvres, elle passa le gobelet à Alex. Celui-ci s'en empara et le vida d'un trait.

— Avez-vous dit à vos parents que vous vous absentiez ce week-end ?

Elle secoua la tête.

— Oh, non.

La seule personne à laquelle elle l'avait dit était Casey. Et elle le regrettait. En cet instant précis, elle ne pensait qu'à faire exactement ce qu'avait suggéré cette tentatrice : séduire Alex.

Tout ce qu'elle avait à faire, c'était, à leur retour à l'hôtel, l'inviter dans sa chambre. C'était un homme intelligent, elle n'aurait pas besoin de lui faire un dessin.

— Si je le leur avais dit, ils m'auraient posé des questions quant à l'identité de celui qui m'accompagnait.

— Et vous ne vouliez pas qu'ils sachent que vous partiez avec moi ? interrogea Alex d'un ton trahissant une légère contrariété.

Les grelots du traîneau tintinnabulèrent tandis qu'il négociait un large virage.

Elle regarda Alex.

— Non, avoua-t-elle.

Ses parents l'auraient mise en garde. Ils auraient argué que partir avec son patron était une mauvaise idée, chose qu'elle savait déjà.

— Je me rends compte que cela peut paraître ridicule,

mais je me soucie beaucoup de ce que mes parents pensent de moi. Ils auraient imaginé le pire.

— Le pire étant pour eux que nous couchions ensemble ? plaisanta Alex.

— *Alex !*

Elle lui pinça le bras puis recouvra son sérieux.

— Eh bien, oui. Mes parents sont très vieux jeu.

Ils seraient véritablement très déçus si elle allait au bout de son projet et se faisait faire un enfant par un homme de passage. Ils en auraient le cœur brisé. Mais ils l'aimaient aussi, et elle savait que quelle que soit la façon dont elle le concevait, ils chériraient son enfant.

— Ils ne cessent de me rappeler que Tony va se marier l'année prochaine, et que Greg voit quelqu'un et que cela semble sérieux. Nul doute qu'il ne va pas tarder à se fiancer lui aussi.

— Laissez-moi deviner, dit Alex avec un regard entendu. Vos parents veulent vous voir casée.

Elle hocha la tête.

— Ils remettent le sujet sur le tapis à chacune de mes visites. Apparemment, trois petits-enfants ne leur suffisent pas. Ils en veulent davantage.

Elle aurait aimé leur donner satisfaction. Réellement. Mais la vie ne semblait tout simplement pas se montrer coopérative.

— Et vous, arrive-t-il parfois à vos parents de faire pression sur vous ?

Elle vit la mâchoire d'Alex se crisper.

— Je ne vois pas mes parents assez souvent pour qu'ils tentent de m'influencer.

— Vraiment ?

— Mon père n'est pas le genre d'homme à être un grand-père gâteau.

— C'est dommage, dit-elle doucement. Et votre mère ?

— Nos relations sont pratiquement inexistantes. Je ne l'ai pas vue depuis au moins six mois.

— Six mois !

Elle n'imaginait rien de plus triste qu'une mère n'entretenant pas de tendres rapports avec son enfant. Bien sûr, elle avait parfois des mots avec ses parents, mais ils l'aimaient. Et elle-même les adorait et les respectait.

— Avez-vous essayé de lui parler ?

Alex haussa les épaules, l'air indifférent.

— Je l'ai appelée à plusieurs reprises, mais… Elle ne m'aime pas. Elle ne m'a jamais aimé.

— Qu'est-ce qui vous fait dire ça ? s'exclama-t-elle en le dévisageant.

Il y avait dans ses yeux une tristesse qu'elle aurait voulu effacer par n'importe quel moyen.

— Elle m'a laissé à la garde de mon père lorsqu'ils ont divorcé. J'avais dix ans. Selon elle, la vie qu'elle menait n'était pas adaptée à un garçon de mon âge. Je l'aurais gênée plus qu'autre chose.

A l'évidence peu désireux qu'elle voie combien un tel aveu lui coûtait, Alex se pencha pour ranger la Thermos. Cela fait, il se redressa et posa le bras derrière elle sur la banquette.

Mais la lueur désabusée qui avait brièvement traversé son regard n'avait pas échappé à Jennifer, et elle sentit son cœur se serrer. Elle comprenait maintenant pourquoi il était à ce point indifférent. Parce qu'il n'en avait jamais reçu, l'amour était un sentiment qu'il ne connaissait pas. Aimer était un verbe qui n'appartenait manifestement pas à son vocabulaire.

— Oh, Alex, je suis désolée. Je ne parviens même pas à imaginer ce que l'on doit éprouver dans pareille situation.

— Cela n'a aucune importance. Je ne passe pas mon temps à y penser.

A peine avait-il terminé sa phrase qu'Alex eut conscience d'avoir proféré un énorme mensonge.

Il n'avait jamais eu de famille comme celle dans laquelle Jennifer avait grandi. L'amour et le respect qui perçaient dans sa voix lorsqu'elle parlait de ses parents lui semblaient étrangers.

L'opinion de Jennifer sur la famille et le bonheur lui donnait l'envie de tenter sa chance avec elle. Elle était chaleureuse et réfléchie. Et affectueuse.

Mais baisser sa garde la concernant pouvait s'avérer fatal pour lui. On risquait moins de souffrir quand on n'attendait rien de personne.

— Oh, Alex, regardez, il neige ! s'écria Jennifer d'une voix excitée tandis que quelques flocons tourbillonnaient autour d'eux.

— Oui, c'est ce que l'on dirait.

— C'est tout simplement parfait, murmura-t-elle avec ferveur. La promenade en traîneau, la neige, c'est si…

Elle se tut brusquement, comme à court de mots, et le regarda.

— Romantique ? chuchota-t-il, terminant la phrase à sa place.

Il laissa errer son regard sur le fin visage levé vers lui, sur la bouche charnue qui invitait au baiser. Il faudrait qu'il fût stupide pour laisser une romantique promenade en traîneau lui monter à la tête. Et pourtant…

— Vous êtes si belle ainsi, avec cette neige accrochée à vos cheveux, vos yeux brillants et vos joues rosies par le froid. Je crois honnête de vous avertir que je ne vais pas pouvoir me retenir de vous embrasser.

— Alex, non ! commença-t-elle à protester avant de capituler et de lui offrir sa bouche.

Il se pencha vers elle et fit courir sa langue sur ses lèvres entrouvertes. Puis, n'y tenant plus, il força le barrage de ses dents et entraîna la sienne dans un ballet érotique brûlant, avide.

La sentant se raidir, il se recula.

— Ce n'est qu'un baiser, Jen. Cela ne peut faire de mal à personne.

Ce fut le moment que choisit le traîneau pour s'arrêter.

Brutalement ramené à la réalité, Alex s'arracha à la bouche de Jennifer, rectifia la position et s'avisa qu'ils étaient revenus devant l'hôtel et que le conducteur attendait qu'ils descendent.

Bien que ne sachant pas trop quoi dire, il avait conscience que des excuses étaient de mise. Ce qui ne devait être au départ qu'un simple petit baiser avait, bien malgré lui — ses satanées hormones n'en faisaient qu'à leur tête ! —, tourné à l'étreinte passionnée.

Mais alors qu'il allait s'exécuter, Jennifer posa un doigt ganté sur ses lèvres.

— Merci pour cette soirée, dit-elle dans un murmure. Tout était parfait.

Il était clair qu'elle reprenait ses distances.

Alex n'en était pas enchanté, mais il ne pipa mot, sachant qu'elle avait pris la meilleure décision. Une liaison entre eux serait une erreur.

Sautant au bas du traîneau, il aida Jennifer à descendre puis l'accompagna jusqu'à sa chambre.

En silence, elle pénétra à l'intérieur et referma la porte, le laissant désemparé devant le battant clos.

Se coucher seul allait être l'enfer.

Les spatules de Jennifer s'enfoncèrent dans la poudreuse, la faisant s'arrêter net.

— Alex !

Elle l'apercevait qui s'était immobilisé à mi-pente, une quinzaine de mètres en contrebas, mais le brouillard qui s'était abattu sur la station l'empêchait de distinguer ses traits. Elle entendit qu'il lui criait quelque chose — qu'elle ne comprit pas.

La légère chute de neige qui avait commencé la veille au soir s'était épaissie et les flocons tombaient maintenant de façon dense, recouvrant le sol d'un épais manteau blanc. Elle avait trouvé cela magnifique au début, mais, depuis quelques descentes, elle avait du mal à voir où elle allait.

Espérant qu'Alex l'attendrait, elle poussa sur ses bâtons pour le rattraper.

Avec les conditions météorologiques qui se détérioraient, les pistes étaient presque désertes. Ce matin, elle avait suggéré à Alex d'avancer leur départ pour Norfolk, mais il tenait au contraire à skier jusqu'à la dernière minute. Et quand il lui avait demandé si elle ne voyait pas d'inconvénient à ce qu'ils changent l'heure de leur vol de retour afin de pouvoir skier plus longtemps, elle n'avait pas eu le cœur de refuser.

Avec du recul, elle se disait que retarder leur départ n'avait peut-être pas été une si bonne idée que cela.

Voyant Alex droit devant, elle ouvrit son chasse-neige pour glisser doucement jusqu'à lui. Du moins était-ce son intention. Mais skier dans la poudreuse requérait une maîtrise qu'elle était loin de posséder.

Elle lui rentra dedans, le fit basculer en arrière et lui tomba dessus.

— Houp, désolée, dit-elle en riant. Cela devient une habitude.

— Vous le faites exprès, hein ?

Alex joignit son rire au sien puis prit une pleine poignée de neige et la lui mit dans le cou.

Elle hurla et se débattit pour lui échapper.

L'attrapant par la taille, il la fit rouler dans la neige et la cloua au sol avec son corps.

— Stop ! S'il vous plaît ! supplia-t-elle.

Elle était à sa merci, mais elle ne s'en plaignait pas réellement. Ils s'étaient plusieurs fois chamaillés comme ça dans la neige, la veille, et chaque fois c'était elle qui, au bout du compte, se retrouvait sous lui. Alex avait pris la liberté de l'embrasser à maintes reprises depuis la promenade en traîneau de l'avant-veille. Elle savait qu'elle aurait dû l'en empêcher, mais elle s'en révélait incapable. Et chaque fois qu'il l'embrassait, elle répondait à ses baisers et l'idée de l'inviter dans son lit la reprenait.

Mais jusqu'à présent elle avait su résister à la tentation, et aujourd'hui ils partaient.

Elle était tirée d'affaire. Encore quelques heures et ils seraient de retour chez eux. De retour à la normale, sans qu'il y ait eu de casse.

Seul son cœur aurait du mal à s'en remettre.

— Alors, on ne fait plus la maligne, hein ? la défia Alex.

Elle cessa de se débattre et sentit son corps peser plus lourdement sur le sien.

— Vous êtes démoniaque, dit-elle avec une petite moue.

Baissant la tête, Alex fit courir sa langue sur sa lèvre inférieure.

— Vous savez que je trouve ça très sexy, murmura-t-il.

Et puis il l'embrassa à pleine bouche, lui arrachant des gémissements.

Il mettait sa résolution de ne pas le séduire à rude épreuve.

Ils s'étaient mutuellement soumis à la tentation, sans jamais en parler. C'était un jeu dangereux. Elle n'était pas certaine, si elle passait une journée de plus en sa compagnie, d'être capable de ne pas céder à son envie de lui faire l'amour. Heureusement que leur week-end se terminait. Bientôt, tous deux retourneraient à la vie réelle, et il redeviendrait l'homme sérieux, dynamique, pour lequel elle travaillait.

Ce week-end, elle avait appris à apprécier l'homme qui se cachait derrière une façade de froideur. Bien qu'elle sût déjà qu'il pouvait être charmant, elle adorait son humour. Il était accommodant à l'excès et, ainsi qu'elle l'avait découvert lors d'une chute à skis, compatissant et tendre. Il avait ôté ses gants et l'avait palpée partout afin de s'assurer qu'elle allait bien.

Elle était loin d'aller bien, mais sa chute n'en était pas la cause. Le contact de ses mains sur son corps avait été pour elle une douce torture. Elle avait eu plus que jamais envie d'oublier la promesse qu'elle s'était faite de s'en tenir à des rapports platoniques.

— Vous voulez que je vous montre à quel point

je peux être démoniaque ? questionna-t-il avec un sourire malicieux.

— Oh, Alex, vous ne jouez pas franc-jeu, protesta-t-elle tandis qu'il plaquait ses hanches contre les siennes. Je ne peux plus bouger !

— C'est le but de la manœuvre, figurez-vous.

— Le but… ? Ecoutez, ça suffit, Alex. Nous devons faire nos bagages. La neige tombe de plus en plus fort. Si ça continue, je ne vais plus oser redescendre.

— Vous avez raison, marmonna-t-il en se relevant d'un bond. Allons-y, ajouta-t-il après l'avoir aidée à se mettre debout et l'avoir débarrassée de la neige qui la recouvrait.

Trois quarts d'heure plus tard, ils faisaient leur entrée dans le hall de l'hôtel.

Ils se dirigeaient vers l'escalier qui menait à leurs chambres lorsqu'ils remarquèrent un attroupement devant la réception.

— Que se passe-t-il ? demanda Alex à un adolescent qui passait à côté d'eux.

— On ne peut pas partir d'ici ! annonça celui-ci, jubilant littéralement. Ils disent que la route est fermée. En sus de la neige, il y a eu un éboulement à l'entrée de la station. N'est-ce pas super ? Je n'aurai pas à aller au lycée demain.

— Quoi ? s'exclama Jennifer, alarmée. Ce n'est pas possible !

— Attendez-moi là, décida Alex. Je vais aller me renseigner.

Il se fraya un chemin jusqu'au comptoir derrière lequel se tenait le manager de l'hôtel. Au bout de cinq minutes, il revint auprès d'elle, l'air contrarié.

— Vous n'allez pas être contente des nouvelles que j'apporte, dit-il. Le gamin avait raison. Il est tombé une vingtaine de centimètres de neige depuis hier soir, et cela a apparemment provoqué une avalanche, rendant impraticable l'unique route desservant la station. Nous sommes bloqués ici jusqu'à ce qu'ils puissent la dégager.

— Bloqués ici ? Combien de temps ? interrogea-t-elle.

Il y avait sûrement quelque chose à faire. Séjourner plus longtemps à l'hôtel avec Alex n'était pas une bonne idée. Sa volonté avait des limites.

— Un jour. Ou peut-être deux. Tout dépend des conditions météo. D'autres chutes de neige sont prévues pour la nuit prochaine.

— C'est ridicule, Alex ! riposta-t-elle, sa panique allant croissant. Nous ne pouvons pas rester ici. Il faut que nous retournions travailler !

— Il n'est rien que nous puissions faire sinon attendre, lui dit-il, déjà résigné. J'aurais bien loué un hélicoptère, mais ils sont retenus au sol.

Il l'entraîna à l'écart de la foule.

— Ces gens que vous voyez là sont dans la même galère que nous.

Pas tout à fait. Aucune des femmes présentes n'était obnubilée par l'idée de faire l'amour avec Alex !

— Qu'allons-nous faire ?

— Je vais appeler le bureau demain matin à la première heure pour dire que nous avons un contretemps.

— C'est hors de question ! Personne ne sait que nous sommes ensemble.

Rien que de penser à la réaction de leurs collègues s'ils apprenaient que Alex et elle étaient partis ensemble, elle avait envie de rentrer sous terre.

— La belle affaire ! Je doute qu'ils s'interrogent sur les raisons de notre double défection.

Elle n'avait jamais tenu Alex pour un naïf, mais s'il croyait que l'on ne jaserait pas si aucun d'eux n'était à son poste le lendemain, il l'était certainement.

— Et moi je doute qu'ils s'en privent. La rumeur va se répandre comme une traînée de poudre.

— Vous plaisantez, hein ?

— Pas le moins du monde. Par ailleurs, j'ai déjà dit à Paige que je m'absentais pour le week-end.

— Vous avez dit à Paige que vous partiez ? Pourquoi ?

Il lui semblait se rappeler qu'ils étaient convenus de ne parler à personne de leur petite escapade. Découvrir qu'elle avait mis son assistante dans le secret le prit au dépourvu.

— En proie à des problèmes de trésorerie momentanés, elle m'a demandé si elle pouvait faire des heures supplémentaires et finir un projet pour moi. Je lui ai donné mon accord, mais je voulais qu'elle sache que je ne serais joignable que sur mon portable.

Elle réfiéchit quelques secondes puis suggéra :

— Appelez votre assistante à vous et dites-lui que vous avez dû partir en déplacement.

Alex trouva le subterfuge amusant.

— Elle va vouloir savoir dans quel hôtel je suis descendu.

Jennifer fit la grimace.

— D'accord, dites-lui que vous n'avez encore réservé nulle part, mais que vous la rappellerez dès que vous l'aurez fait. De mon côté, je vais téléphoner à Paige pour lui dire que je suis malade.

— Vous n'êtes *jamais* malade.

— Il y a un début à tout. Et avec tous ces virus qui traînent, personne n'est à l'abri. Pas même moi qui ai une santé de fer.

Refrénant son envie de rire, Alex demanda :

— Et si elle vous appelle chez vous ?

— Je lui dirai que je n'ai pas de prise téléphonique dans ma chambre et que, le cas échéant, elle pourra me joindre sur mon portable.

— Pourquoi faire simple quand on peut faire compliqué ! Je ne pense pas qu'il soit nécessaire de monter un tel…

— *Alex !*

Elle le foudroya du regard.

— Très bien, très bien. Je ferai comme il vous

plaira. Je ne voudrais pas que, par ma faute, vous vous retrouviez dans l'embarras.

— Parfait. Ce problème est donc réglé.

Restait celui de savoir comment elle allait gérer les vingt-quatre ou quarante-huit heures supplémentaires avec Alex.

— Je suis fatiguée. Je crois que je vais aller prendre un bain chaud.

— Une minute, dit Alex. Il y a autre chose dont il faut que nous discutions.

Jennifer sentit son estomac se nouer. L'air sérieux d'Alex ne lui laissait rien présager de bon.

— Ah oui ?

— Venez, reprit-il en la guidant vers le bar désert à cette heure. Il y a trop de monde ici.

— Il y a assurément foule, renchérit Jennifer en prenant place dans un fauteuil en face de la cheminée.

— Ce qui m'amène à ce dont je voulais vous parler, dit-il en s'asseyant à côté d'elle.

Il s'éclaircit la gorge.

— Parmi les clients de l'hôtel, il y en a qui sont arrivés juste avant la fermeture de la route. Et d'autres, comme nous, qui ne peuvent pas s'en aller.

Il parut attendre qu'elle en tire une conclusion. Comme elle ne voyait pas où il voulait en venir, il fronça les sourcils.

— Ils n'ont pas assez de place pour loger tout le

monde, aussi nous est-il demandé de partager notre chambre.

— Vraiment ?

Quand on y réfléchissait, cela tombait sous le sens. Mais elle détestait l'idée de devoir partager sa chambre avec une inconnue. Avec la chance qui la caractérisait, il était probable qu'elle allait se retrouver avec quelqu'un qui ronflait.

— Très bien, acquiesça-t-elle avec un soupir résigné. A qui dois-je m'adresser ?

Il secoua la tête.

— A personne. J'ai dit que nous ferions chambre commune.

— Nous ? Vous voulez que nous partagions une chambre ?

Seigneur ! Qu'avait-elle fait pour que le destin lui joue un tel tour ?

— J'ignore ce qu'il en est pour vous, Jennifer, mais je ne me vois pas dormir à côté d'un étranger.

Elle hésita.

— Moi non plus, avoua-t-elle.

— Au moins serons-nous en pays de connaissance. Si vous êtes d'accord, nous garderons ma chambre, qui est un peu plus grande que la vôtre et qui présente l'avantage d'avoir un canapé. Vous prendrez le lit. Qu'en dites-vous ?

— Vous êtes trop grand pour dormir sur un canapé. *Vous* prendrez le lit.

— Nous débattrons de cela plus tard. Je voulais

juste m'assurer que vous ne verriez pas d'objection à partager une chambre avec moi.

— De toute façon, nous n'avons pas d'alternative, n'est-ce pas ?

Le choix de ses mots fit tiquer Alex.

— Il faut que nous avertissions la réception que nous gardons ma chambre.

— Je vais monter rassembler mes affaires.

Alex hocha la tête.

— Je vous rejoins dès que je le peux afin de vous aider à transporter vos bagages.

— Entendu.

Jennifer se leva et quitta le bar, l'esprit en ébullition.

Elle était bel et bien dans le pétrin. Et jusqu'au cou.

Si la sagesse lui soufflait qu'il valait mieux qu'elle tînt Alex à distance jusqu'à la fin de leur séjour, physiquement elle n'en avait pas la moindre envie. Sans parler de son état émotionnel. Qu'allait-elle faire ? Rester couchée dans son lit à regarder dormir l'homme auquel elle souhaitait appartenir ? Un homme dont elle était plus qu'à moitié amoureuse ? Un homme dont elle rêvait qu'il soit le père de son bébé ?

Cette chance d'être avec Alex, elle la voulait plus que tout. Casey disait toujours qu'elle était trop timorée, qu'elle ne prenait pas assez de risques. Allait-elle oser la faire mentir ?

C'est alors que la solution lui apparut.

Pour grand que soit son désir d'enfant, elle ne pouvait pas se servir d'Alex. Donc, s'ils faisaient l'amour, elle s'assurerait qu'il mette un préservatif, tout simplement.

Ce fut le cœur serré qu'elle entama l'ascension de l'escalier menant à sa chambre.

Sa principale chance de concevoir un bébé d'Alex venait de s'envoler.

- 6 -

Alex frappa doucement à la porte de Jennifer. Il s'était attardé au bar afin de lui laisser le temps de rassembler ses affaires, mais l'attente avait assez duré. Il était impatient de la voir emménager dans sa chambre.

Avant qu'elle ne change d'avis.

Il s'était permis beaucoup de libertés avec elle au cours du week-end. Des libertés qu'il n'avait pas le droit dc prendre. Et il ne s'était pas donné beaucoup de mal pour combattre l'attirance qu'il éprouvait pour elle.

Mais le fait de partager la même chambre changeait tout. Il n'y aurait plus de baisers. Plus de contact d'aucune sorte. Il fallait qu'ils reviennent aux rapports platoniques qui étaient les leurs auparavant. Peut-être même pourraient-ils devenir amis.

Amis ? Jennifer et lui ?

D'accord, peut-être pas amis. Mais s'il l'embrassait de nouveau, s'il effleurait, ne fût-ce que brièvement, certaines parties de son corps qu'il mourait d'envie d'explorer, il serait incapable de s'arrêter et ils deviendraient amants. Il n'y aurait alors plus de retour en arrière possible. Le désir qu'il avait d'elle pouvait détruire leur amitié, leurs relations professionnelles, et lui faire perdre la seule femme dont il se souciât.

Il s'abstiendrait donc de la toucher.

Cela constituait une véritable gageure étant donné qu'il gardait à la mémoire l'odeur de sa peau, la douceur de ses lèvres, et son gémissement de plaisir lorsque leurs langues se mêlaient… Néanmoins, il parviendrait à survivre un jour ou deux.

Bon sang, il dirigeait, et de main de maître, une entreprise cotée en Bourse. N'aurait-il pas assez de volonté pour résister à l'envie de faire l'amour à sa plus précieuse collaboratrice.

Mais ses doutes revinrent lorsqu'elle ouvrit la porte et l'accueillit avec un sourire radieux.

— Prête ?

— Oui.

Jennifer s'empara de la plus petite de ses deux valises pendant qu'il se chargeait de l'autre.

— J'ai laissé ma carte magnétique sur la coiffeuse.

— Parfait. Nous allons déposer vos bagages dans ma chambre, et ensuite nous irons dîner. Cela vous convient-il ?

— A merveille. Mais avant, j'aimerais décompresser un peu. Peut-être prendre un bain. Cette journée de ski m'a cassée. J'ai des courbatures partout.

Il retint son souffle. Jennifer nue dans sa salle de bains. Dans sa baignoire…

Sa température corporelle monta de plusieurs degrés.

Pas de panique. Il contrôlait la situation.

C'est alors qu'il eut une idée, bien meilleure à son sens : il allait l'emmener dans un endroit où ils ne seraient pas seuls.

— Avez-vous apporté un maillot de bain ?

Elle acquiesça de la tête.

— Je crois que l'hôtel a un Jacuzzi. Que diriez-vous d'aller nous y plonger avant le dîner ?

— Quelle bonne idée !

Le Jacuzzi avait été une mauvaise idée. Une très mauvaise idée.

Alex regardait, médusé, Jennifer ôter le bas de son jogging.

Il lui avait demandé si elle avait apporté un maillot de bain, mais le minuscule triangle écarlate qui masquait la partie la plus fascinante de son anatomie pouvait difficilement être qualifié de maillot de bain. Il se demandait même si c'était légal.

Son rythme cardiaque, déjà accéléré, passa en vitesse surmultipliée lorsqu'elle enleva le haut, révélant un buste parfait.

— Vous venez ? interrogea-t-elle tandis qu'elle s'asseyait dans l'eau bouillonnante.

La bouche sèche et le bas-ventre en feu, il ne se le fit pas répéter deux fois et alla prendre place à côté d'elle.

Les deux seuls autres occupants du Jacuzzi, un homme et une femme, se levèrent à cet instant puis sortirent avec un sourire poli. Maintenant il n'y avait plus qu'eux.

Il était seul avec elle.

Prenant plusieurs profondes inspirations, Alex essaya de ne pas paniquer.

— A votre avis, c'est nous qui les avons fait partir ? s'enquit Jennifer en se tournant vers lui. Je plaisantais, ajouta-t-elle devant son visage fermé.

— Je sais, répondit Alex d'une voix tendue.

Jennifer haussa un sourcil interrogateur.

— Il y a un problème ? Je vous sens mal à l'aise.

— Si vous croyez que ce que vous portez a pour nom *maillot de bain*, alors, oui, il y a un problème.

A peine avait-il prononcé ces mots qu'Alex les regretta. Mais c'était trop tard.

Abasourdie par la brusquerie de sa remarque, Jennifer s'écarta aussitôt.

— Navrée si ma tenue vous embarrasse, murmura-t-elle en même temps qu'elle se mettait debout.

Alex l'attrapa par le bras et la força à se rasseoir.

— Je ne suis pas embarrassé.

Il pesta intérieurement. Comment diable allait-il expliquer ce qu'il avait voulu dire sans aggraver la situation ?

« La vérité c'est que j'ai envie de vous. Mais je ne peux pas vous avoir, et je ne veux pas non plus qu'un autre vous ait. »

Bon sang, il ne pouvait pas lui dire ça.

Son regard chercha celui de Jennifer. Elle gardait les yeux ostensiblement baissés, refusant de le regarder. Il l'avait vexée.

D'une main, il l'obligea à relever la tête.

— Ma remarque était déplacée. Excusez-moi.

— N'en parlons plus.

Elle tenta de dégager son bras, mais il la tenait bien.

— Si j'ai dit cela, c'est parce que vous êtes… terriblement sexy.

Il n'avait pas non plus eu l'intention de dire ça. Cela lui avait tout simplement échappé.

— Si sexy, poursuivit-il, comme poussé par une force incontrôlable et s'enfonçant plus encore, que j'en oublie ma promesse de faire en sorte que nos relations restent simples et sans complication. En ce moment, je ne suis capable de penser qu'à une chose : vous débarrasser de ce prétendu maillot de bain et vous couvrir de caresses.

Jennifer en resta bouche bée.

— Bon Dieu, Jennifer, je suis désolé. Je n'aurais pas dû vous dire cela. J'ai conscience d'avoir dépassé les bornes.

Elle se pencha vers lui.

— Il y avait longtemps que l'on ne m'avait fait un

tel compliment, murmura-t-elle. Je reconnais que lorsque vous m'avez proposé ce week-end de ski, j'étais inquiète à la perspective de me retrouver seule avec vous. Mais je mentirais si je disais que je ne vous trouvais pas attirant. Et séduisant.

— Je n'aurais pas dû vous embrasser le soir de notre arrivée.

— Je suis autant à blâmer que vous. Je n'aurais pas dû vous le permettre.

— Cela n'a fait que renforcer mon envie de réitérer l'expérience.

— J'ai beaucoup aimé, avoua-t-elle dans un murmure.

Alex poussa un gémissement. Savoir qu'elle avait aimé l'embrasser n'était pas fait pour l'aider à se contrôler. Si elle lui avait dit qu'elle avait détesté être embrassée, il aurait eu une chance de pouvoir continuer à vivre sans savoir ce que ce serait de caresser son corps. Maintenant, il s'interrogerait toujours sur ce qu'auraient pu être leurs étreintes.

Il fallait qu'il sorte du Jacuzzi avant de commettre une bêtise.

Ce serait une bonne idée d'aller dîner. Peut-être ensuite irait-il faire un tour au bar — où il soûlerait pour oublier qu'elle allait dormir dans la même chambre que lui.

— Hé, je pense que l'heure est venue d'aller dîner. Je meurs de faim. Pas vous ?

Il battait en retraite, cela la fit sourire.

— Si.

— Sortez la première, dit-il, sachant que l'état de la partie inférieure de son anatomie lui interdisait pour les minutes à venir de se mettre debout.

Il était excité depuis la toute première seconde où elle avait ôté son jogging et lui était apparue, splendide, dans ce minuscule Bikini.

Elle obtempéra en silence et commença à se sécher.

— Lancez-moi une serviette, voulez-vous ? dcmanda-t-il.

— Certainement.

Elle s'empara de l'un des draps de bain blancs laissés à leur disposition par l'hôtel et le lui jeta. Le mouvement fit tressauter ses seins.

Avec un grognement, Alex enroula la serviette autour de ses hanches et parvint à sortir du Jacuzzi sans se rendre ridicule.

Jennifer termina de s'essuyer, les yeux rivés sur Alex qui s'était précipité sur ses vêtements abandonnés sur un transat.

Elle avait projeté de séduire Alex, de l'attirer dans son lit. De s'offrir une nuit d'amour avec cet homme qu'elle désirait depuis une éternité. Mais elle n'avait pas prévu qu'il se montrerait aussi coopératif. Apprendre qu'il la désirait l'enivrait.

L'excitation la saisit à l'idée de faire l'amour avec lui.

« Juste une fois », se promit-elle.

Elle savait que si cela se produisait, cela ne signifierait pas grand-chose pour le séducteur au tableau de chasse impressionnant qu'était Alex. Mais elle verrait se réaliser l'un de ses rêves les plus chers : lui appartenir.

D'accord, cela ne durerait pas, mais pour cette nuit du moins il était tout à elle.

Néanmoins, cela ne marcherait que s'il acceptait, une fois de retour à Norfolk, que leurs rapports redeviennent professionnels et uniquement professionnels. Elle ne pouvait pas avoir une liaison avec un homme qui était aussi son patron. Un jour, Alex mettrait un terme à leur belle aventure, et elle perdrait alors bien plus qu'un job.

Pourrait-elle retourner travailler et oublier leurs ébats ? Honnêtement ?

Non, jamais elle n'en serait capable. Mais elle pourrait faire semblant. Et elle n'aurait pas à feindre très longtemps. Consulter un spécialiste de l'insémination artificielle était toujours dans ses projets. Dès qu'elle serait enceinte, elle donnerait sa démission.

Son temps avec Alex était compté. Alors, oui, cette fois elle allait lâcher prise et s'abandonner à lui. Ne serait-ce que brièvement.

Il n'en demeurait pàs moins qu'elle ne pourrait le faire qu'avec la promesse d'Alex. Elle tenait à garder la maîtrise de la situation. Ce serait elle et elle seule qui déciderait de la durée de leur relation. Elle ferait en sorte qu'ils se séparent en bons termes.

— On y va ? demanda-t-elle, prenant la direction de la sortie puis de l'escalier menant à leur chambre.

Alex poussa un grognement et lui emboîta le pas sans mot dire.

Il avait besoin d'un plan. Quelque chose qui le distrairait de cette envie irrésistible qu'il avait de la toucher. Peut-être pourrait-il aller skier ce soir ? Il allait se renseigner pour savoir si certaines pistes restaient ouvertes la nuit.

Une fois dans la chambre, Jennifer se tourna vers lui.

— Pas de problème si je vous devance dans la salle de bains ?

La gorge serrée, il fit un signe de dénégation et elle disparut à l'intérieur.

Elle ressortit quelques minutes plus tard, ses cheveux tout juste séchés tombant en cascade sur ses épaules — et toujours en jogging.

Il resta figé sur place quand elle entreprit de se déshabiller.

Elle ôta d'abord le bas, découvrant ses longues jambes fuselées.

Alex sentit le sang s'accélérer dans ses veines et la respiration lui manquer. Lorsqu'elle commença à faire descendre la fermeture Eclair de sa veste, il crut qu'il allait s'étrangler.

— Que faites-vous ? interrogea-t-il.

Jennifer le regarda d'un air innocent.

— Je me prépare.

Son haut de son jogging enlevé, elle le posa négligemment sur une chaise.

— Vous savez, Alex, reprit-elle, traversant la pièce et venant se planter devant lui, j'ai repensé à ce que vous avez dit.

La panique s'empara d'Alex. Diable, il avait dit beaucoup de choses.

— Pourriez-vous vous montrer plus explicite ? demanda-t-il, son rythme cardiaque s'emballant à la vue de sa quasi-nudité.

Elle était si près qu'il pouvait voir ses mamelons pointer sous les bonnets du Bikini.

— Quand vous avez dit que vous me trouviez sexy.

— Oh, oui, eh bien, je…

— Le pensiez-vous vraiment ?

Avant qu'il ait compris ce qu'il lui arrivait, elle avait fait glisser la fermeture Eclair de son propre sweat-shirt et le lui avait enlevé.

— Le pensiez-vous vraiment ? répéta-t-elle en se mordant les lèvres et en posant la main sur son torse dénudé.

Une boule se forma dans la gorge d'Alex. Et comment, il le pensait !

— Oui.

Elle le gratifia d'un regard délibérément provocateur.

— Que diriez-vous d'appeler le service de chambre et de nous commander un petit dîner ici ?

— Pardon ?

— A la réflexion, poursuivit-elle en se collant contre lui et en posant son autre main sur sa taille, attendons un peu. Nous serons autrement plus affamés après.

Immobile, les bras ballants, il sonda les profondeurs du regard levé vers lui.

— Etes-vous certaine de vouloir faire cela ? s'enquit-il.

Il n'osait pas la toucher. Pas encore. Parce qu'il savait que s'il s'y aventurait, il lui serait impossible de s'arrêter.

— Oh, oui, Alex, j'en suis certaine.

— Le ciel soit loué ! s'exclama-t-il avant de l'enlacer et de capturer sa bouche en un baiser avide, y mettant tout ce qu'il éprouvait d'instinct de possession et de désir contenu.

Jennifer noua les bras autour du cou d'Alex, enivrée par sa fougue.

Les baisers qu'il s'était permis jusqu'à présent avaient été légers et taquins, histoire qu'elle n'oublie pas de juguler ses émotions. Des baisers maîtrisés.

Mais ce… oh, cet assaut sensuel était différent.

Elle se plaqua plus fort contre lui. Son corps était ferme, ses muscles bandés. Elle avait envie de faire courir ses mains sur lui, d'explorer chaque millimètre carré de son anatomie. Afin de se souvenir jusqu'à son dernier souffle de ce moment.

Des frissons la parcoururent de part en part lorsque la bouche d'Alex trouva une nouvelle fois la sienne, et aussitôt tous les plans qu'elle avait échafaudés pour le séduire s'envolèrent en fumée. Les sensations la submergèrent. Eprouvantes, destructrices. Des sensations qui la laissaient pantelante.

Ses lèvres étaient comme une drogue qui lui donnait le vertige et dont, elle le savait, elle ne se repaîtrait jamais.

Et puis elle se sentit soulevée de terre et déposée délicatement sur le lit.

— Vous êtes splendide, murmura Alex.

Il embrassa son menton, sa gorge, ses épaules. C'était si bon, si fantastiquement bon, qu'elle eut la certitude qu'elle mourrait s'il arrêtait de la toucher.

— Jennifer, ma douce, je ne vais pas pouvoir me retenir bien longtemps, susurra-t-il d'une voix entrecoupée, comme elle écartait les jambes et s'arquait à sa rencontre. Faut-il que je prenne des précautions ?

Maintenant. Elle devait le lui dire *maintenant*.

Elle avait tellement hâte de lui appartenir que c'était à peine si elle parvenait à respirer.

— Non, répondit-elle dans un souffle.

L'instant d'après, Alex était en elle.

— Vous êtes si parfaite, murmura-t-il.

« Parfaite. »

La réalité pénétra son esprit embrumé à une vitesse fulgurante. Non, elle n'était pas parfaite ! Elle ne pouvait pas faire cela.

— Alex…, commença-t-elle, en proie à un subit sentiment de culpabilité.

Mais il se mit à aller et venir en elle, lentement d'abord, puis à un rythme de plus en plus soutenu, et elle oublia tout.

Elle lui avait menti.

Lovée contre Alex, Jennifer regarda l'horrible vérité en face.

Oh, Dieu, elle lui avait menti ! Elle avait dit à Alex qu'il n'avait pas besoin de prendre de précautions.

Pourtant, elle voulait lui dire la vérité. Oui, telle était bien son intention.

Mais elle n'en avait pas eu le temps. Elle avait bien essayé de se confesser à lui, mais le plaisir l'avait rendue incapable de réfléchir.

Et peu importait qu'elle eût ou non des remords, le fait était là : elle l'avait trompé.

Si elle lui disait la vérité maintenant, la croirait-il ? Non, certainement pas. S'épancher maintenant ne servirait à rien, sinon à tout gâcher entre eux.

Le mal était fait. C'était irréversible. Peut-être était-elle déjà enceinte ?

Que devait-elle faire ?

Surtout, ne rien dire. Si elle lui annonçait que, la

prochaine fois, il leur faudrait recourir aux préservatifs, il comprendrait qu'elle lui avait menti.

Elle s'arracha à l'étreinte des bras d'Alex et se leva.

— Où allez-vous ? demanda-t-il, surprise et frustration perçant dans sa voix.

— Je vais, euh, prendre une douche, répondit-elle en évitant son regard. Pourquoi ne nous commanderiez-vous pas quelque chose à manger ? Je n'en ai pas pour longtemps.

Là-dessus, et sans attendre sa réponse, elle se rua dans la salle de bains et referma la porte derrière elle.

Resté seul, Alex rampa hors du lit et enfila son caleçon en grommelant.

Que diable se passait-il ? C'était à croire que Jennifer essayait de se tenir à distance de lui. Pourquoi ?

Comme s'il ne le savait pas !

Il inspira et expira à fond plusieurs fois. Il avait perçu son hésitation. Juste avant qu'il ne la fasse sienne, il l'avait sentie indécise. Au lieu de modérer ses ardeurs, de la laisser s'exprimer, il l'avait embrassée. Longuement, avec passion.

Flûte, il n'avait pas voulu lui donner une chance de lui demander d'arrêter. Parce que si elle l'avait fait, il aurait dû obtempérer. Et il l'aurait regretté jusqu'à la fin de ses jours.

Pas très fier de lui, il fixa la porte close. Il l'entendit

fermer le robinet de la douche. Dès qu'elle sortirait, il lui présenterait des excuses.

Des excuses.

Comme si quelques mots de regret pouvaient racheter ce qu'il avait fait ?

Elle était probablement furieuse contre lui, et à juste titre. Il méritait tellement sa colère.

Décrochant le téléphone, il composa le numéro du service de chambre et commanda à dîner.

La porte de la salle de bains ne s'ouvrait toujours pas. La femme qui savait s'affirmer avec les clients les plus coriaces, la femme qui, au lit, s'était révélée une partenaire excitante et pleine d'énergie, ne voulait pas l'affronter.

Jurant dans sa barbe, il alla frapper à la porte. Il voulait voir son visage, il avait besoin de savoir qu'il n'avait pas tout gâché.

— Jennifer ?

— Une minute.

S'il avait espéré que son intonation lui donnerait une indication quant à ce qu'elle pensait, il en était pour ses frais.

Il y eut un déclic, puis le bouton de la porte tourna. Jennifer sortit, enveloppée d'un peignoir.

De *son* peignoir.

Il lui allait si bien et elle était d'une telle beauté avec ses cheveux mouillés tirés en arrière, qu'il sut que cet instant resterait à jamais gravé dans sa mémoire.

Et puis elle releva la tête et le regarda d'un air timide.

— Vous allez bien ? demanda-t-il, fasciné.

— Bien sûr, Alex, répondit-elle avant de se détourner et de fouiller dans sa valise pour en retirer un pantalon et un pull-over.

— Il faut que je m'habille, dit-elle alors, évitant son regard.

— Pas de problème. Afin que vous soyez tranquille, je vais moi aussi aller prendre une douche.

Elle n'eut pas la moindre réaction.

Il n'insista pas. Il allait lui accorder ces quelques instants de solitude dont elle semblait avoir besoin.

Mais s'il ne voulait pas l'importuner, il tenait absolument à discuter de ce qui s'était passé entre eux. A détendre l'atmosphère. Et à implorer son pardon.

Pour faire amende honorable, il attendrait le moment propice. En priant le ciel de trouver les mots justes.

- 7 -

— Alex, il faut que nous parlions.

A ces mots, Alex se figea, tous les sens en alerte. Il ne s'attendait pas à ce que ce soit Jennifer qui prenne l'initiative de la confrontation.

Leurs regards se croisèrent, et elle ne détourna pas le sien. Elle ne cilla même pas.

Il eut le sentiment qu'il n'allait pas aimer ce qu'elle avait à lui dire.

Quand, au sortir de la douche, il avait regagné la chambre, le repas qu'il avait commandé était arrivé. Jennifer avait pris le temps de disposer le tout sur la table basse. Suivant son exemple, il s'était assis et ils avaient mangé. Ils avaient évidemment parlé. De leur travail. Et de leurs familles respectives, s'attardant un peu plus longuement sur celle de Jennifer. Mais de ce qui s'était passé entre eux, rien. Parce qu'il n'avait jamais trouvé le cran de s'excuser.

Maintenant il était trop tard. C'est elle qui avait pris le taureau par les cornes.

Il étudia l'expression réservée de sa compagne. Tous les muscles de son corps se tendirent dans l'attente.

— Très bien, je vous écoute.

— Alex…

Assise sur le bord du canapé, Jennifer hésita, cherchant ses mots. Elle avait mentalement répété — encore et encore — son petit discours, mais le servir à Alex se révélait plus difficile qu'elle l'avait espéré.

Lui dire la vérité était au-dessus de ses forces. Faire l'amour avec lui l'avait rendue égoïste. Elle n'avait qu'un désir : recommencer. S'il ne tenait qu'à elle, elle ne quitterait jamais cette chambre. Mais dès que la route serait dégagée, chacun regagnerait ses pénates. Elle allait devoir profiter au maximum du temps qu'il lui restait à passer avec lui.

Mais si elle voulait que ça marche, elle devait s'assurer qu'Alex ignorait tout des sentiments qu'il lui inspirait. Il fallait qu'il croie qu'elle attendait la même chose que lui de ce week-end prolongé : du sexe et rien d'autre.

Elle posa les yeux sur son beau visage et crut que son cœur allait exploser. Les larmes perlèrent à ses paupières.

Zut ! Elle allait pleurer.

Elle renifla, s'adjurant intérieurement de se ressaisir. Il ne fallait pas qu'il sache ce que faire l'amour avec lui signifiait pour elle.

— A propos de ce qui s'est passé entre nous, reprit-elle d'une voix sans timbre, eh bien… j'ignore ce que vous pensez de moi, mais ce n'est pas dans mes habitudes d'inviter un homme dans mon lit.

— Loin de moi cette idée, Jen, murmura Alex d'un ton navré.

L'envie de pleurer de Jennifer s'en trouva accrue. Sur les pistes, Alex avait utilisé ce diminutif à plusieurs reprises. Mais durant leurs ébats, alors qu'il était en elle, il l'avait répété jusqu'à plus soif.

— Aucun de nous deux ne voulait ce qui est arrivé, et…

— Je ne suis pas certain d'avoir envie d'entendre la suite, grommela Alex.

Il était conscient que Jennifer se débattait avec quelque chose, et de ne pas savoir ce qui se passait derrière ces magnifiques yeux noisette le mettait au supplice.

Il se pencha vers elle.

— Vous entendre émettre des regrets me serait insupportable.

— Des regrets ? répéta-t-elle, un sourire illuminant son regard embué de larmes.

Elle secoua la tête.

— Je n'en ai pas. Enfin si, j'en ai, mais ce ne sont pas ceux auxquels vous pensez. Non, je ne regrette absolument pas ce que nous avons fait et je suis prête à recommencer. Si vous le voulez.

Alex sentit le soulagement le submerger. Et comment, il le voulait ! Il en mourait d'envie.

Il s'empara de sa main et la serra.

— J'aime mieux ça, car à vous entendre on aurait pu croire le contraire.

Au contact de ses doigts qui retenaient les siens prisonniers, il la sentit frémir.

— Oh, non, n'allez pas croire cela. C'est juste que... Je veux que vous me promettiez quelque chose avant que nous, euh, ne fassions de nouveau l'amour.

Il la gratifia d'un regard scrutateur. Où voulait-elle en venir ?

— Tout ce que vous voudrez, dit-il, les sourcils froncés.

Il n'aimait pas le ton désinvolte que Jennifer avait employé pour parler de ce qui avait été pour lui une expérience merveilleuse. Sa légèreté à cet égard le mettait mal à l'aise. Pourtant, lui-même n'était pas intéressé par une relation durable. Pourquoi était-il aussi surpris et agacé d'apprendre qu'elle ne l'était pas davantage ?

— Alex, je crois qu'en convenant de venir ici, nous avons tous deux fait preuve d'une grande naïveté. Nous nous pensions à l'abri d'un éventuel écart. Mais j'imagine que ce qui s'est produit était inévitable. Après tout, nous sommes jeunes, normalement constitués, et passer quelques jours dans une telle promiscuité risquait fort de déboucher sur une brève aventure.

« Une brève aventure ».

Comme ça, il était fixé ! Elle venait de lui dire clairement que ce qu'ils avaient vécu n'était qu'une aventure sans lendemain. Il avait néanmoins l'impression qu'elle lui cachait quelque chose.

— Qu'essayez-vous de ne pas dire, Jennifer ? interrogea-t-il, sa contrariété allant croissant. Car il y a autre chose, je le sais. Je le sens.

— Eh bien, je…

Elle fixa le motif du tapis comme s'il contenait la solution d'un problème inextricable.

— Mon job ! lâcha-t-elle.

Il aurait dû s'y attendre, elle allait mettre en avant le fait qu'ils travaillaient ensemble.

— Si vous craignez pour votre travail…

— Ma carrière est primordiale pour moi.

C'était donc cela, le véritable motif de son hésitation ! Elle avait peur de perdre son job. Elle avait envie de lui, mais pas au point de sacrifier sa carrière. C'était bon à savoir.

— Pour ce qui est de votre poste, soyez tranquille, il n'est absolument pas menacé.

— C'est ce que croient la plupart des gens qui travaillent ensemble et qui ont une liaison. La seule façon pour moi d'en être sûre, c'est que vous me donniez votre parole qu'une fois de retour à Norfolk, nous oublierons tous les deux que ce week-end a jamais eu lieu.

— *Quoi ?*

Il s'attendait à tout sauf à ça. Et il ne savait pas très bien quoi en penser.

Il pouvait promettre à Jennifer qu'elle conserverait son poste. Il pouvait à la rigueur feindre de tout ignorer de ce corps splendide qui s'était lové contre le sien. Mais il était hors de question qu'il lui promette d'oublier leurs étreintes. Il ne s'en sentait pas seulement incapable, il ne le voulait pas. Jamais.

— Est-ce vraiment ce que vous désirez ?

— Oui, répondit-elle d'une petite voix, sans le regarder.

— Et pour le reste de notre séjour ici ? interrogea-t-il en la déshabillant littéralement des yeux.

Si le lendemain ou le surlendemain devait voir la fin de leur liaison, il n'avait pas l'intention de perdre davantage de temps en bavardages.

En guise de réponse, Jennifer se leva et vint s'installer sur ses genoux. Elle fit courir un doigt sur son front puis posa la paume sur sa joue.

— Si vous le souhaitez, nous le passerons au lit.

Alex leva les yeux vers elle et la fixa. Son cœur battait si fort qu'il avait l'impression qu'il allait exploser. Il ne pouvait pas dire que la proposition lui plaisait dans son ensemble, mais l'idée de passer les prochaines vingt-quatre ou quarante-huit heures au lit faisait monter en flèche sa température corporelle.

— Vous êtes une négociatrice coriace.

— N'est-ce pas pour cela que vous m'avez engagée ? Parce que j'excelle dans tout ce que je fais ?

Oh, ça, c'était indubitable. Quand elle faisait quelque chose, elle le faisait bien. Et ce à quoi il pensait n'avait rien à voir avec le travail.

— Si c'est ma parole que vous voulez, alors je vous la donne.

L'instant d'après, et avant qu'elle ait eu le temps de dire ouf, il l'enlaçait et la dévorait de baisers.

Allongé à côté de Jennifer qui dormait à poings fermés, Alex songeait à la promesse qu'elle lui avait extorquée. La promesse qu'il oublie leurs étreintes.

C'était demander l'impossible. Bien qu'il lui eût donné sa parole, jamais il ne pourrait oublier comment il avait fait l'amour avec elle. En quoi cette femme était-elle différente des autres femmes avec lesquelles il était sorti ? Il n'avait eu aucun mal à compartimenter les sentiments qu'elles lui inspiraient, à les tenir à distance.

Ses paupières se faisaient lourdes mais, désireux d'analyser l'effet qu'avait sur lui Jennifer, il lutta de toutes ses forces contre la léthargie qui le gagnait. Il ne voulait pas s'endormir. Il ne voulait pas se réveiller le lendemain et se dire que ce serait probablement leur dernier jour ensemble.

Comme si c'était la chose la plus naturelle au monde, il reprit la jeune femme dans ses bras et la serra fort. Très fort. Il sourit lorsqu'elle gémit doucement et se pelotonna contre lui, son postérieur trouvant sa place au creux de son bas-ventre.

Convaincu qu'ainsi elle ne s'en irait pas sans son assentiment, il sombra enfin dans le sommeil.

*
* *

Jennifer fut réveillée par la sonnerie du téléphone.

Qui diable pouvait-ce être ? Personne ne savait qu'ils étaient ici.

Elle ébaucha un geste en direction de l'appareil, mais elle se sentait si merveilleusement bien, ainsi blottie contre Alex, qu'elle ne put se résoudre à bouger de dessous les couvertures. Quant à Alex, il n'ouvrit même pas les yeux, mais le bras qui encerclait sa taille resserra son étreinte.

Puis le téléphone cessa de sonner.

Elle poussa un soupir. Tel le soleil qui commençait à éclairer la chambre, la réalité s'infiltrait dans ses pensées.

Comme elle l'avait assuré à Alex, mieux valait, lorsqu'ils seraient de retour à Norfolk, qu'ils oublient les étreintes qu'ils avaient partagées.

En ce qui la concernait ce serait impossible, elle s'en souviendrait jusqu'à son dernier souffle, mais Alex s'était facilement rendu à sa suggestion. Et cela faisait mal. S'il avait protesté ne fût-ce qu'un peu, elle aurait eu le sentiment d'avoir été autre chose pour lui qu'une partenaire occasionnelle, mais ce n'était pas le cas.

Sa gorge se serra.

Bien que sachant au départ qu'elle ne devait rien attendre de ce week-end, elle aurait aimé être davantage pour lui qu'une aventure sans lendemain. Ce qui, elle en avait conscience, était ridicule. Alex Dunnigan avait un succès fou auprès du sexe faible. Il suffisait qu'il apparaisse quelque part pour que les femmes se précipitent et s'agglutinent autour de lui.

Normal, il était superbe.

« Et romantique », songea-t-elle, se remémorant leur promenade en traîneau.

Non. En lui proposant cette balade, Alex ne visait nullement à la romance. Il le lui avait dit lui-même, la promenade en traîneau était sa façon de lui présenter des excuses.

Mais il l'avait embrassée…

Eh bien, leur baiser était simple à expliquer. Ils avaient été gagnés par la magie de l'instant. Ce baiser, ce merveilleux, cet irrésistible baiser, avait fait partie intégrante de ses excuses. Il ne fallait rien en déduire.

Alex était un dragueur invétéré. Elle l'avait vu à l'œuvre lors de nombreuses réceptions. Il avait du charme et savait en faire usage. Il avait le chic pour donner à la femme avec laquelle il s'entretenait l'impression qu'elle était exceptionnelle.

Même s'il la trouvait séduisante, pourquoi y attacher plus d'importance que ça n'en avait ?

Alex remua voluptueusement contre elle puis butina son cou, et elle perdit le fil de ses pensées. Il mordilla doucement son épaule et elle frissonna.

— Je croyais que vous étiez un lève-tôt, murmura-t-elle.

— Ça, c'était avant que je sache ce que c'était de se réveiller avec vous dans mon lit, répondit-il en lui caressant le ventre. Vous savez à quoi je pense ?

L'estomac de Jennifer gargouilla. Elle rit et dit :

— Qu'il est l'heure de déjeuner ?

Il sourit.

— Eh bien, manger n'était pas exactement ce que j'avais en tête.

Il fit glisser sa main vers la partie inférieure de son anatomie puis entre ses cuisses.

La réaction de son corps ne se fit pas attendre. Son bas-ventre se liquéfia et son sexe se gonfla.

Alex l'enlaça et roula sur le dos, l'entraînant avec lui.

— Mais je crois que nous ferions bien de nous commander quelque chose à manger, dit-il, effleurant ses lèvres d'un baiser. Nous allons avoir besoin de toutes nos forces.

Et, en dépit de l'effet que cette position avait manifestement sur lui, il roula de nouveau et se leva.

Elle le regarda enfiler son bas de jogging, fascinée. Elle avait toujours trouvé Alex séduisant, mais ainsi, dans le plus simple appareil, il était d'une beauté à couper le souffle.

— Je vais appeler le room-service. Qu'est-ce qui vous ferait plaisir ?

Elle sortit du lit — non sans s'être préalablement enroulée dans le drap du dessus — et lui sourit.

— Du café avec des toasts… Je crois que je vais

aller prendre une douche en attendant que le petit déjeuner arrive.

Alex regarda Jennifer disparaître dans la salle de bains, amusé qu'elle estime nécessaire de se couvrir après la nuit de folie qu'ils venaient de vivre. Un reste de pudeur, sans doute. Il composa le numéro du service d'étage et passa commande.

A peine avait-il reposé le combiné sur son socle que le téléphone se mit à sonner.

— Oui ?

— Monsieur Dunnigan, c'est Marjorie Banner, la manager. Je vous appelle pour vous informer que la route a été dégagée et que vous allez pouvoir partir.

— Déjà ?

Le combiné collé à l'oreille, Alex alla à la fenêtre. Apparemment la neige, qui selon les prévisions devait tomber toute la nuit, n'était pas arrivée, et la journée s'annonçait ensoleillée.

— Loin de nous l'idée de vous bousculer, monsieur Dunnigan, poursuivit la manager, mais nous avons des clients en attente et nous devons faire les chambres. Nous apprécierions si vous pouviez libérer la vôtre dans l'heure.

— Dans l'heure ? répéta Alex avec une moue agacée.

On leur demandait de partir. Et partir signifiait ne plus jamais poser les mains sur Jennifer.

— Oui, monsieur. Comme je vous l'ai dit, il faut que nous fassions votre chambre. Bien sûr, étant donné l'aide que vous nous avez apportée en acceptant de partager votre chambre, nous ne vous compterons pas cette dernière nuit.

Traversant la pièce, il alla prendre sa montre sur la commode.

Une heure. Il ne leur restait qu'une malheureuse petite heure. Ensuite, il devrait quitter cette chambre et agir comme s'il n'avait jamais fait l'amour à Jennifer.

Il pesta entre ses dents.

— Très bien, nous serons partis dans une heure, dit-il avant de raccrocher.

Il se dirigeait vers la porte de la salle de bains pour prévenir Jennifer, quand il s'immobilisa brusquement.

Bon Dieu, il ne pourrait pas. Il ne pouvait pas, sitôt le seuil de cette pièce franchi, revenir aux relations strictement professionnelles qui avaient été les leurs précédemment. Il ne pouvait pas oublier ce que c'était de dormir avec elle, de la serrer dans ses bras.

Il ne le voulait pas.

Jurant comme un charretier, il commença à faire ses bagages. Il ne releva la tête que lorsqu'il entendit la porte de la salle de bains s'ouvrir.

Jennifer apparut, souriante.

Alex la regarda. Elle était enveloppée dans un épais drap de bain qui ne laissait voir que ses bras et ces longues et magnifiques jambes qui s'étaient enroulées autour de lui. Il dut faire appel à toute la force de sa volonté pour ne pas l'attirer à lui et l'enlacer.

Comment lui dire que son cœur saignait à l'idée de ne plus la voir autrement que professionnellement, au point qu'il n'était pas certain de s'en remettre un jour ?

Il avait envie de lui dire… Quoi ? Qu'il ne voulait pas que leur histoire s'achève ? Elle lui avait déjà fait part de son désir de fonder une famille.

Il n'était du genre à se marier. Il était incapable de donner à Jennifer ce dont elle avait besoin.

Il lui avait promis d'oublier qu'ils avaient fait l'amour, une fois le week-end terminé. Elle avait posé ses conditions et il les avait acceptées.

C'était fini. Cuit. Il n'avait simplement pas réalisé que ce serait aussi dur.

Le sourire qui retroussait les lèvres de la jeune femme s'évanouit.

— Qu'y a-t-il ?

— La manager a appelé, lui dit-il en même temps qu'il faisait une boule de sa combinaison de ski et la fourrait n'importe comment dans un sac de voyage. La route est dégagée et ils nous demandent de partir. Ils ont besoin de la chambre.

— Quand ?

— Nous avons une heure pour vider les lieux.

— Une heure !

Jennifer dut refouler ses larmes.

Non. Pas déjà. Le temps qui leur était imparti ne pouvait pas être écoulé !

Elle se sentait au bord du malaise, et la rapidité avec laquelle Alex jetait ses affaires pêle-mêle dans sa valise n'était pas faite pour arranger les choses. Le moins que l'on puisse dire, c'est qu'il semblait pressé de partir.

Allons, elle ne devrait pas en être surprise. Ce qui s'était passé entre eux n'était pour lui qu'une banale partie de jambes en l'air.

— O.K., dit-elle d'une voix tout juste audible en s'emparant de la plus grosse de ses deux valises.

Elle la posa sur le lit et y prit un jean qu'elle enfila. A même la peau. L'instant d'après, elle était habillée de pied en cap.

— Le petit déjeuner ne devrait plus tarder, l'informa Alex d'un ton égal, dissimulant le supplice auquel le soumettait ce départ précipité.

Jennifer sentit un nœud se former dans sa gorge. Bon sang, elle ne voulait pas pleurer. Partir d'ici avec Alex allait se révéler difficile. Nauséeuse comme elle l'était, elle ne pourrait rien avaler.

— Peut-être vaudrait-il mieux nous en aller tout de suite, dit-elle d'une voix sans timbre. Nous pourrons toujours prendre un café avant de monter dans l'avion.

— Comme vous voudrez.

Elle jeta un coup d'œil autour d'elle pour vérifier si elle n'avait rien oublié.

— Ce ne sont mes gants, là, par terre ? demanda-t-elle.

Alex suivit son regard.

— Tenez, dit-il en les ramassant et en les lui tendant.

Sapristi, il donnait l'impression de n'être pas le moins du monde contrarié. Etait-elle la seule à se sentir flouée par ce changement de programme ?

— Merci.

Alex marmonna quelque chose, et elle jeta un coup d'œil dans sa direction.

Comme s'il l'avait senti, il se retourna à cet instant, et leurs regards se croisèrent. Elle crut voir une lueur de tristesse dans ses yeux, mais celle ci disparut si vite qu'elle l'imputa à son imagination.

— Je suis désolé que l'on ne nous ait pas prévenus plus tôt, grommela-t-il.

Jennifer haussa les épaules et esquissa un pâle sourire.

— Ce n'est pas votre faute. Et peut-être n'est-ce pas plus mal en fin de compte.

— Oui.

Secouant la tête, il la dévisagea.

— Je vais prendre une douche. J'en ai pour cinq minutes.

Sans attendre sa réponse, il s'engouffra dans la salle de bains.

Une fois seule, Jennifer se laissa tomber sur le lit et enfouit son visage dans ses mains.

Oh, Dieu, comment allait-elle traverser les prochaines heures ?

Comment avait-elle pu croire qu'elle serait capable de faire l'amour avec Alex pour revenir ensuite aux rapports patron-employée qui étaient auparavant les leurs ?

Mais il le fallait. Alex y avait d'ailleurs consenti. Pour autant qu'elle puisse en juger, il paraissait n'avoir aucun problème à tirer une croix sur ce qu'ils avaient vécu.

— Ça va ?

Elle tressaillit au son de sa voix. Toute à ses pensées, elle ne l'avait pas entendu fermer le robinet de la douche ni sortir de la salle de bains.

— A merveille, répondit-elle en se levant. Je n'ai plus qu'à prendre ma trousse de toilette et je suis prête.

Il alla se planter devant elle et la regarda d'un air interrogateur.

— Jen ?

Elle savait ce qu'il voulait.

Elle voulait la même chose. Encore une fois, juste une. Et elle pourrait commencer à vivre sans lui.

— Oui, souffla-t-elle en lui offrant ses lèvres.

L'instant d'après, ils étaient tous les deux nus sur le lit en désordre.

Elle enroula les jambes autour de la taille d'Alex, l'invitant à entrer en elle. Elle eut un spasme de plaisir lorsqu'il pénétra la moiteur de sa féminité.

— Oh oui, Alex, oui ! cria-t-elle, au bord de l'extase.

Jamais elle n'avait connu une telle plénitude, une telle excitation.

Ils atteignirent l'orgasme ensemble.

Pour la dernière fois.

- 8 -

Au feu rouge, Jennifer jeta un rapide coup d'œil au courrier qu'elle venait de prendre dans la boîte aux lettres. A la vue d'une discrète enveloppe blanche, elle se figea. Cela venait de la clinique spécialisée dans l'insémination artificielle qu'elle avait contactée.

Elle l'ouvrit. La dernière ligne attira son attention :

« Veuillez appeler le secrétariat afin de prendre rendez-vous. »

Son cœur fit un bond dans sa poitrine. Cette lettre, elle l'avait attendue avec impatience avant le week-end au ski, quand elle avait initié le processus d'insémination pour ne pas être tentée de coucher avec Alex. Mais ça n'avait pas marché comme prévu.

Elle en fit une boule qu'elle jeta sur le siège passager et, le feu étant passé au vert, elle prit la direction du bureau. L'idée d'avoir recours à une insémination artificielle ne lui disait plus rien. Même si cela n'avait pas été le cas, elle n'aurait pas pu téléphoner.

Parce qu'elle était peut-être *déjà* enceinte.

Sa voiture garée dans le parking à la place qui

lui était réservée, elle gagna son bureau. Là, elle se débarrassa de son manteau et de son attaché-case puis se laissa tomber dans son fauteuil.

Si elle était enceinte, jamais elle ne pourrait oublier que l'enfant avait été conçu à l'insu d'Alex. Qu'elle l'avait dupé. Elle avait eu l'occasion de lui dire qu'elle n'était pas sous contraceptif, mais elle avait attendu jusqu'à ce qu'il lui fasse l'amour.

Ce n'était pas vraiment le moment propice pour un tel aveu, d'accord. Mais après, elle aurait dû tout lui déballer et lui dire…

Quoi ? Qu'elle avait commis une erreur ? Oh, ç'aurait été super : « Désolée, Alex, mais dans le feu de l'action je n'ai plus pensé que je ne prenais pas la pilule. »

Mauvais. Elle aurait dû lui dire la vérité. Et il l'aurait détestée.

Mais si elle l'aimait vraiment, elle n'aurait pas refait l'amour avec lui.

Vrai. Mais il y avait si longtemps qu'elle en avait envie ! Et elle avait été incapable de ne pas saisir cette chance de réaliser ses désirs, ne fût-ce que le temps d'un week-end.

Et, d'ailleurs, peut-être n'était-elle pas enceinte ?

Si elle ne l'était pas, n'y avait-il pas une chance pour qu'Alex et elle puissent entretenir une véritable relation ?

Peut-être pourraient-ils repartir de zéro, songea-t-elle avec espoir. Alex était attiré par elle, c'était évident. Peut-être ne l'aimait-il pas d'amour, peut-être leurs étreintes n'avaient-elles été guidées que par le désir physique, mais il avait été un amant passionné. Il ne pouvait quand même pas ne rien éprouver pour elle. Même si ce n'était que du désir, peut-être que s'ils entamaient une liaison, ses sentiments pour elle évolueraient ?

Mais Alex sortait avec des tas de femmes ! Qu'est-ce qui lui faisait croire qu'elle pourrait être celle de sa vie ? Surtout qu'elle n'ignorait pas qu'il était allergique au mariage et à toute forme d'engagement. Du moins c'est ce qu'il disait.

De toute façon, rien ne pouvait être décidé jusqu'à ce qu'elle sache si elle portait ou non son bébé.

Ils venaient à peine de rentrer du Vermont. Elle n'avait pas encore acheté de test de grossesse. Elle préférait attendre une quinzaine de jours afin d'être certaine. Elle saurait alors si elle était ou non enceinte d'Alex Dunnigan.

Depuis leur retour du ski, elle avait fait en sorte d'éviter de se retrouver seule avec son patron. Elle avait programmé ses rendez-vous extérieurs en fonction de son emploi du temps à lui, s'arrangeant pour ne pas travailler au bureau quand lui s'y trouvait.

Parce que, chaque fois qu'elle posait les yeux sur lui, son cœur saignait un peu plus : il ne semblait même pas avoir remarqué son manège. Son attitude à son égard était redevenue la même qu'avant leur week-end à la montagne, et tant pis pour elle si elle avait cru pouvoir espérer autre chose.

Jamais, avec aucun des hommes qui avaient plus ou moins brièvement traversé son existence, elle n'avait connu la passion de ses ébats avec Alex. Même si elle n'était pas enceinte, elle n'aurait pas recours à une insémination. Non, elle n'avait plus envie de concevoir un enfant dans un environnement stérile. Faire l'amour avec Alex avait eu raison de cette idée.

— Vous avez un instant ?

Au son de cette voix qu'elle aurait reconnue entre mille, elle releva la tête.

Alex se tenait sur le seuil de son bureau.

Dieu, qu'il était beau ainsi, en bras de chemise, ses manches retroussées jusqu'au coude révélant ses puissants avant-bras !

— Bien sûr… Je reviens d'une réunion avec les sœurs Baker, dit-elle, prenant soin de ne pas croiser son regard. Voici le brouillon de leur contrat.

— Vous avez été très occupée ces derniers jours, n'est-ce pas ? fit observer Alex, prenant les documents qu'elle lui tendait.

Il y jeta un rapide coup d'œil puis les posa sur le bureau.

— J'ai été débordée, vous voulez dire. Ma secrétaire a dû reporter mes rendez-vous de vendredi dernier, lorsque nous…

Elle laissa sa phrase en suspens, morte de honte d'avoir fait allusion à leur escapade.

— Sommes partis en week-end ? termina Alex à sa place.

— Euh, oui.

Il consulta sa montre.

— Etes-vous libre ce soir ? demanda-t-il. J'aimerais vous emmener dîner.

— *Dîner ?*

— Je veux discuter avec vous du projet Vinson. J'aurais besoin de votre point de vue.

La société Vinson, basée en Californie, était l'une des plus importantes compagnies aéronautiques du pays. Décrocher un contrat pour l'actualisation de leur système informatique assiérait définitivement la réputation de *Com-Tec* sur la côte Ouest.

Oh, Dieu ! Il était hors de question qu'elle aille dîner avec Alex. Se trouver dans la même pièce que lui était déjà assez pénible. Il suffisait qu'elle le voie pour être tentée de ne pas respecter sa promesse de ne plus le toucher. Et elle savait que si cela se produisait, elle serait incapable de s'arrêter là.

— Je, euh, suis prise ce soir.

La mâchoire d'Alex se crispa.

— Décommandez-vous !

Jennifer le fixa, incrédule.

— Pardon ?

— C'est vous qui m'avez dit que votre carrière était importante, qu'elle primait sur tout le reste, n'est-ce pas ? Décommandez.

— Je ne peux pas, répondit-elle avec une petite moue,

encore choquée par sa requête. Mais que diriez-vous de demain matin ?

Il secoua la tête.

Non, ce n'était pas une requête. C'était un *ordre*.

— J'ai une réunion avec l'équipe marketing.

— Alors, demain après-midi ? Je n'ai pas de rendez-vous.

— J'ai un emploi du temps chargé demain. Je n'aurai pas une minute à moi.

Il se laissa choir dans le fauteuil placé devant son bureau.

— Est-ce qu'il en sera toujours ainsi, Jen ? interrogea-t-il.

— Je ne sais pas de quoi vous parlez.

Alex se redressa.

— Je crois que si, dit-il, la contrariété perçant dans sa voix. Je crois que vous m'évitez.

— C'est faux.

Pour l'en convaincre, elle le regarda droit dans les yeux.

— Je suis juste débordée.

« A d'autres ! » songea Alex, plus que jamais persuadé que Jennifer l'évitait.

— Je veux vous entretenir du projet Vinson. Autour d'un dîner. Décommandez-vous.

— Alex…

— Soyez prête à 18 heures.

Là-dessus, irrité, il se leva et quitta la pièce.

Le temps qu'il atteigne son bureau, il était hors de lui.

O.K. Il ne marquerait aucun point à débattre avec elle de son comportement. Il n'aurait pourtant pas dû être surpris. Il l'avait engagée en sachant que c'était une tigresse en matière de négociations… Il n'avait simplement pas imaginé qu'il aurait à traiter avec elle.

Il avait conscience de s'être mal conduit, ridiculisé. Mais il n'avait pas pu s'en empêcher. Cela avait été plus fort que lui. Il avait eu toutes les peines du monde à ne pas lui demander avec qui elle avait prévu de sortir.

Excepté à la fin, elle ne l'avait pas regardé une seule fois. Avec qui diable avait-elle rendez-vous ? Un petit ami ? L'ignorer le mettait au supplice. Comment pouvait-elle sortir avec quelqu'un d'autre sitôt après avoir fait l'amour avec lui ? Qui croyait-elle abuser ?

Mais n'était-il pas lui-même responsable de ce gâchis ? Jennifer lui avait dit avoir peur qu'une liaison n'ait des répercussions sur leur travail et leurs rapports au sein de l'entreprise. Parce qu'il la désirait à en avoir mal, il n'avait pas tenu compte de la voix intérieure qui lui adjurait de rester à distance. Jamais encore au cours de son existence, il n'avait forcé une femme à faire quelque chose qu'elle ne veuille pas… Il avait réellement tout foutu en l'air.

Il ne parvenait simplement pas à ne pas penser à elle. Elle l'obsédait. Chaque fois qu'il la voyait, il avait envie de la toucher. Il s'imaginait en train de lui faire l'amour sur son bureau. Dans le sien. Jusque dans l'ascenseur !

Et elle, bon sang, elle se comportait comme si le retour à des relations strictement professionnelles ne lui posait pas de problème ! Elle venait travailler et assumait ses responsabilités à la perfection, sans paraître le moins du monde gênée par sa présence. A sa façon d'agir, il aurait pu croire qu'elle ne pensait plus à leur week-end.

Il savait néanmoins que tel n'était pas le cas. Il en voulait pour preuve l'application qu'elle mettait à se tenir occupée et à ne pas traîner dans ses parages.

Plus résolu que jamais à la comprendre, il avait décidé de reprendre les choses en main en l'obligeant à dîner avec lui. Il avait réellement eu l'intention de l'entretenir du projet Vinson, mais ce n'était pas la véritable raison de son invitation. Il voulait lui demander ce qu'elle avait, pourquoi elle refusait même de le regarder.

Qui sait, le désir qui couvait en lui et qui menaçait de le rendre fou se révélerait peut-être contagieux ?

La sonnerie du téléphone retentit et il décrocha.

— Oui ?

— Vous avez M. Daughtrey de la société Vinson sur la trois, monsieur, l'informa son assistante.

— Merci.

Alex prit la communication et passa l'heure qui suivit à discuter chiffres avec son interlocuteur. Sa charge de travail était tellement importante que le reste de l'après-midi s'écoula à la vitesse de l'éclair.

A 17 h 30, il demanda à Karen de ne plus lui transmettre les appels et il s'étira, se renversant dans son fauteuil.

Jennifer serait là dans une demi-heure, ce qui lui laissait le temps de se rafraîchir et de se raser dans la salle de bains privée qui jouxtait son bureau — et de se remettre un peu d'eau de Cologne.

Bon Dieu, il se comportait comme un adolescent avant un premier rendez-vous !

Entendant la porte de son bureau s'ouvrir, il sortit de la salle de bains, s'attendant à voir Karen.

Mais au lieu de son assistante, c'est Jennifer qu'il découvrit debout au milieu de la pièce. Et, à la lueur qui brillait dans son regard, il était évident qu'elle était en colère.

Il eut le sentiment que ce qu'elle avait à dire n'allait pas lui plaire.

— J'aimerais vous parler, dit Jennifer d'un ton cassant.

— Je vous écoute, dit Alex en se portant à sa hauteur et en s'arrêtant devant elle.

Elle carra les épaules et le fixa.

— Je n'irai pas dîner avec vous.

Jamais elle n'avait permis qu'un homme ou qui que ce fût lui dictât sa conduite, et ce n'était pas aujourd'hui que cela allait commencer. Si Alex voulait discuter affaires, ils pouvaient le faire ici, dans ce bureau. Du moins aurait-elle une chance de le tenir à distance.

— Je croyais pourtant avoir été clair, rétorqua-t-il.

— Vous ne pouvez pas m'obliger à dîner avec vous, déclara-t-elle, d'un ton de défi.

— Je vous ai dit…

— Si vous voulez parler boulot, nous pouvons le faire ici, l'interrompit-elle. Tout de suite.

Elle avait l'impression que sa capacité respiratoire s'était réduite. Elle parvint néanmoins à inspirer à fond.

Alex se mordit la lèvre.

— Je vois… Et vos projets pour la soirée ?

— Je les ai annulés.

Elle pinça les lèvres lorsqu'elle vit son expression changer et la satisfaction se peindre sur son visage.

— Je ne l'ai pas fait pour vous être agréable, inutile de prendre cet air suffisant.

— Non ?

— Je me suis décommandée pour motifs professionnels, prétendit-elle, sur la défensive.

En fait, elle avait seulement prévu de rendre visite à ses parents, mais Alex n'avait pas à le savoir.

— Et il vous est impossible de parler affaires autour d'un dîner ?

— Là n'est pas le problème, et vous le savez. Coucher avec moi le temps d'un week-end ne vous confère pas le droit de me donner des ordres et de vous ingérer dans ma vie privée.

Intérieurement, elle était toute tremblante. Au point

qu'elle ignorait comment elle avait pu aller au bout de sa phrase.

Alex en resta d'abord coi. Mais au bout d'une seconde, il tendit la main et, avant qu'elle ait compris ce qui lui arrivait, il s'empara de la sienne.

— Je suis désolé, Jennifer.

Plongeant son regard dans le sien, il secoua la tête.

— Vous avez raison.

— Pardon ?

Elle le fixa, son pouls s'accélérant tandis que le pouce d'Alex décrivait des cercles sur sa peau. Il suffisait qu'il la touche pour que, aussitôt, des frissons de plaisir la parcourent de part en part.

— Je n'avais aucun droit de vous imposer de dîner avec moi, dit-il, l'air contrit.

Elle sentit sa colère s'évanouir comme par enchantement.

— Pourquoi l'avez-vous fait, en ce cas ? interrogea-t-elle, plongeant son regard dans le sien.

Il esquissa un petit sourire triste et se passa une main dans les cheveux.

— Parce que je n'ai qu'une idée en tête : vous faire l'amour.

Le cœur de Jennifer eut un raté. Elle ne s'attendait pas à ce qu'il reconnaisse avoir toujours envie d'elle.

— Alex…

Se rapprochant encore, il glissa une main sur sa nuque.

— Pouvez-vous dire en toute honnêteté que vous avez oublié ce que nous avons vécu ? demanda-t-il d'une voix rauque.

Elle aurait aimé pouvoir secouer la tête, lui assurer qu'elle avait tiré un trait sur leur week-end, mais, Dieu, elle en était incapable ! Parce qu'il occupait ses pensées jour et nuit.

— Ce que nous avons vécu était…

— Quoi, Jen ? Excitant ?

Elle baissa les yeux et prit une profonde inspiration. L'odeur de la peau d'Alex, mêlée à celle de son eau de toilette, l'attirait tel un aimant. Et lui faisait l'effet d'une drogue.

— Oui, répondit-elle dans un murmure.

Il l'obligea à relever la tête et la dévisagea.

— Irrésistible ?

Enivrée par la chaleur qu'il dégageait, elle posa la main sur son torse et se plaqua contre lui.

— Oui.

Alex se pencha vers elle.

— Sexy ? questionna-t-il, la bouche à quelques millimètres de la sienne.

Les lèvres de Jennifer s'entrouvrirent.

— Oh, oui, souffla-t-elle.

L'instant d'après, ils s'embrassaient à perdre haleine.

Les bras noués derrière son cou, elle ne songea même pas à protester lorsqu'il l'assit sur le bureau et vint se placer entre ses jambes tout en la caressant.

Un gémissement se fit entendre. Etait-ce elle qui l'avait poussé ? Elle n'en aurait pas juré, et elle s'en moquait.

Et puis la main d'Alex trouva son sein.

Oh, oui.

— Alex…

Elle ne put aller plus loin. La bouche d'Alex captura la sienne et il pesa contre elle, l'encourageant à s'allonger.

Elle eut ensuite vaguement conscience que quelque chose tombait sur le sol lorsque son corps recouvrit le sien.

Brûlant de désir, Alex se pressa contre Jennifer, la couvrant de baisers. Sa peau était salée et si douce. Il tira son soutien-gorge vers le bas, dénudant sa poitrine. Incapable d'attendre une seconde de plus, il lécha et mordilla les mamelons qui s'étaient dressés et durcis sous ses caresses.

Sa main descendit ensuite vers la partie inférieure de son anatomie et s'insinua sous son string, s'arrêtant sur le triangle soyeux de sa féminité.

— Pas de précipitation, chérie, murmura-t-il tandis qu'elle se mettait à onduler du bassin.

Un soudain fracas les fit se figer tous les deux.

Jennifer demanda :

— Qu'est-ce que c'était ?

— La lampe, répondit-il d'une voix entrecoupée. Ne vous en occupez pas.

Mais Jennifer baissa les bras qui enserraient son cou et le repoussa, frémissante.

— Otez-vous de là, que je puisse me lever ! gémit-elle en détournant les yeux.

— Jennifer !

Le ton sur lequel il avait prononcé son nom tenait davantage de la mise en garde que du petit mot tendre. Mais elle s'en fichait. Apparemment furieuse d'avoir si facilement succombé à ses baisers, elle gardait l'immobilité d'une statue.

— S'il vous plaît, Alex.

Il obtempéra puis l'aida à se mettre debout.

— Ne faites pas cela, dit-il d'une voix douce, conscient qu'elle s'éloignait de lui.

Mais du diable s'il savait pourquoi !

— Je suis désolée, dit-elle en même temps qu'elle rajustait son soutien-gorge et reboutonnait son chemisier. Cela n'aurait pas dû arriver.

— Jennifer chérie, regardez-moi, je vous en supplie.

Au lieu de faire ce qu'il lui demandait, elle ferma les yeux.

— Je ne peux pas. Oh, Alex, s'il vous plaît…

Elle enfouit son visage dans ses mains.

Voulant comprendre pourquoi elle était à ce point bouleversée, il tendit la main dans sa direction.

Ce geste provoqua chez elle un mouvement de recul.

— Il faut que je parte, dit-elle. Je vous en prie, n'essayez pas de me retenir.

— Parlez-moi, Jen, insista-t-il.

Il se sentait désarmé, impuissant.

— Dites-moi ce qu'il y a. S'il vous plaît. Je n'avais pas l'intention de…

— Je sais.

Ce n'est qu'alors qu'elle accepta de le regarder.

— Je sais, répéta-t-elle, refoulant ses larmes. N'en parlons plus, si vous le voulez bien.

Puis elle lui tourna le dos et s'enfuit comme une biche traquée, le laissant désemparé et honteux.

- 9 -

Lorsque Jennifer pénétra dans son bureau le lendemain matin, elle avait mal partout.

Au son de la voix d'Alex lui parvenant depuis le hall, elle sentit sa gorge se serrer. Comment diable allait-elle pouvoir l'affronter ?

Pour grand que soit son désir de se jeter dans ses bras, elle ne le pouvait pas.

Oh, elle avait envie de lui. Plus que jamais. Elle avait envie de se pelotonner dans ses bras, de les sentir se refermer, protecteurs, sur elle.

Mais, entre eux, cela ne marcherait jamais. Tout ce que cherchait Alex, c'était une liaison torride. Une aventure sans lendemain, sans engagement d'aucune sorte, où « amour » ne rimerait jamais avec « toujours ».

Mais elle voulait tellement plus. Plus que ce qu'il était disposé à donner.

Elle voulait son cœur.

Elle n'eut guère le loisir de réfléchir plus longtemps à la question. Comme s'il avait su d'instinct qu'elle était arrivée, il fit irruption dans la pièce au moment où elle prenait place derrière son bureau.

— Il faut que je vous parle, Jen, dit-il en s'approchant, l'expression indéchiffrable. J'aimerais vous présenter mes excuses pour hier soir.

Elle grimaça à la mention de leur petit intermède de la veille. Que pouvait-elle dire pour expliquer son propre comportement ?

— C'était ma faute.

Alex se laissa tomber dans le fauteuil en face d'elle et la regarda droit dans les yeux.

— Bon sang, Jennifer, si quelqu'un est à blâmer, ce n'est pas vous.

— Alex…

— Je suis l'unique responsable de tout ce qui s'est passé entre nous. Vous n'y êtes absolument pour rien, dit-il d'un ton sec.

Il était clair que la colère qui l'animait était dirigée contre lui-même.

— Dans le Vermont, j'ai accepté vos conditions de ne pas vous toucher une fois de retour ici. Ces derniers jours ont montré, à l'évidence, que vous n'éprouviez aucune difficulté à respecter notre agrément, mais tel n'est pas mon cas. J'avoue avoir du mal à supporter que nos rapports ne soient que professionnels.

Il secoua la tête.

— Cependant, vous avez ma parole que ce qui s'est passé entre nous ne se renouvellera plus. Je n'outrepasserai plus les limites que vous nous avez fixées.

Elle hocha la tête, réfléchissant à ce qu'elle devait répondre. Alex croyait qu'elle ne voulait pas de lui, mais il se trompait.

Avant qu'elle ait pu parler, la sonnerie de son téléphone retentit.

Elle pressa le bouton de l'Interphone qui la reliait au bureau de son assistante.

— Merci de mettre mes appels en attente, Paige.

— Je pense que vous devriez prendre celui-ci, Jennifer. C'est votre sœur, et, selon elle, c'est urgent.

Inquiète, elle décrocha le combiné.

— Lil ?

— Navrée de te déranger, Jenni, mais je voulais t'avertir que papa a eu un malaise cardiaque. Il a été transporté à l'hôpital.

— Oh, mon Dieu ! Qu'est-ce qui s'est passé ?

Jennifer passa les minutes qui suivirent à écouter les explications de sa sœur puis raccrocha.

Pour Alex, qui l'avait observée tout le temps de la communication, il était évident qu'elle venait de recevoir une mauvaise nouvelle.

— Il faut que j'y aille, dit-elle en prenant son sac dans le tiroir de son bureau.

— Qu'y a-t-il ? s'enquit-il avec douceur.

— Il s'agit de mon père, répondit la jeune femme, le regard embué de larmes. On pense qu'il a fait un infarctus.

Elle fouilla dans son sac à la recherche de sa clé de voiture.

— Il faut que je me rende auprès de lui avant...

Elle ne termina pas sa phrase.

— Je doute que vous soyez en état de prendre le volant, s'interposa-t-il tandis que Jennifer, sa clé finalement retrouvée — elle avait dû pour ce faire vider le contenu de son sac sur son bureau —, se dirigeait vers la porte. Je vais vous y conduire.

— Non, je...

— Ne discutez pas. Vous êtes tellement énervée que vous risqueriez de provoquer un accident. Laissez-moi faire cela pour vous. S'il vous plaît.

Hébétée, Jennifer rendit les armes.

— D'accord.

Cinq minutes plus tard, ils avaient pris place dans la voiture.

— Où est-il hospitalisé ? demanda Alex en démarrant.

Jennifer le regarda.

— Il a été admis à l'hôpital de Colley Avenue.

— Parfait. Ce n'est qu'à quelques kilomètres. Nous y serons en un rien de temps.

Elle ne répondit pas, se bornant à s'essuyer les yeux.

A court de mots — réconforter les gens n'avait jamais été son fort —, il lui prit la main.

— Essayez de ne pas vous inquiéter.

— Je ne peux pas m'en empêcher, dit-elle en reniflant. Mon père est si plein de vie. Et il a toujours eu une santé de fer. Je n'ai jamais… pensé qu'il pourrait un jour tomber malade.

Sa souffrance faisait peine à voir. Elle avait visiblement du mal à réaliser que son père pourrait mourir et à formuler ce qu'elle ressentait.

Alex lui-même ne parvenait pas à imaginer ce par quoi elle passait. Il n'était pas proche de ses parents. Comment réagirait-il si quelque chose advenait à l'un d'eux ?

— Est-ce que votre sœur — Lil, c'est ça ? — vous a dit ce qui est arrivé ?

— Il aidait un voisin à déplacer un meuble lorsqu'il a porté la main à sa poitrine et s'est effondré. Ils ont appelé le service d'urgence qui a envoyé une ambulance et une équipe de secours. D'après Lil, ma mère était présente. Elle est allée avec eux à l'hôpital, et ensuite elle l'a prévenue.

— Votre mère n'est donc pas toute seule ?

— Je ne sais pas. Lil habite Ghent. Peut-être l'a-t-elle déjà rejointe.

— Essayez de ne pas vous faire trop de souci, lui dit-il comme il s'engageait dans la rue menant au parking de l'hôpital.

— Merci de m'avoir servi de chauffeur, Alex, murmura sa passagère. Vous pouvez me déposer devant l'entrée des urgences. Il se trouvera bien quelqu'un pour me raccompagner jusqu'à ma voiture.

Alex lui jeta un regard noir.

— Je viens avec vous.

Pour une fois, Jennifer hocha tête sans protester.

Il se dit qu'il lui devait bien cela, mais la vérité était qu'il répugnait à la laisser. Elle était dans la peine et il avait envie d'être là pour elle.

Cela le déroutait complètement, mais avant qu'il n'ait eu le temps de réfléchir davantage à la question, il s'était garé et avait coupé le moteur.

C'est donc ensemble qu'ils pénétrèrent dans l'immense bâtiment aux murs blancs et froids.

Une femme d'une soixantaine d'années faisait les cent pas dans le hall réservé aux familles.

— Maman ! s'écria Jennifer en se précipitant vers elle. Comment va papa ? T'a-t-on dit quelque chose ?

Petite, les cheveux courts et les traits fins, Mme Cardon tourna vers sa fille un regard soucieux.

— Oh, ma chérie, je suis si heureuse de te voir.

Les deux femmes s'embrassèrent.

— On ne sait encore rien. Ils ont emmené ton père pour des examens. Tony est arrivé juste après que les brancardiers sont venus le chercher, il est en ce moment avec l'interne de garde pour essayer d'en apprendre un peu plus.

Tony était médecin, se rappela Alex. Le praticien qui avait pris son père en charge répondrait plus facilement aux questions d'un confrère.

Jennifer se détendit imperceptiblement et croisa son regard.

— Maman, je te présente Alex Dunnigan, mon

patron. C'est lui qui m'a amenée. Alex, voici Janet Cardon, ma mère.

Janet s'empara de la main que lui tendait Alex et la serra dans les siennes.

— C'est très gentil à vous être occupé de Jennifer, Alex. Merci infiniment, dit-elle d'une voix douce en esquissant un pâle sourire. J'apprécie que vous soyez auprès d'elle.

— Ce fut un plaisir, madame, assura-t-il.

Comment cette femme s'y prenait-elle pour mettre ainsi les gens à l'aise d'un simple sourire ?

Cela atténuait quelque peu le ton sec avec lequel Jennifer l'avait présenté. Preuve supplémentaire que, contrairement à lui, elle avait tiré un trait sur leur week-end et sur leurs étreintes.

— Je vous en prie, appelez-moi Janet.

— Comment était papa lorsque tu l'as quitté ? s'enquit Jennifer, essayant de refouler une nouvelle vague de larmes.

— Calme. On l'a tout de suite mis sous sédatifs. Il n'a pas prononcé une parole de tout le trajet jusqu'ici.

— Lil n'est pas encore là ? reprit Jennifer, balayant le hall du regard.

— Elle ne devrait plus tarder. Il fallait qu'elle s'organise et qu'elle dépose les enfants chez une voisine.

A peine Janet avait-elle terminé sa phrase que son visage s'éclaira.

— Quand on parle du loup… La voilà !

Jennifer pivota sur ses talons et adressa un signe

de la main à une jeune femme brune qui se précipitait vers eux, suivie d'un homme aux tempes déjà grisonnantes.

Les trois femmes s'étreignirent.

Puis, refoulant visiblement ses larmes, Jennifer se tourna vers Alex.

— Alex, je vous présente Lil, ma sœur, et Robert Kanton, son époux.

Il leur serra la main.

Si Lil avait un petit air de famille avec sa sœur, elle était le portrait craché de sa mère en plus jeune. Même silhouette, même cheveux bruns et courts. Son mari semblait un peu plus âgé que lui, il avait au moins dix ans de plus que Lil.

— Ravie de faire votre connaissance, Alex, dit Lil en jetant à Jennifer un coup d'œil qu'il ne put interpréter.

— Moi de même. Je suis simplement désolé que ce soit dans de telles circonstances.

Il regarda sans mot dire Janet mettre Lil et Robert au courant de ce qui était arrivé à son mari. La façon dont cette famille faisait corps dans l'adversité l'émouvait et accentuait encore sa mélancolie de ne pas avoir de parents sur lesquels compter. Il savait que s'il avait été à la place de M. Cardon, il n'y aurait eu personne dans la salle d'attente.

Son regard se posa sur Jennifer. Elle était visiblement bouleversée.

Il l'attira à lui. Elle enfouit son visage dans le revers de sa veste et éclata en sanglots.

La voir pleurer ainsi lui déchirait le cœur. Jamais il ne s'était senti à ce point impuissant. Il la garda serrée contre lui jusqu'à ce qu'elle se soit calmée.

Lorsque, enfin, elle releva la tête, elle avait les yeux rouges et les joues striées de larmes.

— Je suis désolée, murmura-t-elle.

— Ne vous inquiétez pas pour ça. Il fallait que ça sorte, vous en aviez besoin, dit-il doucement, regrettant de ne pas pouvoir sécher ses larmes d'un baiser et se retenant à grand-peine de la reprendre dans ses bras.

Il commençait à y avoir beaucoup de monde autour d'eux. Robert les entraîna vers un coin plus calme où étaient disposées quelques chaises.

— Vous allez bien ? s'enquit Jennifer tandis qu'Alex s'asseyait à côté d'elle.

— Bien sûr. Pourquoi n'irais-je pas bien ?

Elle leva les yeux au ciel.

— Allons, Alex, je vous connais un peu. Vous n'avez pas l'habitude de vous retrouver dans ce type de situation.

— Votre famille est charmante, assura-t-il. Vous êtes une sacrée veinarde de les avoir.

Le fait de n'avoir jamais entretenu de tels rapports avec aucun des membres de sa propre famille ne l'empêchait pas de reconnaître que Jennifer avait de la chance.

— Et vous ? demanda-t-il, caressant sa main avec son pouce.

— Je voudrais juste que Tony revienne et nous dise ce qu'il en est, répondit-elle, essayant d'ignorer les frissons que faisait naître en elle cette caresse.

Alex glissa un bras autour de ses épaules.

— Encore un peu de patience. Il ne devrait plus tarder.

Elle refréna son envie de poser la tête sur son épaule. Sa force était exactement ce dont elle avait besoin.

— Je l'espère.

— Aimeriez-vous boire quelque chose ? Un café ou un soda ?

Elle s'efforça de sourire.

— J'ai la gorge sèche. Un soda light serait le bienvenu.

— Je reviens tout de suite, dit Alex en se levant.

A peine s'était-il éloigné que Lil abandonna sa chaise et vint s'asseoir à côté d'elle.

— Bonté divine, Jen, ton patron est un véritable canon !

— Ne commence pas, Lil, l'arrêta-t-elle. Il fait simplement montre de gentillesse. C'est tout.

— Ben voyons. Les patrons qui laissent tout tomber pour accompagner une employée à l'hôpital sont monnaie courante.

— Après ton coup de fil, j'étais tellement bouleversée qu'il n'a pas voulu que je prenne le volant.

— Ah, pouffa Lil. Et c'est aussi la raison pour

laquelle il avait le bras autour de tes épaules et te serrait contre lui, hein ?

— Arrête.

— Il craque complètement pour toi, Jen.

« Peut-être », songea Jennifer, souriant malgré elle. Mais qu'un homme la désirât ne lui suffisait pas. Elle voulait être aimée.

— Tu te trompes, dit-elle.

— Oh, je t'en prie. Ne viens pas me dire que tu n'éprouves rien pour lui, je ne te croirais pas. Donc, quels sont tes sentiments à son égard ?

— Je travaille avec lui depuis cinq mois, rétorqua Jennifer d'un ton mesuré, s'efforçant de ne pas paraître sur la défensive.

Lil eut un petit rire.

— Tu n'as pas répondu à ma question, insista-t-elle, les yeux rivés sur son visage. Allez, avoue, tu es folle de lui, n'est-ce pas ?

— Non !

Jennifer savait qu'elle avait répondu beaucoup trop vite. Contrariée, elle s'avisa qu'elle n'avait aucune chance de berner sa sœur. Lil avait toujours eu le chic pour deviner ce qu'elle pensait.

Elle balaya la salle du regard afin d'être certaine que personne ne prêtait attention à elles.

— En ce qui concerne un quelconque avenir avec Alex Dunnigan, il n'y a vraiment aucun espoir, dit-elle finalement à voix basse. Il a le célibat chevillé au corps.

— C'est le cas de tous les hommes, chérie, rétorqua sa sœur sur le même ton. Robert non plus ne voulait pas entendre parler de mariage ni d'enfants. Peut-être parce que, à l'époque de notre rencontre, il n'avait toujours pas digéré le fait que sa mère biologique l'avait abandonné à la naissance. Et ce, malgré son adoption par une famille formidable.

Elle jeta un coup d'œil à son mari, en pleine discussion avec leur mère.

— Comme je l'aimais éperdument, j'ai décidé de lui faire comprendre que j'étais la femme de sa vie et qu'il ne pouvait pas vivre sans moi.

Jennifer coula un regard à la dérobée à son beau-frère.

— C'est un homme adorable. Tu as de la chance, tu sais.

Il y avait de la mélancolie dans sa voix.

— Tu as tout. Un mari super, des enfants, une maison splendide. Et, comble de bonheur, tu es de nouveau enceinte.

— Toi aussi tu auras tout cela un jour, dit Lil.

— J'en doute.

« Pas avec Alex. »

— Et voilà votre soda.

Jennifer tressaillit et leva les yeux. Alex se trouvait devant elle, tenant à bout de bras un plateau sur lequel étaient disposés trois canettes de soda et deux gobelets de café.

— Vous allez boire tout cela ? s'enquit-elle avec un sourire.

— Non, mais j'ai pensé que quelqu'un d'autre pourrait avoir soif.

— Vous êtes un homme très attentionné, merci.

Elle l'aida à distribuer les boissons.

— Voilà Tony ! s'exclama soudain Robert, avisant son beau-frère qui se hâtait dans leur direction.

Jennifer fut debout en un clin d'œil, aussitôt imitée par les autres.

— Alors, quelles sont les nouvelles ? interrogea Lil dès que leur frère les eut rejoints.

— Papa va s'en tirer, répondit celui-ci. Ce n'était pas une crise cardiaque.

Jennifer s'empara dc la main de sa mère et la serra à la broyer.

— Non ? Mais alors, qu'est-ce que c'était ?

— De l'angine de poitrine.

— Les médecins en sont sûrs ? questionna Janet, l'air inquiet.

— Oui, assura Tony.

L'instant d'après, il se lançait dans une description détaillée de la pathologie paternelle.

— Selon les médecins, la maladie a été diagnostiquée à un stade précoce. Papa va juste devoir changer son régime alimentaire et faire un peu d'exercice.

Tony étreignit sa mère avec tendresse.

— Il va aller bien, maman. Et tu auras maintenant

de bonnes raisons de le houspiller, conclut-il avec un large sourire.

— Et, crois-moi, déclara Janet, riant et pleurant en même temps, je n'ai pas l'intention de m'en priver !

Tandis que les trois autres bombardaient Tony de questions, Jennifer leva la tête vers Alex.

— Je suis tellement soulagée, murmura-t-elle. Merci de m'avoir soutenue dans cette épreuve, Alex. Tony, ajouta-t-elle en se tournant vers son frère, je te présente Alex Dunnigan, mon patron.

Les deux hommes échangèrent une poignée de main et Alex soutint le regard de Tony. Il était manifeste, à la façon dont celui-ci le dévisageait, qu'il se doutait qu'il y avait quelque chose entre elle et lui.

Alex sentit une boule se former dans sa gorge en croisant le regard de Tony Cardon. Il n'y avait rien entre Jennifer et lui. Rien, hormis du désir. Et encore était-il apparemment le seul à en ressentir les affres. Jennifer l'avait arrêté net la veille, dans son bureau, lorsqu'il avait voulu lui faire l'amour.

Tony les pria de l'excuser et emmena sa mère voir le malade. N'étaient autorisées que deux personnes à la fois, aussi les visites prirent-elles un certain temps. Et puis ce fut le tour de Jennifer et il attendit patiemment qu'elle revienne. En d'autres circonstances, il se serait assis et aurait feuilleté une revue, mais chacun fit en sorte qu'il ne reste pas seul.

Il fut soulagé lorsque Jennifer les rejoignit. Non parce qu'il lui déplaisait de bavarder avec les membres de sa famille. Il appréciait leur conversation. Ils donnaient réellement l'impression d'être des gens charmants. Mais il avait envie de la voir, elle. Besoin de savoir qu'elle allait bien.

— Je suis prête à partir, Alex, dit-elle en s'arrêtant devant lui.

— Ils gardent votre père ?

Elle acquiesça de la tête.

— Juste cette nuit, par mesure de précaution. Ils veulent lui faire faire un test d'effort demain matin.

— Et votre mère ?

— Elle refuse de le quitter.

Ce qui n'étonna personne.

— Elle nous demande de rentrer afin de prendre un peu de repos, pour le cas où elle aurait besoin de nous demain.

Ils saluèrent tout le monde et prirent la direction du parking.

— Je ne vous remercierai jamais assez de m'avoir tenu compagnie, Alex.

— Je suis ravi d'avoir pu vous être de quelque réconfort. Et d'avoir fait la connaissance de votre merveilleuse famille.

Il savait maintenant de qui Jennifer avait hérité sa gentillesse et sa délicatesse. Et il lui était plus facile de comprendre pourquoi elle rêvait d'un homme pour qui amour rimât avec toujours.

— Vous pouvez me ramener à ma voiture ? lui demanda-t-elle alors qu'ils approchaient de son véhicule.

— Vous êtes sûre ? Je peux vous reconduire chez vous et passer vous chercher demain matin.

— J'aime mieux récupérer ma voiture ce soir. Tout le monde a beau nous avoir assuré que le pronostic vital de mon père n'était pas engagé, je me sentirai plus tranquille si je sais que j'ai un moyen de locomotion à disposition. Imaginez que son état de santé se dégrade subitement cette nuit et que je sois obligée d'aller à l'hôpital… Non, je ne veux pas avoir à courir après un taxi.

Alex hocha la tête. Ce raisonnement était imparable, mais il était déçu de ne pas la raccompagner chez elle.

— Vous avez l'air épuisée, fit-il observer tandis qu'ils sortaient du parking.

— Je n'en ai pas seulement l'air, répondit Jennifer. Et je suis toute nouée, ajouta-t-elle en étirant les muscles de son cou.

Il tendit le bras dans sa direction et entreprit de lui masser l'épaule.

Jennifer exhala un soupir.

— Mmm, ça fait du bien.

— Vous êtes tendue à l'extrême, dit-il.

Maintenant que le moment critique était passé, il était plus que jamais conscient qu'il n'aurait pas dû la toucher. Il lui avait donné sa parole de s'en abstenir.

Elle tourna la tête pour le regarder.

— Merci encore, Alex. J'ignore ce que j'aurais fait sans vous.

Il eut un haussement d'épaules désinvolte.

— Votre famille fait vraiment bloc en cas de crise.

Elle sourit.

— Ils peuvent être un peu fatigants parfois, mais dans l'adversité tout le monde se serre les coudes. Nous formons un véritable clan. Je les adore.

Elle n'avait pas besoin de le dire. L'éclat de son regard lorsqu'elle parlait de sa famille était assez éloquent.

— Je n'ai jamais connu ce genre de soutien, avoua-t-il, se surprenant lui-même.

— Vraiment ?

Elle réfléchit quelques secondes.

— Pas même quand, lors de cette fameuse escalade dont j'ai entendu parler, vous étiez tombé et vous étiez cassé des côtes ? Votre père ne vous a pas aidé ?

— M'aider, mon père ? On voit que vous ne le connaissez pas. Tout ce qu'il a trouvé à me dire, c'est, je cite : « Je t'avais mis en garde contre les risques que tu encourais. »

Pas exactement le réconfort que l'on est en droit d'attendre d'un père. Mais il est vrai que ses parents n'avaient jamais été là pour lui.

Jennifer se redressa sur son siège.

— Etes-vous en train de me dire que quand vous vous

êtes brisé les côtes, vous n'aviez personne auprès de vous ? demanda-t-elle d'un ton où perçait la colère.

Elle ne parvenait pas à croire que les parents d'Alex fussent à ce point insensibles. Indifférents. Pas étonnant qu'il ne sache pas ce que c'était que d'appartenir à une famille aimante.

Il n'en avait jamais eu.

Alex gardait les yeux rivés sur la route.

— Je me suis débrouillé.

Elle tressaillit à ces mots. Qu'est-ce que c'était censé vouloir dire ? Que, à l'époque, il y avait une femme dans sa vie, et que cette femme avait pris soin de lui ?

Cette idée la contraria et attisa sa jalousie. Mais quel droit avait-elle d'être jalouse des amies d'Alex ? Aucun.

— Oh.

Il lui jeta un coup d'œil.

— Pourquoi ce « oh » ?

— Je viens juste de réaliser qu'il y avait probablement quelqu'un d'autre auprès de vous. Je veux dire, autre que vos parents.

— En fait, je me suis débrouillé tout seul. Je n'ai jamais vécu avec une femme.

Elle prit bonne note de cette information. Cela lui faisait plaisir. Plus que ça ne l'aurait dû. Cependant, amoureuse de lui comme elle l'était, elle avait le cœur gros à la pensée qu'il avait traversé cette mauvaise passe dans la solitude.

— Il n'empêche que quelqu'un aurait dû s'occuper de vous.

— Ce n'était pas si grave.

— Je regrette de ne pas avoir été là, murmura-t-elle.

— Moi aussi. J'aurais réellement beaucoup aimé vous voir aux petits soins avec moi. Auriez-vous veillé sur moi ?

Elle vit la lueur espiègle dans ses yeux, comprit qu'il attendait qu'elle morde à l'hameçon.

— Je serais au moins venue vous voir, histoire de m'assurer que vous ne manquiez de rien.

— C'est très gentil de votre part. Mais, vous savez, je suis habitué à vivre seul. Je ne connais pas d'autre façon de vivre.

Cette réponse attrista plus encore Jennifer. Même si cela ne lui apprenait rien qu'elle ne sût déjà.

Alex n'envisageait pas de se ranger ni de fonder une famille. Son mode de vie en apportait la confirmation. Peu importait qu'elle l'aimât, il ne changerait jamais.

Jusqu'à cet instant, elle avait entretenu l'espoir que les sentiments qu'elle avait pour Alex seraient, un jour ou l'autre, payés de retour. Le moment était venu d'admettre qu'il ne l'aimait pas et d'aller de l'avant. Sans lui.

Tandis qu'il la déposait sur le parking de l'agence, elle décida d'attendre encore quelques jours avant d'acheter un test de grossesse. Leurs étreintes remonteraient alors à trois semaines. Sûrement était-ce suffisant pour obtenir un résultat fiable. Mais, qu'elle soit ou non enceinte, il fallait qu'elle commence à réfléchir à sa lettre de démission et qu'elle se mette à éplucher les petites annonces. Elle ne pouvait pas continuer de travailler avec Alex.

Parce que l'amour qu'elle lui portait devenait trop fort.

Alex attendit que Jennifer ait quitté le parking pour démarrer à son tour.

Inquiet — il craignait qu'elle ne soit trop fatiguée pour conduire —, il la suivit jusqu'à l'entrée de son immeuble afin d'être certain qu'elle était arrivée sans encombre. Dès qu'elle eut disparu à l'intérieur, il prit la direction de son propre appartement, sur la baie de Chesapeake.

La famille de Jennifer lui avait fait une grosse impression. Jamais il n'avait rencontré des gens aussi unis. C'était tellement à l'opposé de ce qu'il avait toujours connu qu'il avait du mal à ne pas penser à eux. A leur cordialité à son égard, à la facilité avec laquelle ils avaient accepté sa présence aux côtés de Jennifer.

Avait-il en lui ce qu'il fallait pour appartenir à une famille comme celle-là ? se demanda-t-il à l'improviste. Après tout, pourquoi pas ?

Il eut un froncement de sourcils. Qui essayait-il d'abuser ?

Il avait eu une enfance dépourvue d'affection, n'avait pas été élevé par ses deux parents… Qu'est-ce qui lui faisait croire qu'il serait capable de veiller sur Jennifer ?

Il n'était pas le genre d'homme dont Jennifer avait besoin. Ses liaisons à lui ne duraient jamais plus de quelques semaines. Or, elle n'était pas intéressée par une aventure sans lendemain. Elle voulait un mari, des enfants.

Une relation avec lui ne la mènerait nulle part. Il finirait par la quitter tôt ou tard, comme toutes celles qui l'avaient précédée.

Et faire souffrir Jennifer était la dernière chose dont il avait envie.

- 10 -

Le lendemain matin, Jennifer se réveilla avec un mal de ventre épouvantable. Du genre de ceux qu'elle avait quelquefois lorsqu'elle attendait ses règles. Mais, habituellement, cela n'incluait pas une nausée si saisissante qu'elle avait l'impression qu'elle allait rendre l'âme. Et cela faisait une semaine qu'elle aurait dû avoir ses règles.

Oh, Dieu ! Se pouvait-il qu'elle fût enceinte ?

Elle resta allongée sans bouger un moment, mais au lieu de disparaître la nausée s'amplifia.

Jaillissant de son lit telle une fusée, elle se rua vers la salle de bains, qu'elle atteignit juste à temps pour rendre tripes et boyaux.

Assise sur le bord de la baignoire, elle humecta un gant de toilette et le pressa sur son front où perlaient des gouttes de sueur. C'est alors que son regard se posa sur le test de grossesse posé sur son vanity-case, à côté du lavabo. Jusqu'à présent, elle n'avait pu se résoudre à s'en servir parce qu'elle savait que, s'il se révélait positif, elle ne pourrait pas différer sa démission plus longtemps.

Maintenant, elle n'avait plus le choix.

L'estomac toujours en capilotade, elle tendit la main vers la boîte. Quelques minutes plus tard, ses soupçons se voyaient confirmés.

Elle était bel et bien enceinte des œuvres d'Alex.

La joie qu'elle aurait dû en éprouver se trouvait quelque peu ternie par le fait de savoir qu'elle ne pourrait jamais la partager avec lui. Même s'il y avait une chance pour qu'il veuille bien servir de père à leur enfant, elle avait conscience que si elle lui disait la vérité, si elle lui avouait qu'elle n'avait accepté ce week-end au ski en sa compagnie que dans l'espoir qu'il lui fasse un bébé, il ne croirait jamais qu'elle ait essayé de se confier à lui avant qu'ils ne fassent l'amour.

Rassemblant ses forces, elle se mit debout et se traîna jusqu'à la cuisine. N'avait-elle pas entendu dire qu'un toast sans beurre ni confiture et une tasse de thé atténuaient les nausées matinales ?

Elle n'eut malheureusement pas le temps de le vérifier.

A peine avait-elle regagné sa chambre — et son lit — avec son plateau qu'une nouvelle vague de haut-le-cœur la saisit.

Tremblante et en nage, elle décida d'attendre un peu avant de toucher à son frugal petit déjeuner. Ensuite, quand elle se sentirait mieux, elle se préparerait et irait travailler. Elle jeta un coup d'œil à sa montre. Au pire, elle aurait une demi-heure de retard.

Au bout de quelques minutes, elle fit une nouvelle tentative et parvint à manger la moitié du toast et à boire deux ou trois gorgées de thé. Jusqu'ici, tout allait bien. Un quart d'heure plus tard, le toast terminé et le thé bu, les nausées avaient disparu.

C'est alors qu'elle commit l'erreur de se lever.

Elle n'avait pas plus tôt posé le pied par terre que son estomac se manifesta de nouveau, l'obligeant à foncer dans la salle de bains. Et les vomissements recommencèrent...

Quand elle eut rendu tout ce qu'elle avait absorbé, Jennifer tituba jusqu'à son lit et, non sans peine, se recoucha. A la suite de quoi, elle décrocha le téléphone, composa le numéro direct de son assistante et la prévint qu'elle était malade et ne viendrait pas travailler.

Alex pénétra dans le bureau de Jennifer et s'arrêta net à la vue de Paige Richards qui était en train d'y mettre de l'ordre.

La jeune femme tourna la tête dans sa direction, le sac de Jennifer à la main.

Il avait oublié que Jennifer en avait renversé le contenu sur son bureau lorsqu'elle avait reçu l'appel l'informant du malaise de son père.

— Où est Jennifer ? s'enquit-il en jetant un furtif coup d'œil à sa montre.

Il avait consulté son emploi du temps sur l'ordinateur. Elle n'avait pas de rendez-vous aujourd'hui. Peut-être avait-elle pris sa matinée pour se rendre au chevet de son père. L'état de celui-ci se serait-il détérioré au cours de la nuit ? L'hôpital l'aurait-il appelée ?

— Elle a téléphoné pour dire qu'elle était malade, répondit Paige en rangeant le portefeuille de Jennifer dans son sac. Que s'est-il passé ici ?

Il expliqua à Paige que le père de Jennifer avait été transporté aux urgences la veille au soir et qu'elle était partie en hâte.

— Etes-vous certaine qu'elle a dit que c'était *elle* qui était malade ?

Paige abandonna quelques secondes son rangement et leva les yeux vers lui.

— Pardon ?

— Etes-vous certaine qu'elle n'a pas dit qu'un membre de sa famille était malade ? insista-t-il, pensant que Paige avait dû mal comprendre.

— Oui, monsieur, j'en suis certaine. Elle a dit qu'elle ne se sentait pas bien.

Hormis ses traits tirés dus aux longs moments d'inquiétude passés à attendre des nouvelles de son père à l'hôpital, Jennifer lui avait paru bien lorsqu'il l'avait quittée.

— A-t-elle dit ce qu'elle avait ?

— Non.

Paige ramassa un poudrier et un tube de rouge à

lèvres et les mit dans le sac avec le reste. Sa remise en ordre terminée, elle vint se planter devant lui.

— Y a-t-il quelque chose que je puisse faire pour vous, monsieur ?

Alex fit un signe de dénégation.

— Non, merci.

Paige sortie, il resta quelques minutes à fixer le fauteuil vide de Jennifer.

Peut-être devrait-il aller la voir, juste pour s'assurer qu'elle allait bien ?

Non. Ce n'était pas une bonne idée. Il la chassa aussitôt de son esprit. Jennifer avait une mère et des frères et sœur pour s'occuper d'elle en cas de besoin.

Mais le pourraient-ils ? Avec le malaise survenu à son père la veille au soir, aucun des membres de la famille n'aurait beaucoup de temps à lui consacrer. Sa mère devait toujours être à l'hôpital. Et peut-être même sa sœur. Qui se soucierait de prendre des nouvelles d'elle ?

Essayant de se persuader qu'il se faisait du souci pour rien, Alex décida de ne pas céder à son envie d'aller rendre visite à Jennifer.

Probablement était-il la dernière personne qu'elle avait envie de voir. Et tout le monde avait le droit, après un choc comme celui de la veille, de se sentir trop mal en point pour aller travailler. Cela ne voulait pas dire qu'elle était vraiment malade.

*
* *

En dépit de sa décision de ne pas aller voir Jennifer, Alex avait été incapable de la chasser de ses pensées. A plusieurs reprises au cours de la journée, il avait décroché le téléphone, cherchant une raison valable de l'appeler — pour immédiatement raccrocher.

Le soir, au sortir de l'agence, il songea à faire un détour par chez elle. Il pouvait lui rapporter son sac, lui dire qu'il avait pensé que cela pourrait lui être utile…

Finalement, il décida de s'en abstenir. Si elle se sentait mieux, il passerait pour un imbécile.

A son arrivée le lendemain matin, il fonça droit dans le bureau de Jennifer. Mais, comme la veille, il était désert. S'emparant de son sac, il alla trouver Paige, qui lui apprit que Jennifer avait appelé afin de prévenir qu'elle était toujours mal fichue et que, aujourd'hui encore, elle resterait chez elle.

O.K., il avait à présent une raison valable d'aller la voir, se dit-il en prenant la direction de son appartement. Personne ne manquait deux jours de travail sans être réellement malade.

Peut-être avait-elle besoin de quelque chose et était-elle incapable de se lever ? Il ne ferait qu'entrer et sortir. Il vérifierait qu'elle n'avait besoin de rien, et puis il s'en irait.

Et il ne la toucherait pas.

La toucher serait une erreur. Une énorme erreur. Parce que, s'il la touchait, il ne pourrait pas s'empêcher de l'embrasser. Et il avait promis de garder ses distances.

S'immobilisant dans un crissement de pneus — il avait parcouru en un temps record la distance qui séparait l'agence de la petite copropriété dans laquelle elle résidait —, il jura entre ses dents. A en juger par le parking vide, elle était seule chez elle, sans personne pour s'occuper d'elle.

L'instant d'après, se maudissant de n'être pas venu plus tôt, il bondissait hors de sa voiture et pénétrait en trombe dans le hall de l'immeuble.

Cela carillonnait à tout va…

Même si la pendulette posée sur sa table de chevet indiquait qu'elle avait sommeillé une malheureuse petite heure, Jennifer avait l'impression qu'elle venait juste de s'endormir.

Réalisant que les sonneries, qui continuaient de retentir avec insistance et lui donnaient mal à la tête, provenaient de la porte d'entrée, elle parvint à rouvrir les yeux puis à s'asseoir sur le bord du lit.

Maintenant, il ne lui restait plus qu'à trouver la force d'atteindre la porte.

Son estomac lui refusait toute coopération. Les nausées matinales de la veille n'étaient rien en comparaison de celles d'aujourd'hui.

Résolue à aller travailler, elle s'était levée tôt. Mais à peine ses pieds avaient-ils touché le sol qu'elle avait dû se précipiter dans la salle de bains où elle s'était littéralement vidée. Elle avait eu toutes les peines du monde à avaler un toast et un peu de thé puis à regagner son lit. Bien que cela lui déplût souverainement, elle avait une nouvelle fois téléphoné à l'agence pour prévenir qu'elle ne viendrait pas.

La veille, elle avait commencé à se sentir mieux en fin d'après-midi, mais, encore faible, elle avait préféré rester chez elle. Il fallait espérer que, son corps s'habituant aux nausées, il en serait de même aujourd'hui. Si tel était le cas, elle s'aventurerait jusqu'à l'épicerie du coin afin de faire quelques courses.

La sonnette de la porte d'entrée troua de nouveau le silence, et elle pesta. Qui que soit celui qui se trouvait derrière la porte, il avait intérêt à avoir une bonne raison de venir ainsi la déranger.

Elle savait que ce n'était pas sa mère. Ce matin, entre deux allers-retours à la salle de bains, elle avait appelé celle-ci pour prendre des nouvelles de son père. Elle lui avait dit qu'elle n'était pas dans son assiette et qu'elle leur rendrait visite en fin de semaine.

Quand elle regarda par l'œilleton, son cœur fit un bond dans sa poitrine.

Alex ! Que faisait-il ici ?

Elle resserra les pans de sa robe de chambre et, croyant être victime d'une hallucination, colla une nouvelle fois le front contre le battant.

Pas de doute, c'était bien lui. Comme à l'accoutumée, il était superbe… et visiblement mal à l'aise.

A l'évidence, cela ne lui arrivait pas souvent de rendre visite à une malade.

Elle déverrouilla la porte et l'entrouvrit.

Alex tenait à la main le sac qu'elle avait laissé à l'agence.

— Salut, dit-elle en passant la tête par l'entrebâillement.

Elle jeta un coup d'œil au sac et tira la déduction qui s'imposait.

— Vous n'étiez pas obligé de me rapporter mon sac. J'aurais pu le récupérer demain en venant travailler.

Elle n'était cependant pas mécontente qu'il ait pris la peine de venir. Elle n'avait pas un sou sur elle pour passer à l'épicerie, et acheter des crackers constituait sa priorité de la journée. Une rapide recherche sur Internet lui avait appris que l'absorption de petits biscuits salés et d'une boisson chaude avant de se lever pouvait atténuer les nausées.

Alex s'éclaircit la voix.

— Paige m'a dit que vous étiez malade. J'ai pensé que ce serait sympa de venir voir si vous aviez besoin de quelque chose.

Ses doigts se resserrèrent sur le sac et il fronça les sourcils.

— Comment vous sentez-vous ? Oh, pardon, quelle question idiote ! Le premier imbécile venu pourrait se rendre compte que vous ne tenez debout que par miracle. Vous donnez l'impression d'être réellement malade.

Il n'aimait pas la pâleur de son visage, ses traits tirés, et les cernes sous ses yeux.

— Je crois que je vais mieux aujourd'hui, répondit-elle, espérant qu'il allait se contenter de lui donner son sac et s'en aller.

Alex la dévisagea, sceptique.

— Si c'est ce que vous appelez aller mieux, je refuse de penser à ce que ce devait être hier. Puis-je entrer un moment ?

— Il ne vaut mieux pas, répondit-elle, se creusant la cervelle à la recherche d'une raison qui le dissuaderait de n'en rien faire. Je crois que j'ai la grippe.

C'était tout ce qu'elle avait trouvé. Ce n'était pas comme si elle pouvait lui dire la vérité.

« J'attends un enfant de vous, et je suis tellement mal fichue que je n'arrive que difficilement à tenir debout. »

Elle devait se montrer très prudente, l'empêcher d'entrer. Faire en sorte qu'il s'en aille. Aussitôt que possible.

Mais à peine avait-elle pris cette décision qu'une nouvelle vague de nausées la submergea.

Le plantant là, elle fonça vers la salle de bains.

Quelques secondes plus tard, elle l'entendit entrer et refermer la porte derrière lui.

A sa grande confusion, il la découvrit penchée au-dessus de la cuvette des toilettes, essayant, d'une main, d'écarter les cheveux qui lui tombaient dans la figure.

— Laissez-moi vous aider.

Il lui tira les cheveux en arrière et les lui tint jusqu'à ce qu'elle ait fini.

— Vous ne pouvez pas rester comme cela. Il faut que vous alliez voir un médecin.

Il avait raison, bien sûr. Un médecin pourrait probablement lui prescrire un médicament qui atténuerait ses nausées matinales. Ou bien sa grossesse n'était-elle pas assez avancée ?

La barbe, tout cela était si nouveau pour elle. Elle n'en avait pas la moindre idée.

Elle ferma brièvement les yeux, le temps de rassembler ses forces, et puis elle releva la tête et le regarda.

— Non, ça va aller.

Après s'être rincé la bouche dans le lavabo, elle se redressa et se regarda dans la glace. Elle avait les cheveux en bataille, n'était pas maquillée. L'étoffe très fine de son déshabillé laissait peu de place à l'imagination.

Comme si, avec cette allure, elle pouvait espérer séduire un homme comme Alex !

— Alors, retournez au moins vous coucher.

— Ça, je veux bien.

En dépit du fait qu'Alex lui dictait sa conduite, elle trouvait l'idée excellente.

Il la suivit jusqu'à sa chambre et l'aida à se mettre au lit.

— Avez-vous besoin de quelque chose ? s'enquit-il,

en même temps qu'il lui tâtait le front puis les épaules et les bras.

— Que diable êtes-vous en train de faire ? interrogea-t-elle d'un air pincé.

— Simple vérification. Je m'assure que vous n'avez pas de fièvre.

— Vérification superflue. Je n'en ai pas.

— Vous êtes toute moite, fit-il observer.

— Cela n'a rien d'extraordinaire, à la fin ! Il est bien connu que nausées et vomissements provoquent des suées.

Il eut un petit rire.

— Etre malade ne vous réussit pas. Cela vous rend grincheuse.

— Me voir dans cet état vous amuse ? riposta-t-elle d'un ton acerbe.

Elle voulait qu'il parte. Maintenant.

— Je trouve cela adorable, admit-il. Vous n'avez pas d'antiémétique dans votre pharmacie ?

Si Jennifer savait que certains médicaments étaient formellement interdits aux femmes enceintes, elle ignorait lesquels. Or, dans le doute, elle préférait s'abstenir.

— Non. Outre que j'ai une santé de fer, je suis du genre à laisser faire la nature. J'avais l'intention de sortir un peu plus tard afin d'aller acheter des crackers. Histoire de me remplir l'estomac et d'avoir ainsi autre chose à rendre que de la bile.

— Je vais descendre vous en chercher.

— Non.

Elle secoua la tête.

— Je peux m'en charger moi-même.

— Où est la clé de votre appartement ? questionna-t-il, ignorant ses protestations. Je ne veux pas que vous ayez à vous lever pour venir m'ouvrir.

— Ça ira. Vous n'êtes pas forcé de jouer les garçons de course.

— Cela ne me dérange absolument pas. Alors, où est-elle, cette clé ?

Elle capitula et le lui dit.

Bâillant à s'en décrocher la mâchoire, elle s'abandonna à l'engourdissement qui l'enveloppait et sombra dans un sommeil réparateur.

Quand Jennifer rouvrit les yeux, l'après-midi tirait à sa fin. Elle souleva la tête et réprima un haut-le-corps.

Alex était dans *sa* chambre !

Assis sur une chaise qu'il avait apportée de la cuisine, il la contemplait d'un air rêveur.

Abasourdie, elle s'interrogea quelques secondes sur les raisons de sa présence à son chevet.

Et puis tout lui revint. L'homme qu'elle aimait, celui dont elle portait l'enfant, l'avait vue ce matin rendre tripes et boyaux. Génial.

— Alex ?

— Ah ! Vous êtes réveillée.

Il quitta la pièce pour revenir deux minutes plus tard, un gant de toilette humide à la main. Le matelas s'affaissa légèrement lorsqu'il s'assit à côté d'elle et le posa sur son front.

— Comment vous sentez-vous ?

— Mieux, répondit-elle sans bouger d'un iota.

Ses nausées semblaient s'être calmées, mais elle ne doutait pas qu'il suffirait qu'elle remue ne fût-ce qu'un petit doigt pour qu'elles reviennent.

— Quelle heure est-il ?

Bien qu'il y eût une pendulette sur la table de chevet, il consulta sa montre. Par habitude.

— 15 h 30.

— Vous êtes resté ici toute la journée ? demanda-t-elle prudemment, s'obligeant à l'immobilité la plus totale.

— Je ne voulais pas vous laisser seule.

Tandis qu'il la regardait dormir, Alex s'était subitement rendu compte qu'il tenait davantage à Jennifer qu'il ne l'aurait cru. Ou voulu. L'abandonner à son triste sort n'était pas une option envisageable. Il voulait passer toute la nuit auprès elle. Sauf que, s'il restait, il n'était tout simplement pas certain d'être capable de ne pas la toucher.

Il avait envie d'elle, même malade. Aucune autre femme n'avait jamais eu cet effet sur lui. Jennifer était la première à éveiller ainsi son désir.

Ce qui l'effrayait considérablement, mais pas assez cependant pour qu'il prenne ses jambes à son cou.

— Ça va aller. Je vous assure, ajouta-t-elle d'un ton peu convaincant.

— Attendons de voir, repartit-il sans se compromettre avant de poser la paume sur son front. Vous ne paraissez pas avoir de fièvre. Peut-être le pire est-il derrière nous ?

Le pouls d'Alex s'accéléra à ce contact. Il croisa le regard de Jennifer et, pour fugace qu'elle fût, vit une lueur d'appréhension dans les yeux qui sondaient les siens.

Il laissa retomber sa main. Il allait avoir du mal à combattre l'attraction qu'elle exerçait sur lui s'il ne partait pas tout de suite.

Mais l'après-midi céda la place au crépuscule, et il était toujours là, aux petits soins pour Jennifer, lui faisant du thé et lui apportant les crackers qu'il avait achetés pendant qu'elle dormait.

Vers 17 heures, Jennifer commença à se sentir assez bien pour prendre une douche.

Quand elle ressortit de la salle de bains un quart d'heure plus tard, les cheveux lavés et les dents brossées, elle avait presque retrouvé son dynamisme habituel. Elle avait mis une chemise de nuit propre et revêtu une autre robe de chambre dont le tissu, plus épais, dissimulait ses courbes affriolantes. Ses cheveux étaient encore légèrement humides et elle fleurait bon la vanille.

Alex, qui l'attendait de pied ferme dans le salon, sentit les muscles de son ventre se contracter.

Elle passa devant lui, amorçant un pas en direction de la cuisine.

— Où croyez-vous aller ? s'enquit-il en même temps qu'il lui empoignait le bras, l'obligeant à s'arrêter net.

— A la cuisine.

— Il n'en est pas question. J'aime mieux que vous retourniez vous coucher.

Il aurait également aimé qu'elle soit d'attaque pour ce dont il avait envie.

Elle. Nue et haletante sous lui. Des heures durant…

Il se morigéna intérieurement. Il était là pour aider Jennifer, non pour tirer avantage de la situation et abuser d'elle. Et nul doute que le fait d'être malade l'empêcherait de se défendre, si le malheur voulait qu'il perde la tête et pose les mains sur elle.

Jennifer s'empourpra. Les dernières paroles d'Alex faisaient naître toutes sortes d'images dans son esprit. Des images de corps dénudés et de jambes entrelacées, d'étreintes passionnées…

Elle ne discuta cependant pas lorsqu'il lui fit prendre la direction de sa chambre.

— C'était gentil à vous de rester, Alex, mais je suis

en pleine forme à présent, lui dit-elle en se glissant sous la couverture.

S'il ne partait pas sur-le-champ, elle allait commettre une bêtise, comme faire l'amour avec lui.

Ouah ! Son état était en nette amélioration si elle pensait à faire l'amour !

— Je crois que je vais m'incruster encore un peu, rétorqua Alex. Je tiens à m'assurer que tout va bien pour vous. Demain, c'est samedi. Vous devriez profiter du week-end pour vous reposer. Oubliez le travail et tout ce que vous n'avez pas pu faire à cause de votre indisposition passagère. J'ai parlé à Paige. Elle contrôle la situation.

Il la borda.

— Que diriez-vous d'essayer d'avaler un peu de potage ? suggéra-t-il.

— Je ne pense pas en être capable.

« Je vous en prie, allez-vous-en. »

Mais sa prière muette resta lettre morte. Alex avait trouvé le plateau qu'elle rangeait dans l'un des placards et il lui apporta un bol de soupe fumante accompagné d'un toast et d'un verre d'eau.

Elle vida le verre d'un trait puis goûta le potage.

— C'est délicieux. Vous êtes un véritable chef, déclara-t-elle avec un sourire.

Elle avait fini par accepter le fait qu'il ne partirait que lorsque ça lui chanterait.

Elle parvint à quasiment terminer le potage. Ses nausées avaient disparu, mais nul doute qu'elles seraient de nouveau au rendez-vous le lendemain matin. Et le surlendemain. Et le jour d'après. Et ainsi de suite jusqu'à… jusqu'à quand ?

— Mes talents culinaires se limitent à savoir ouvrir les boîtes de conserve.

Alors qu'elle reposait son bol sur le plateau, il s'en empara et but les deux ou trois gorgées restantes.

— Alex !

— Ne vous inquiétez pas, les microbes s'attaquent rarement à moi.

De fait, attendu qu'elle n'était pas vraiment malade, il n'y avait aucun danger qu'il attrape la grippe. Les nausées dues à la grossesse n'étaient pas contagieuses.

— Comment va votre père ?

— D'après maman, beaucoup mieux.

— Je suis heureux de l'apprendre, déclara Alex avant de remporter le plateau dans la cuisine.

Il était en train de perdre la bataille engagée avec son self-control.

S'il partait maintenant, il aurait accompli ce pour quoi il était venu : s'assurer que Jennifer n'avait besoin de rien et qu'elle allait bien.

Seulement, en venant, il ne voulait pas uniquement s'assurer qu'elle allait bien. N'avait-il pas autre chose en tête ?

Exact. Il avait envie d'embrasser sa bouche pulpeuse, envie de caresser sa sculpturale anatomie. Envie de la rejoindre dans son lit et de lui faire l'amour.

La sagesse aurait voulu qu'il s'en aille immédiatement,

avant de rompre une nouvelle fois la promesse qu'il avait faite à Jennifer. Au lieu de ça, il retourna dans la chambre et se laissa choir sur le lit à côté d'elle.

— Vous vous sentez mieux ? interrogea-t-il, scrutant son visage.

Toute la journée, il s'était retenu de la toucher. Mais il n'en pouvait plus. Il avait la certitude qu'il mourrait s'il ne le faisait pas.

— Oui.

Lorsqu'il effleura de sa main la joue de la jeune femme, son pouls, déjà rapide, s'accéléra encore.

— Alex, dit-elle, non pas sur un ton de mise en garde, mais d'une voix implorante qui lui fouetta le sang.

D'une voix implorante *et* vibrante de désir contenu.

Il se pencha vers elle, la bouche à quelques centimètres de la sienne.

— Je sais que je vous avais promis de ne pas vous toucher, mais, bon sang, Jennifer, je me suis fait du souci pour vous aujourd'hui.

Il prit une brève inspiration, les yeux rivés sur sa bouche toute proche. Cette bouche tentante en diable.

Il était clair qu'elle hésitait. Elle savait que tout ce qu'elle avait à faire, c'était dire « non ». Il se serait alors levé et s'en serait allé.

Mais elle ne le fit pas. Elle leva légèrement la tête et leurs bouches se rencontrèrent.

Elle l'embrassa si tendrement, avec une telle douceur, qu'il crut qu'il allait exploser.

L'instant d'après, ils étaient tous les deux nus, le corps moelleux de Jennifer lové contre le sien. Tout au feu de la passion qui le consumait, il n'aurait su dire à quel moment il s'était déshabillé, ni comment elle-même s'était retrouvée dans le plus simple appareil. Et, pour être franc, il s'en moquait. Elle était là, contre lui, et c'était tout ce qui importait.

Ses mains entrèrent en action, caressant ses seins, son ventre, en explorant chaque millimètre carré. Alors qu'elle commençait à s'abandonner à la spirale du désir, il lui écarta les jambes et entreprit de butiner le cœur de sa féminité.

— Viens, murmura-t-elle, creusant les reins et s'arquant à sa rencontre.

— Je suis là, répondit-il sur le même ton tout en la pénétrant doucement.

Et puis, penchant la tête, il prit ses lèvres et l'embrassa avec passion. Il adorait sa bouche. L'odeur de son corps. Sa peau satinée.

— Maintenant, Alex, supplia-t-elle. Oh, oui, maintenant !

Il l'embrassa de nouveau, sentit ses muscles se resserrer autour de lui.

Il intensifia son mouvement de va-et-vient et, d'un ultime coup de reins, s'enfonça plus profondément encore.

Faire l'amour avec elle était si bon !

Si parfait.

*
* *

La sonnerie du téléphone tira Jennifer de sa douce somnolence.

Refusant de réfléchir à ce qu'elle venait de faire, elle s'arracha aux bras d'Alex et vérifia l'identité de son correspondant.

C'était sa sœur.

Pensant que l'appel de Lil concernait leur père, elle prit la communication.

— Salut, Lil.

— Quelque chose ne va pas, Jen ? J'ai appelé à ton bureau. Ton assistante m'a dit que tu étais malade depuis deux jours.

— Oui. Je crois que j'ai la grippe ou quelque chose dans ce genre.

— Comment te sens-tu ?

— Mieux, assura Jennifer, consciente que son ton manquait de conviction.

A dire vrai, elle n'en pouvait plus. L'amour était un exercice épuisant pour quelqu'un qui, comme elle, avait passé les dernières quarante-huit heures à faire la navette entre son lit et les toilettes.

— Bien ? Allons, chérie, je te connais, rétorqua Lil. Il faut que tu sois réellement mal en point pour ne pas aller travailler. Je viens.

Paniquée à l'idée que sa sœur découvre Alex dans son lit, elle s'empressa de l'en dissuader.

— Surtout pas ! Je ne tiens pas à te refiler mes

microbes. N'oublie pas que tu as charge d'âmes. Songe à tes enfants et à ton mari. Je ne voudrais pas que toute la maisonnée soit malade par ma faute.

— Là, tu marques un point, dit Lil après quelques secondes de réflexion.

Jennifer exhala un soupir. Elle aimait mieux ça.

Mais son soulagement fut de courte durée.

— Je vais appeler Tony, poursuivit sa sœur. Il ne devrait pas tarder à quitter l'hôpital. Je vais lui dire de faire un saut jusque chez toi. Peut-être même pourra-t-il rester cette nuit.

Zut, il ne fallait pas que son frère vienne. Il ne serait pas dupe. Il comprendrait tout de suite qu'elle était enceinte.

— Ce n'est pas la peine.

— Ne discute pas, dit Lil.

— Mais je t'assure que je vais bien ! dit Jennifer avant de jeter un coup d'œil affolé à Alex qui l'observait, assis à côté d'elle.

— En ce cas, tu ne verras pas d'inconvénient à ce que Tony le confirme, dit Lil avant de raccrocher.

Jennifer inspira à fond plusieurs fois et puis elle se tourna vers Alex.

— Mon frère va venir. Il vaudrait mieux que vous partiez.

— Je vais m'habiller, repartit Alex. Mais rien ne m'oblige à partir.

Elle se mordit la langue.

— Il faut que vous vous en alliez, Alex. S'il vous

trouve ici, il en tirera des conclusions. Je ne veux pas qu'il se méprenne. Qu'il croie qu'il y a quelque chose entre nous.

— Mais c'est le cas, non ?

A bout de forces, elle reprit malgré elle le tutoiement des moments intimes qu'ils venaient de vivre.

— S'il te plaît, va-t'en.

Alex la regarda sans mot dire. Visiblement, il aurait aimé discuter encore, mais il était troublé par ce tutoiement subit.

— Très bien, conclut-il. Si c'est ce que tu veux que je fasse.

Elle lui sut gré de ne pas faire d'autres commentaires.

Il se leva et s'habilla en un clin d'œil, manifestement ennuyé qu'elle parût avoir honte d'être avec lui.

— Pardonne-moi, dit-elle devant son air contrarié.

Il haussa les épaules.

— Pas de problème. Je ne peux pas t'en vouloir de n'être pas prête à révéler aux tiens que nous avons couché ensemble. Inutile de me raccompagner, ajouta-t-il comme elle repoussait les couvertures.

— Mais…

— Il n'y a pas de « mais » qui tienne. Je ne veux pas que tu quittes ton lit, continua-t-il d'un ton radouci. Restes-y jusqu'à l'arrivée de ton frère.

Il se pencha et effleura son front d'un baiser.

— Je passerai demain pour voir comment tu vas.

Elle hocha la tête, tout en s'avisant que c'était une erreur de plus.

S'il revenait demain, Alex s'apercevrait que ses vomissements n'étaient pas accidentels. Il n'était pas idiot. Il ne lui faudrait pas longtemps pour comprendre de quoi il retournait.

Depuis son lit, elle l'entendit claquer la porte d'entrée.

Elle se renversa en soupirant sur ses oreillers.

Coucher une nouvelle fois avec Alex n'avait pas été judicieux. Non plus que de passer au tutoiement avec lui, même si cette reconnaissance réciproque de leur intimité lui faisait un plaisir inavouable.

Décidément, elle manquait singulièrement de jugeote, dès lors qu'il s'agissait d'Alex Dunnigan. Oh ! dire qu'elle se serait damnée pour pouvoir vivre avec le merveilleux père de son enfant ! Toujours.

Elle eut un petit rire amer.

Les chances que cela se produise un jour étaient tout simplement ridicules.

Non, sérieusement, la seule et unique façon pour elle de maîtriser les sentiments qu'il lui inspirait était de lui donner sa démission.

- 11 -

Le lendemain, Jennifer passa la matinée recroquevillée dans son lit, l'estomac toujours en capilotade.

Elle s'était levée tôt pour se doucher puis se préparer une pleine théière de son breuvage préféré. Ensuite, munie d'un paquet de crackers, elle s'était recouchée. Mais, toujours aussi nauséeuse, elle n'avait rien pu avaler.

Elle s'apprêtait à faire une nouvelle tentative lorsque le téléphone sonna.

Le numéro qui s'affichait était celui d'Alex.

Son cœur bondit dans sa poitrine, puis elle se rembrunit.

Peut-être Alex était-il sincèrement amoureux d'elle aujourd'hui, mais demain, quand l'intérêt qu'il lui portait aurait disparu, quand le feu de sa passion se serait éteint, qu'adviendrait-il ? Il n'attendait pas les mêmes choses qu'elle de l'existence. Il ne voulait pas d'enfants. Et ne pas en avoir était pour elle inconcevable. Elle se retrouverait seule, le cœur brisé.

Non, elle ne se sentait pas capable de gérer une liaison qui ne pouvait que mal finir.

Elle décrocha cependant, peu désireuse qu'il débarque chez elle à l'improviste si elle ne répondait pas.

— Bonjour ! dit-elle, faisant un effort pour prendre un ton enjoué.

— Comment te sens-tu ce matin ? s'enquit Alex, l'inquiétude perçant dans sa voix.

— Mieux, répondit-elle, laconique. Les crackers m'ont été d'une grande aide. Merci d'être allé me les acheter.

— Tu sembles fatiguée.

Cette faculté qu'il avait d'évaluer sa condition physique rien qu'en l'entendant parler était étonnante.

— Un peu, admit-elle. Je pense néanmoins être en mesure de venir travailler demain. Il se pourrait même que je fasse un tour à l'agence cet après-midi.

— Je te l'interdis ! tonna-t-il à l'autre bout du fil.

— Alex…

— Je veux que tu prennes soin de toi et que tu te soignes.

— C'est ce que je fais. Tony est passé hier soir et m'a donné quelque chose contre les nausées.

Elle se garda bien de lui dire que son frère n'avait mis que quelques minutes à établir son diagnostic. Elle n'avait pas non plus eu besoin de lui dire qui était le père de son enfant. Concernant sa relation avec son employeur, elle s'était montrée très discrète, ne racontant à son frère que le strict nécessaire.

Tony avait alors exigé de savoir si Alex avait l'intention de l'épouser. Il avait laissé éclater sa colère lorsqu'elle lui avait dit qu'Alex Dunnigan et elle n'étaient pas amoureux et qu'un mariage n'était pas envisageable. Hors de lui, il était retourné à l'hôpital d'où il lui avait rapporté un médicament approprié à son état. Il lui avait également ordonné de consulter au plus tôt un obstétricien. Elle lui avait assuré qu'elle n'y manquerait pas et lui avait fait promettre de ne parler de sa grossesse à personne. Elle se chargerait elle-même, quand elle se sentirait prête, de mettre la famille au courant. A contrecœur, il avait accepté.

— Et ce médicament est efficace ? demanda Alex.

— Oui, répondit-elle, se demandant s'il projetait toujours de venir la voir.

Histoire de se rendre compte par lui-même qu'elle allait *vraiment* mieux.

— Jen, il y a un problème ?

— Non, absolument pas.

N'avait-il pas posé la question comme s'il pressentait ce qu'elle s'apprêtait à faire ?

Elle savait que c'était impossible, mais elle prit une profonde inspiration, essayant de se calmer.

Jusqu'ici, Alex n'avait pas parlé de venir la voir. Ce dont elle se félicitait. Elle avait besoin de temps et de solitude pour décider de ce qu'elle devait faire. Sa présence l'empêchait de réfléchir.

— Très bien, fit la voix de son interlocuteur.

Mais il était clair qu'il ne la croyait qu'à moitié.

— Ecoute, cela ne me plaît pas beaucoup, je veux dire avec toi qui es malade et tout ça, mais je vais devoir m'absenter. Joe Daughtrey a appelé à propos du contrat de la Vinson Corporation. Ils ont décidé de faire affaire avec nous, mais Ted Vinson souhaite me rencontrer avant de signer. Je m'envole tout à l'heure pour Los Angeles.

— C'est formidable, Alex ! Je veux dire, que *Com-Tec* ait obtenu le contrat.

— Je dois être à l'aéroport dans une heure. Je me disais que je pourrais passer te faire un petit coucou. C'est sur ma route…

— Surtout pas. Avec la circulation, tu risquerais de rater ton avion.

— J'ai envie de te voir, Jen.

— Je vais mieux. Tu peux me croire. Nous nous verrons à ton retour.

— J'ignore combien de temps je serai absent. Probablement quelques jours.

— Très bien.

— Jen, je… A bientôt.

— Au revoir, Alex.

Sans attendre sa réponse, elle raccrocha, au bord des larmes.

Alex arriva à l'aéroport juste à temps pour embarquer, ce qui donnait raison à Jennifer.

Il mourait d'envie de la voir, mais s'il était passé chez elle, il aurait loupé son avion.

Alors qu'il sirotait le whisky que lui avait servi l'hôtesse, il repensa à leur conversation.

Elle lui avait paru distante, comme si quelque chose l'ennuyait.

Etait-ce parce qu'ils avaient fait de nouveau l'amour ?

Même si elle s'était montrée plus que consentante, il avait promis de ne pas la toucher.

La barbe, il avait tout gâché. Il avait une nouvelle fois failli à sa parole. Même en cet instant, le désir qu'il avait d'elle était plus fort que jamais.

En quoi Jennifer était-elle différente de toutes les autres femmes avec lesquelles il avait couché ?

Il était amoureux d'elle.

Il faillit s'étrangler avec son whisky.

L'était-il ? Bon sang, il ne savait même pas ce que c'était que l'amour !

Il la désirait à la folie. Il ne cessait de penser à elle. Etre avec elle vingt-quatre heures sur vingt-quatre et ce trois cent soixante-cinq jours par an était son souhait le plus cher. Il avait le sentiment que jamais il ne se lasserait de lui faire l'amour…

D'accord. Si tout cela était symptomatique de l'amour, alors, il était dans le pétrin.

Parce que, même alors que l'avion était sur le point de quitter la piste d'envol, il avait envie d'oublier ce voyage d'affaires et de la rejoindre.

Et qu'est-ce qu'il lui dirait ?

Qu'il l'aimait et qu'il voulait l'épouser.

Non. Le mariage n'était pas pour lui. Bon sang, il n'avait jamais été capable d'entretenir une relation suivie. Et même s'il le faisait, quelle raison avait-il de croire qu'il avait, émotionnellement parlant, quelque chose à offrir à Jennifer ? Elle recherchait l'amour avec un grand « A », celui qui rimait avec toujours. Elle voulait des enfants.

Il secoua la tête mélancoliquement, les yeux sur son verre vide.

L'exemple du mariage raté de ses parents lui avait appris très tôt que l'amour ne dure pas.

Il songea à la soirée passée en compagnie de Jennifer et de sa famille, lorsque son père avait été hospitalisé. L'amour qui unissait les Cardon et la façon dont ils se soutenaient les uns les autres dans l'épreuve étaient ni plus ni moins stupéfiants. Les voir ensemble l'avait amené à reconsidérer tout ce en quoi il croyait.

Serait-il lui-même capable d'autant d'amour et de dévouement envers Jennifer ? Il n'en était pas sûr. Tout ce dont il était certain, c'est qu'il mourait d'envie d'être avec elle.

Et il était coincé dans ce fichu avion à destination de la Californie !

Le lundi matin, à son arrivée au bureau, Jennifer pressa le bouton de l'Interphone.

— S'il vous plaît, Paige, pouvez-vous demander à William Stanton de venir me voir ?

Elle avait suivi les conseils de son frère et téléphoné à son médecin traitant. Informé de sa grossesse, le praticien lui avait prescrit un médicament qui, selon lui, devait atténuer ses nausées. Elle l'espérait, car elle n'en pouvait plus.

La veille, malgré l'interdiction d'Alex, elle avait fait une incursion de quelques heures à l'agence afin de préparer son départ.

Cela étant fait, il ne lui restait plus qu'à passer le flambeau.

Son collaborateur immédiat, William Stanton était plus que qualifié pour assumer temporairement les responsabilités qui lui incombaient. Elle savait néanmoins que le convaincre ne serait pas chose aisée. Surtout alors qu'Alex se trouvait toujours en Californie. Mais nul doute qu'en voyant sa mine de papier mâché, William n'oserait pas refuser de se charger de ses dossiers. C'était un homme charmant qu'elle respectait et avec lequel elle avait eu beaucoup de plaisir à travailler. Ce qui rendait moins difficile cette décision. Elle laissait la société dans de bonnes mains.

La porte du bureau s'ouvrit et elle leva la tête.

— Entrez, Bill, et asseyez-vous… J'irai droit au but, poursuivit-elle après qu'il eut pris place dans le fauteuil en face d'elle. Un problème personnel est survenu qui me contraint à quitter *Com-Tec.*

Bill Stanton se pencha en avant et la fixa d'un air incrédule.

— Vous partez ?

— Oui, et je n'effectuerai pas de préavis. Je vais vous mettre au courant de mes affaires en cours, car j'aimerais que vous assuriez l'intérim jusqu'au retour d'Alex.

Il fallait qu'elle soit partie quand Alex reviendrait de Californie. La seule manière d'éviter une confrontation était de rompre tout lien avec son travail. Immédiatement.

Couper les ponts avant de faire quelque chose de vraiment stupide, comme de supplier Alex de l'aimer.

Mais elle ne pouvait pas faire cela parce qu'elle ne méritait pas son amour. Et s'il apprenait qu'elle était enceinte, il se sentirait obligé de l'aider.

Or, elle ne voulait pas de son aide. Ce qu'elle voulait, c'était son amour, et uniquement son amour. Ni plus ni moins.

Bill Stanton la dévisagea longuement.

— Etes-vous certaine de vouloir nous quitter, Jennifer ? Peut-être qu'un congé…

— Ma décision est prise, coupa-t-elle avec un sourire poli.

— Il va de soi que je ferai de mon mieux, dit-il. Mais Alex…

Elle l'interrompit de nouveau.

— Alex n'est pas là. En son absence, c'est moi qui

commande. J'ai besoin de savoir que je peux compter sur votre soutien.

Bien que visiblement déconcerté par sa décision, son interlocuteur acquiesça de la tête.

Jennifer entreprit alors de le mettre au courant des dossiers en souffrance.

— Je vous propose de nous revoir demain, dit-elle quand ce fut fini, deux heures plus tard.

— Entendu, répondit Bill avant de sortir.

Restée seule, Jennifer s'étira longuement, mais l'exercice ne soulagea en rien la tension qu'elle sentait monter en elle.

Alex avait téléphoné à maintes reprises pendant qu'elle s'entretenait avec Bill. Chaque fois, elle avait refusé de prendre la communication. Finalement, d'un ton sec qui ne lui ressemblait pas, elle avait dit à Paige qu'elle était *très* occupée et ne prenait *aucun* appel. Et que cela incluait ceux d'Alex.

Elle n'avait pas pour habitude de se montrer aussi autoritaire, mais parler à Alex était au-dessus de ses forces.

Lorsqu'elle rentra chez elle, ce soir-là, elle était tellement épuisée que son premier geste fut de brancher son répondeur. Bien lui en prit, car Alex appela à intervalles réguliers toute la soirée, et, à son intonation, il avait l'air furieux.

Eh bien, de toute façon, il le serait plus encore lorsqu'il reviendrait et qu'il découvrirait qu'elle n'était plus là.

*
* *

Le lendemain soir, sitôt tout le monde parti, Jennifer imprima la lettre de démission qu'elle avait tapée un peu plus tôt dans l'après-midi.

Elle avait pris la bonne décision. Elle n'avait pas d'autre solution.

D'ici peu, sa grossesse se verrait, et Alex n'était pas idiot. Il comprendrait que le bébé était le sien.

Elle plia la lettre, la glissa dans une enveloppe, y inscrivit le nom d'Alex Dunnigan et la mention « Confidentiel ». Ensuite, elle mit son manteau, prit son sac et alla poser l'enveloppe sur le bureau d'Alex.

Cela fait, elle se dirigea une ultime fois vers l'ascenseur, les joues maculées de larmes.

Alex invectiva le poids lourd qui lui bloquait l'accès au parking de l'agence.

Il avait eu envie de voir Jennifer à la seconde où son avion avait atterri, le jeudi matin. Mais, dans son impatience de rentrer, il avait pris un vol de nuit et avait dû attendre 8 heures pour appeler chez elle.

Et tomber sur son répondeur, une fois de plus.

Au début, il s'était dit que c'était une coïncidence. Lorsqu'il était parti, elle lui avait assuré qu'elle se sentait mieux. A présent, il n'en était plus si sûr.

Quelque chose n'allait pas. En quatre jours, elle n'avait pris aucun de ses appels. Les messages qu'il avait laissés sur son répondeur étaient restés sans réponse. Et chaque fois qu'il avait essayé de la joindre à l'agence, Paige lui avait dit que Jennifer était trop occupée pour lui parler.

« Trop occupée » !

Bon sang, il était directeur général de la société, et elle ne prenait pas *ses* appels ?

Il entra en trombe dans le bâtiment et alla directement dans le bureau de Jennifer, pensant l'y trouver.

Il poussa la porte et s'arrêta net.

Jennifer n'était pas là.

Dieu, était-elle malade ? Encore ?

En dépit de ses protestations, elle était réellement mal en point lorsqu'il était parti.

Il pesta dans sa barbe et se morigéna. Il aurait dû rester avec elle, s'assurer qu'elle allait bien. Ou au moins appeler l'un ou l'autre des membres de sa famille et demander que l'on aille la voir. Pourquoi n'avait-il pas au moins fait cela ?

Il entendit les portes de l'ascenseur s'ouvrir et se retourna.

— Où diable est Jennifer ? demanda-t-il à Paige qui en sortait. Excusez-moi, s'empressa-t-il d'ajouter devant son évidente inquiétude. Je ne voulais pas vous effrayer.

Les yeux écarquillés, la jeune femme semblait clouée sur place.

— Oui, monsieur.

— Où est Jennifer ? répéta-t-il, faisant un louable

effort pour retrouver son calme. Elle va bien, n'est-ce pas ?

— Eh bien… je pense que oui.

— Comment cela, vous pensez que oui ?

— Peut-être devriez-vous aller voir dans votre bureau, suggéra-t-elle d'une voix tremblante.

Qu'est-ce que cela signifiait ?

Sans lui poser plus de questions, il tourna les talons et se rua dans son bureau.

Posée sur le plateau en chêne massif, une enveloppe blanche l'attendait.

Son cœur marqua une pause. Il n'avait pas besoin de lire la lettre se trouvant à l'intérieur pour deviner ce qu'elle disait.

Il s'y obligea néanmoins.

Jennifer l'avait quitté.

Et il était le seul responsable. En poussant leur relation à l'extrême, il l'avait contrainte à démissionner de son poste.

Froissant la lettre dans sa main, il sortit de la pièce.

Il fallait qu'il la voie. Pour implorer son pardon et lui dire qu'il l'aimait.

Alex s'arrêta devant l'immeuble de Jennifer dans un crissement de pneus puis, afin de calmer les battements désordonnés de son cœur, il inspira et expira plusieurs fois profondément.

Si c'était cela, être amoureux, il n'était pas certain d'y survivre.

De toute évidence, il avait commis beaucoup d'erreurs avec Jennifer, mais l'aimer n'était pas l'une d'elles. Lorsqu'elle saurait ce qu'il éprouvait, elle ne pourrait pas ne pas lui pardonner, n'est-ce pas ?

Et sûrement l'aimait-elle également, ou alors elle n'aurait pas couché avec lui.

A présent, tout ce qu'il avait à faire, c'était la convaincre qu'il était sérieux : il la désirait et la voulait à ses côtés. Aujourd'hui. Demain. Toute la vie.

Il n'était pas question qu'il déboule chez elle et bredouille comme un imbécile. Ce dont il avait besoin, c'était d'un plan. Il lui dirait d'emblée qu'il savait qu'ils s'étaient mis d'accord pour que leurs rapports restent strictement professionnels, mais que ses sentiments à son égard avaient évolué.

La lettre de démission à la main, il sortit de la voiture et, à grandes enjambées décidées, alla sonner à la porte de Jennifer.

Mais quand, au bout d'une longue, d'une interminable minute, elle vint finalement ouvrir, il oublia tout. Tant pis pour son plan.

— Qu'est-ce que ça signifie ? interrogea-t-il en lui brandissant la lettre sous le nez.

Jennifer le regarda d'un air circonspect et s'humecta les lèvres.

— Il me semble que c'est parfaitement clair.

Alex s'avisa qu'elle n'avait pas l'intention de lui faciliter les choses.

— Puis-je entrer ?

Morose, Jennifer s'effaça.

— Je t'en prie… Je suppose que, au fond de moi, je savais que tu aurais du mal à accepter ma décision, poursuivit-elle après avoir fermé la porte.

— Du mal ? Mais je la refuse, point. Que t'imaginais-tu ?

— Alex…

— Non, Jen, laisse-moi parler. S'il te plaît.

Elle hocha la tête et s'assit.

— Très bien.

Alex la dévisagea. Quoi qu'elle prétende, elle n'allait pas bien. Elle était d'une pâleur à faire peur et ses cernes lui mangeaient les yeux.

Et, malgré cela, elle restait belle.

— Tu es toujours malade, hein ? demanda-t-il en prenant place en face d'elle.

— Oui.

Alex sentit sa poitrine se serrer.

— C'est grave ?

Jennifer esquissa un pâle sourire.

— Non. Mais nous aborderons ce sujet dans un instant. Que voulais-tu me dire ?

Soulagé, il se pencha en avant et lui prit la main.

— Je t'aime, Jen. Je veux que tu saches que tu es la première à qui je le dis. Jusqu'à aujourd'hui, je n'étais même pas certain de savoir ce qu'aimer voulait dire. Mais je suis sérieux. Je t'aime.

— Oh, Alex, murmura Jennifer en refoulant ses larmes.

— Je sais que tu m'en veux, et à juste titre, de t'avoir fait l'amour alors que je t'avais promis de ne pas te toucher. Mais quand je suis avec toi, ma douce, je ne me contrôle plus. Et, où que je sois, quoi que je fasse, je ne cesse de penser à toi.

— C'est vrai ?

— S'il te plaît, ne pleure pas, dit-il, voyant ses yeux s'embuer. Je suis venu avec l'intention de m'excuser d'avoir couché avec toi bien que tu ne veuilles pas t'engager avec moi. Mais je ne peux pas, Jen. Je ne peux pas te dire que je suis désolé de t'avoir fait l'amour.

Il porta sa main à ses lèvres et embrassa le bout de ses doigts.

— Alex, s'il te plaît…

— Je sais que je ne suis pas une affaire, continua-t-il. J'ai eu des tas d'aventures. Sur le plan affectif, je suis un cas désespéré. Au point d'ignorer si je suis capable de m'engager. Mais tu es si forte, si belle.

Il caressa ses cheveux, sa joue.

— Ensemble, nous sommes meilleurs, Jennifer. Epouse-moi, chérie. S'il te plaît.

Jennifer blêmit.

— Alex…

— Tu n'es pas obligée d'arrêter de travailler, si tu ne le souhaites pas. Ton poste n'a rien à voir avec notre histoire. Je sais que c'est la raison pour laquelle tu m'as remis ceci.

Il lui tendit sa lettre de démission.

— Alex, écoute-moi. Je n'ai pas donné ma démission parce que nous avions une liaison.

Il fronça les sourcils.

— Non ?

L'angoisse se peignit sur le visage de Jennifer et elle le regarda droit dans les yeux.

— Il y a quelque chose qu'il faut que tu saches.

— Je t'aime. Rien de ce que tu pourras dire ne me fera changer d'avis.

Jennifer dégagea sa main et se leva.

Il y avait des mois qu'elle attendait ce tendre aveu. Pourquoi fallait-il qu'il arrive maintenant, quand ce qu'elle avait à lui dire allait détruire tout ce qu'il y avait entre eux ?

Alex l'aimait. Il voulait l'épouser. Mais il se rétracterait lorsqu'il connaîtrait la vérité.

Quand elle lui aurait dit ce qu'elle avait fait, il ne pourrait que la détester.

— Alex, dit-elle, prenant son courage à deux mains, j'attends un enfant. De toi.

— Tu attends notre bébé, répéta-t-il, les yeux rivés aux siens. C'est pour cela que tu es si malade ? ajouta-t-il en venant se planter devant elle.

— Oui.

Il secoua la tête.

— Je ne comprends pas. Cette première nuit où nous avons fait l'amour, tu m'as dit que je n'avais pas besoin de prendre de précautions, n'est-ce pas ? J'en ai déduit que tu étais sous contraceptif.

Il fit un pas dans sa direction, mais elle recula d'autant.

— C'est ce que tu as cru, dit-elle, incapable de retenir plus longtemps ses larmes. Et je t'ai laissé le croire. Oh, Alex, pourtant je ne voulais pas te tromper.

— Tu es en train de me dire que tu ne l'étais pas ?

Oh, Dieu, pourquoi ne s'était-il pas contenté d'accepter sa démission ?

Essuyant ses larmes d'un revers de main, elle plongea son regard dans le sien.

— En couchant avec toi cette nuit où nous étions bloqués par la neige, j'espérais tomber enceinte.

- 12 -

Devant la perplexité d'Alex, Jennifer lui parla de ses projets d'avoir recours à une insémination artificielle, puis elle en vint à la soirée de la vente aux enchères.

— Casey me poussait à faire monter les prix, et je me suis laissé prendre au jeu. Elle n'arrêtait pas de me dire que, pour concevoir un bébé, un homme était mieux qu'une éprouvette. L'espace d'un fol instant, je l'ai écoutée.

— En résumé, tu envisageais de coucher avec un étranger, c'est ça ?

Elle blêmit à cette question.

— Tu me connais assez pour savoir que jamais je n'aurais fait quelque chose d'aussi irresponsable.

— Je croyais te connaître.

— Alex, à l'énoncé de mon nom, j'étais terrifiée. J'ai supplié Casey de prendre ma place. Et puis j'ai découvert que le célibataire qui m'était dévolu, c'était toi. Je t'aimais depuis si longtemps. Et je me suis surprise à penser qu'il serait merveilleux d'avoir un enfant de toi.

Alex serra les dents.

— Je refuse d'en entendre davantage.

— Mais comprends-moi, sapristi. J'étais désespérée. Je vais avoir trente ans dans quelques jours. Mon horloge biologique tourne. Je voulais un bébé. Je t'aimais…

— Cela ne te donnait pas le droit de te servir de moi !

— Je n'existais pas pour toi. Depuis que nous travaillions ensemble, jamais tu ne m'avais amenée à croire que tu ressentais quelque chose pour moi.

— Parce que je t'appréciais. Parce que j'avais trop de respect pour toi pour te faire souffrir.

— Je sais que ce que j'ai fait est mal…

— « Mal » ? répéta Alex avec un petit rire amer. C'est un euphémisme. Et tu n'as jamais été en proie au doute ?

— Bien sûr que si. Tu te rappelles la nuit de la vente aux enchères ? J'ai invoqué toutes sortes de prétextes pour ne pas sortir avec toi, mais tu n'as rien voulu savoir.

— Nous avons fait l'amour à plusieurs reprises, dans le Vermont. Je n'ai pas le souvenir que tu m'aies dit que tu n'étais pas sous contraceptif.

— La toute première fois, j'ai essayé de te le dire. Et puis tu m'as embrassée, et plus rien n'a eu d'importance. Par ailleurs, je t'avais déjà dit qu'une protection était inutile, et j'avais envie de connaître de nouveau le bonheur d'être dans tes bras.

— Alors tu as juste continué de te servir de moi, dit-il d'un ton accusateur, le regard noir. C'est pour cela que tu m'as fait promettre de limiter notre aventure à ce seul week-end !

Alex se mit à faire les cent pas comme un lion en cage.

— Comment ai-je pu me montrer aussi crédule ? En fait, tu ne m'as jamais réellement aimé. Tout ce que tu voulais, c'était un enfant ! Je n'étais pour toi qu'un géniteur potentiel. L'étalon de service.

— Non, je…

— As-tu réfléchi un seul instant à ce que tu comptais imposer à ce bébé ? Grandir sans père est loin d'être l'idéal, figure-toi. Evidemment, tu ne peux pas le savoir !

Il y avait du mépris dans la voix d'Alex, et elle cilla.

— Je te savais réticent quant aux enfants. Je… je ne voulais pas que tu te croies dans l'obligation…

— Dans l'obligation de quoi ? D'être présent pour mon enfant ? Bon sang, je sais ce que c'est que de se sentir rejeté. J'ai été élevé par un père qui se foutait éperdument de moi. Je refuse que mon fils ou ma fille ait la même enfance que la mienne.

Jennifer se raidit.

Que signifiait cette dernière phrase ? Alex avait-il

l'intention de participer à l'éducation de son enfant, ou bien la menaçait-il de lui retirer le bébé ?

Son bébé. Oh, Dieu, non. Tout mais pas ça.

— Alex, je t'en prie, écoute-moi.

— Pourquoi, tu as d'autres mensonges en réserve ?

Il se dirigea vers la porte d'un pas rageur et l'ouvrit d'un coup sec.

Jennifer courut après lui et le retint par le bras.

— J'étais amoureuse de toi. Je n'ai jamais eu l'intention de te blesser. Je voulais juste que tu m'aimes.

Alex la fixa.

— Et tu finis toujours par obtenir ce que tu veux, hein ?

Se dégageant d'un mouvement sec, il sortit en claquant la porte.

Elle avait tout gâché.

Dans sa quête d'enfant, elle avait, sans le savoir, saboté toute chance d'une relation avec le seul homme qu'elle ait jamais aimé.

Alex l'aimait.

L'avait aimée.

A un moment donné, il avait prononcé les mots qu'elle rêvait depuis si longtemps d'entendre : « Je t'aime, Jen. Je veux t'épouser. »

Elle aurait donné cher pour pouvoir revenir en arrière et tout recommencer. Hormis en ce qui concernait le bébé. Si certaines de ses décisions n'avaient pas été heureuses, elle savait que jamais elle ne regretterait celle qu'elle avait prise de porter l'enfant d'Alex. Même si cela signifiait qu'elle n'aurait jamais le père. Qu'ils ne vivraient jamais ensemble.

« Je t'aime. »

Prononcer ces deux petits mots n'avait pas dû être simple pour Alex. Il ne donnait pas son cœur facilement. Il l'avait prouvé en admettant qu'elle était la première à qui il les disait.

Sa réaction ne la surprenait pas. Alex n'avait jamais reçu le genre d'amour inconditionnel qu'un enfant est en droit d'attendre de ses parents. Tenir à distance quiconque cherchait à se rapprocher de lui était l'unique moyen qu'il avait trouvé de se protéger. Et, comme tout le monde avant elle, elle l'avait laissé tomber.

Non, le laisser tomber n'était pas, et loin s'en fallait, ce qu'elle avait fait. Elle l'avait blessé, de la pire manière qui soit.

Elle pria pour qu'Alex pense au bébé qu'elle portait.

Il ne voulait pas d'elle, soit, mais il avait besoin de l'amour de son enfant. Et peut-être, juste peut-être, leur bébé aiderait-il à la cicatrisation de son cœur ?

*
* *

Alex se força à s'asseoir pour réfléchir calmement.

Depuis qu'il était rentré à l'agence, il ne tenait pas en place. Il ne décolérait pas.

Jennifer était enceinte. De *lui*.

Elle lui mentait depuis le début.

Dans le Vermont, quand ils avaient fait l'amour, elle ne pensait qu'à ce bébé qu'elle désirait. Il n'avait été pour elle qu'un donneur de sperme.

C'était cela qui faisait le plus mal. Elle disait l'aimer, mais comment pourrait-il la croire après ce qu'elle avait fait ?

Elle n'avait qu'une idée en tête : avoir un bébé.

Un bébé de lui.

D'accord, pour avoir cet enfant, Jennifer l'avait choisi, lui, et personne d'autre. Mais qu'elle l'aime assez pour désirer un enfant de lui ne changeait rien au fait qu'elle lui avait menti.

Pourtant, un détail clochait dans la logique de cette lamentable histoire. Qu'est-ce que ça pouvait bien être ? Un fait qui clignotait faiblement dans sa mémoire.

Oui, voilà : la dernière fois qu'ils avaient fait l'amour chez elle, Jennifer se savait enceinte.

C'était cela qui le troublait. Pourquoi avait-elle fait de nouveau l'amour avec lui, si elle était déjà enceinte ?

Parce qu'elle l'aimait.

Alex se renversa dans son fauteuil.

Elle l'aimait !

Et soudain la vérité lui apparut : si Jennifer n'avait pas été honnête avec lui, il ne l'avait pas davantage été avec elle. Uniquement intéressé par une aventure, il n'avait jamais eu, jusqu'à ces derniers jours, l'intention d'avoir une relation durable avec elle.

Et puis il y avait eu ce week-end de ski dans le Vermont, et il avait succombé à l'attraction qu'elle exerçait depuis longtemps sur lui.

En songeant à la nuit où ils avaient fait pour la première fois l'amour, il se souvenait maintenant avoir perçu chez elle comme une hésitation au moment fatidique.

N'avait-elle pas voulu à ce moment-là lui dire qu'elle n'était pas sous contraceptif ?

Il aurait eu mauvaise grâce à nier qu'il avait follement envie d'elle. Il l'avait donc bâillonnée d'un baiser et séduite. Et parce qu'il n'avait pas su refréner ses ardeurs, Jennifer portait son enfant.

L'énormité de la situation le frappa.

Il aurait tort d'en vouloir à Jennifer, car il était tout aussi fautif qu'elle. S'il ne lui avait pas mis la pression ce soir-là, elle ne serait pas enceinte de ses œuvres.

Bouleversé, il réalisa alors qu'il voulait ce bébé, *leur* bébé. Plus important : il voulait Jennifer. Il la voulait auprès de lui. Toujours.

Il l'aimait de toute son âme.

Mais n'avait-il pas, par ses accusations, détruit toute chance d'un avenir avec elle ?

S'accrochant à l'espoir se faire pardonner, il sortit en trombe de son bureau…

— J'aimerais te parler, Jen. Enfin, si tu es d'accord.

Devant la gravité du ton d'Alex, Jennifer sentit son cœur se serrer.

Etait-il venu lui faire part de ses exigences concernant leur enfant ? Dieu, que ferait-elle s'il voulait le lui enlever ?

— Bien sûr, entre…

Les jambes tremblantes, elle le précéda dans la cuisine.

— Je t'écoute, dit-elle d'une voix peu assurée après s'être juchée sur un tabouret.

Alex l'imita, puis il se lança.

— Je t'ai déjà dit que, sur le plan relationnel, je n'étais pas très doué. Bon sang, aucune de mes liaisons n'a jamais excédé quelques mois.

Compris, il ne voulait pas d'elle. Comment en aurait-il été autrement après ce qu'elle avait fait ?

— Je suis au courant, Alex. J'ai toujours su que tu étais allergique à toute forme d'engagement. Je n'ai pas fait cela pour te piéger.

— « Engagement » est un mot qui me terrifie, avoua-t-il. Je ne suis même pas persuadé d'avoir l'étoffe d'un père.

Elle le fixa avec incrédulité.

— Tu ne veux pas du bébé ?

— Non, non, tu m'as mal compris, protesta-t-il.

Son regard s'adoucit.

— Je suis mort de trouille à la perspective d'être père. Il est vrai que, en matière de mariage, mes parents m'ont donné un bien piètre exemple. Je veux juste que tu saches que je ferai de mon mieux.

Soulagée, elle laissa échapper un soupir. Du moins voulait-il du bébé.

— A mon avis, tu seras un père merveilleux.

Cette remarque surprit Alex. Ses lèvres se retroussèrent en un petit sourire.

— Vraiment ?

— Tu as été si gentil avec moi lorsque je n'étais pas bien. Et tu es doux et tendre.

— Je n'ai pas été très tendre aujourd'hui, reconnut-il. Mais je vais tout faire pour m'amender. Je te le promets.

— Quoi ? fit-elle, stupéfaite, ses yeux cherchant les siens.

— Tu m'as demandé de te pardonner, mais c'est moi qui ai besoin de *ton* pardon, Jen.

— J'ai peur de ne pas comprendre.

— Après t'avoir quittée, j'ai beaucoup réfléchi. Apprendre que tu portais mon bébé a semé la confusion dans mon esprit. J'étais incapable d'une pensée cohérente. Et puis je me suis calmé et j'ai compris que ma colère contre toi n'était pas fondée. Que je n'avais pas le droit de t'en vouloir.

— Je ne suis pas d'accord, Alex. Je n'aurais pas

dû te laisser croire que j'étais sous contraceptif. Je t'assure que j'ai failli te le dire, mais…

— Mais je t'ai embrassée, termina-t-il à sa place. J'ai perçu ton hésitation, mais j'avais tellement envie de toi que je ne t'ai pas laissé l'occasion de faire machine arrière. Je suis aussi fautif que toi. Et puisque nous avons opté pour la transparence, Jennifer, il faut que tu saches que, au départ, je n'avais aucune intention d'avoir une liaison avec toi.

— Je crois que je le savais, mais j'étais tellement amoureuse de toi que je m'en fichais. Cela n'excuse cependant pas ce que j'ai fait.

Cet aveu arracha un sourire à Alex.

— De mon côté, j'ai toujours fait en sorte de garder mes distances avec toi parce que je savais que si nous couchions ensemble, il me serait difficile de me détacher de toi. Et je ne voulais pas que tu souffres. M'engager me faisait peur. Je n'avais rien à t'offrir. Ne pas te toucher était pour moi le seul moyen de juguler les sentiments que tu m'inspirais.

— Et moi, j'ai insisté pour que notre aventure demeure sans lendemain parce que je ne voulais pas te mettre la pression. Je me croyais assez forte pour, une fois le week-end terminé, oublier nos étreintes et ne plus voir en toi que le patron. A notre retour, j'ai réalisé que j'en étais incapable. Je me suis alors avisée que je ne pouvais plus continuer de travailler avec toi. D'où ma démission. Et je ne voulais pas que tu saches pour le bébé, parce que j'avais honte et que je ne voulais pas que tu te sentes redevable envers moi.

— Tel n'est pas le cas, ma douce. Je t'aime. De toute mon âme. Et je suis heureux que tu portes notre bébé.

— C'est vrai ? demanda-t-elle dans un souffle.

— Et je t'ai apporté, en avance, un cadeau d'anniversaire.

Elle esquissa un sourire.

— Vraiment ?

Alex descendit de son perchoir et mit un genou à terre.

— Grâce à toi, j'ai accepté mon passé et je suis prêt à affronter l'avenir et à fonder une famille. Je n'envisage pas la vie sans toi, Jennifer. J'ai besoin de toi. Je t'aime. Veux-tu être ma femme ?

Les yeux de Jennifer se posèrent sur le solitaire brillant de tous ses feux qu'il avait sorti de sa poche.

Elle ne parvenait pas à le croire. Alex lui demandait de l'épouser !

— Oh, Alex, es-tu certain de vouloir faire cela ?

— Absolument. Je t'aime. Je te veux auprès de moi jusqu'à la fin des temps. Je veux avoir ce bébé, et même une pleine maisonnée d'enfants si tu veux, du moment que c'est avec toi. Une famille.

Une larme roula sur la joue de Jennifer.

— Oh, Alex, je t'aime tant.

— Alors, dis oui, chérie. Et fais de moi le plus heureux des hommes.

— Oui, oui, mille fois oui !

Passions

— Le 1er juillet —

Passions n°31

Le lien du cœur - Peggy Moreland

Quand elle apprend que Mack McGruder, l'homme providentiel qui l'a conduite à la maternité alors qu'elle était sur le point d'accoucher, est le demi-frère de l'homme qui l'a abandonnée, enceinte, Addy est bouleversée. Peut-elle faire confiance à Mack quand il lui propose de l'épouser et de devenir le père de son enfant ?

La brûlure du secret - Tracy Kelleher

Eve Cantoro n'a jamais ressenti une attirance comme celle qui la pousse vers Carter Moran, un homme énigmatique et séduisant. Pourtant, malgré le feu de la passion qui les unit bientôt, elle a le sentiment qu'il lui cache quelque chose. Et quand elle découvre la vérité sur son passé de golden boy, elle se demande, désemparée, s'il y a encore un avenir pour eux deux...

Passions n°32

Les amants de minuit - Nora Roberts

Dans l'île de Kauai où elle est venue rejoindre son père qu'elle n'a pas vu depuis quinze ans, Laine s'interroge : pourquoi son père, qui ne lui a jamais écrit, semble-t-il lui reprocher son silence ? Et pour quelle raison son associé, le très séduisant Dillon O'Brian, s'autorise-t-il à la traiter comme si elle était la pire des intrigantes ?

Tête-à-tête amoureux - Nora Roberts

Brooke Gordon ne se reconnaît plus. Elle qui a réussi à devenir l'une des réalisatrices de pubs les plus en vogue de la télévision, est en train de perdre ses moyens devant la vedette de son prochain spot, le champion Parks Jones. Certes, Parks est extrêmement séduisant mais Brooke sait comment résister aux don Juan de cette espèce...

La saga des Elliott **Passions n°33**

Sur le point de désigner son successeur, le magnat de la presse Patrick Elliott lance un défi à ses héritiers. Entre amour et ambition, chacun d'eux va devoir faire un choix...

Un héritier chez les Elliott - Heidi Betts

Malgré l'incroyable alchimie sensuelle qui l'unit à Cullen Elliott, Misty sait bien que ce richissime héritier n'épousera jamais une danseuse de Las Vegas comme elle. Aussi se persuade-t-elle que leur passion est sans lendemain, jusqu'à ce qu'elle découvre qu'elle attend un enfant de lui...

L'amour à fleur de peau - Charlene Sands

Secourue par Mac Riggs après un accident, Bridget Elliott se réveille amnésique. Pourtant, malgré les questions qui la hantent, elle se fie à la bienveillance qu'elle lit dans les yeux de son sauveur, et accepte son hospitalité dans le fol espoir qu'il pourra l'aider à découvrir qui elle est...

Passions n°34

Coupable séduction - Susan Mallery

Délaissée par son mari, le prince Jamal, la princesse Heidi décide de se déguiser en femme fatale pour le séduire... Mais la ruse réussit au delà de ses espérances et Heidi se retrouve bientôt face à un double dilemme : comment avouer la vérité à Jamal ? Et comment surmonter sa terrible jalousie à l'égard de cette autre elle-même dont son mari semble si épris ?

L'inconnue de Thunder Lake - Jennifer Mikels

La première fois, que Sam Dawson avait vu Jessica, il avait été étonné. Quelle mystérieuse raison pouvait bien avoir poussé cette inconnue aux allures de citadine à poser ses valises à Thunder Lake, au fin fond du Nevada ? Puis la défiance qu'il avait lue dans son regard était venue confirmer ses soupçons : Jessica était à Thunder Lake pour se cacher...

Passions n°35

Scandaleuse liaison - Emilie Rose

Quand Juliana Alden, riche héritière promise par ses parents à un homme qu'elle n'aime pas, croise le regard de Rex Tanner, un bad boy à la réputation sulfureuse, elle rêve de céder à son désir pour cet homme si sexy. Mais peut-elle risquer de provoquer un scandale dans la bonne société de Wilmington ?

Troublante passion - Brenda Jackson

Sur le point de retrouver Ian Westmoreland, l'homme qu'elle n'a jamais cessé d'aimer et qui l'a quittée quatre ans plus tôt, persuadé qu'elle l'avait trahi, Brooke ressent une sourde angoisse. Comment va-t-il réagir en la voyant ? D'autant que ce n'est pas seulement pour lui qu'elle est revenue...

Le 1er juillet

La nuit du cauchemar - Gayle Wilson • N°292

Depuis qu'elle a emménagé dans la petite ville de Crenshaw, Blythe vit dans l'angoisse : Maddie, sa fille, est en proie à de violents cauchemars et se réveille terrifiée. La nuit, des coups sont frappés à la vitre, que rien ne peut expliquer... Et lorsque Maddie croit voir Sarah, une petite fille sauvagement tuée il y a vint-cinq ans, et qu'elle se met à lui parler, Blythe doit tout faire pour comprendre quelle menace rôde autour de son enfant.

Mortel Eden - Heather Graham • N°293

Lorsque Beth découvre un crâne humain sur l'île paradisiaque de Calliope Key, elle comprend immédiatement qu'elle est en danger. Car deux plaisanciers ont déjà disparus, alors qu'ils naviguaient dans les eaux calmes de l'île... Et Keith, un séduisant plongeur, semble très intéressé par sa macabre découverte. Mais peut-elle faire lui confiance et se laisser entraîner dans une aventure à haut risque ?

Visions mortelles - Metsy Hingle • N°294

Lorsque Kelly Santos, grâce à ses dons de médium, a soudain eu la vision d'un meurtre, elle n'a pas hésité à prévenir la police. Personne ne l'a crue... jusqu'à ce que l'on découvre le cadavre, exactement comme elle l'avait prédit. Et qu'un cheveu blond retrouvé sur les lieux du crime, porteur du même ADN que celui de Kelly, ne fasse d'elle le suspect n°1 aux yeux de la police...

Dans les pas du tueur - Sharon Sala • N°295

Cat Dupree n'a jamais oublié le meurtre de son père, égorgé lorsqu'elle était enfant par un homme au visage tatoué. Depuis, elle a reconstruit sa vie – mais tout s'écroule quand Marsha, sa meilleure amie, disparaît sans laisser de trace. Seul indice : un message téléphonique, qui ne laisse entendre que le bruit d'un hélicoptère... Un appel au secours ? Cette fois-ci, Cat ne laissera pas le mal détruire la vie de celle qu'elle aime comme une sœur.

Le sang du silence - Christiane Heggan • N°296

13 juin 1986. New Hope, Pennsylvanie. Deux hommes violent, tuent puis enterrent une jeune fille du nom de Felicia. La police incarcère un simple d'esprit. Les rumeurs prennent fin dans la petite ville.
9 octobre 2006. Grace McKenzie, conservateur de musée à Washington, apprend que son ancien petit ami, Steven, vient d'être assassiné à New Hope, où il tenait une galerie d'art. Elle va découvrir, avec l'aide de Matt, un agent du FBI originaire de la petite ville, qu'un silence suspect recouvre les deux crimes... et qu'un terrible lien les unit, enfoui dans le passé de New Hope.

Le donjon des aigles - Margaret Moore • N°297

La petite Constance de Marmont a tout juste cinq ans lorsque, devenue orpheline, elle est fiancée par son oncle au jeune Merrick, fils d'un puissant seigneur des environs. La fillette est aussitôt emmenée chez ce dernier, au château de Tregellas, où sa vie prend figure de cauchemar. Maltraitée par son hôte, William le Mauvais, Constance l'est également par Merrick, qui fait d'elle son souffre-douleur jusqu'à ce que, à l'adolescence, il quitte le château pour commencer son apprentissage de chevalier.
Des années plus tard, Merrick, devenu le nouveau maître de Tregellas, revient prendre possession de son fief — et de sa promise...

Hasard et passion - Debbie Macomber • N°150 *(réédition)*

Venue au mariage de sa meilleure amie Lindsay à Buffalo Valley, Maddy Washburn décide, comme cette dernière, de s'installer dans la petite ville. Une fois de plus, les habitants voient avec surprise une jeune femme ravissante et dynamique rejoindre leur paisible communauté. Ils ignorent que Maddy est à bout de forces, le cœur déchiré par ses expériences du passé... Seul Jeb McKenna, un homme farouche qui vit replié sur ses terres, peut la pousser à se battre et à croire à nouveau en l'existence.

Titres non disponibles au Québec.

Composé et édité par les
*éditions*Harlequin
Achevé d'imprimer en mai 2007
par
LIBERDÚPLEX

Dépôt légal : juin 2007
N° d'éditeur : 12835

Imprimé en Espagne